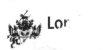

NIE UFAJ
NIKOMU

KATHRYN CROFT

NIE UFAJ NIKOMU

Z języka angielskiego przełożyła
Ewa Kleszcz

Tytuł oryginału: *Silent Lies*

Copyright © by Kathryn Croft, 2017

Copyright for the Polish edition © by Burda Publishing
Polska Sp. z o.o., 2018
02-674 Warszawa, ul. Marynarska 15
Dział handlowy: tel. 22 360 38 42
Sprzedaż wysyłkowa: tel. 22 360 37 77

Redaktor prowadzący: Marcin Kicki
Tłumaczenie: Ewa Kleszcz
Redakcja: Olga Gorczyca-Popławska
Korekta: Malwina Łozińska, Magdalena Szroeder-Stępowska
Skład i łamanie: Beata Rukat/Katka
Redakcja techniczna: Mariusz Teler
Projekt okładki: Paweł Panczakiewicz/PANCZAKIEWICZ ART.DESIGN
Zdjęcia na okładce: kitty/Shutterstock, Kotin/Shutterstock

ISBN: 978-83-8053-387-5
Druk: Abedik SA

www.burdaksiazki.pl

Dla Debbie i Lindsey

Prolog

Na dobre i na złe. Właśnie to ma oznaczać małżeństwo, czyż nie, Zach? Ale nie dla nas. Nie teraz, gdy odszedłeś.

Ci nieliczni żałobnicy, którzy w ogóle się pojawili, już opuszczają cmentarz, posyłając mi blade, lecz życzliwe uśmiechy. Bez wątpienia starają się, jak mogą, żeby odepchnąć od siebie myśli na temat tego, jak i dlaczego to zrobiłeś. Bo nie można się nad tym nie zastanawiać, Zach.

Jestem wdzięczna, że nikt nie zapytał, dlaczego nie będzie stypy. Organizowanie jej wydało mi się po prostu niewłaściwe, jeśli weźmie się pod uwagę okoliczności. Nie mogłam tego dla ciebie zrobić, chociaż serce mi się kraje.

Freya płacze w moich ramionach; zbyt mała, mam nadzieję, by w pełni zrozumieć, że właśnie pożegnałyśmy jej ojca, że już nigdy cię nie zobaczy.

– Już dobrze – uspokajam ją. – Wracamy do domu. Wszystko będzie dobrze, obiecuję.

– Tata... – protestuje, zanosząc się płaczem.

Słone łzy kłują mnie pod powiekami, gdy sadzam ją do wózka i przypinam, ale je powstrzymuję; nie mogę pozwolić, by zobaczyła, jak mi ciężko.

– Tata, tata, tata... – Cienki głosik Frei odbija się echem na cmentarzu, a każde jej słowo miażdży mnie swym ciężarem.

Przyspieszam kroku, by oddalić się od kościoła, i wychodzę na ulicę w nadziei, że pęd wózka odwróci jej uwagę i sprawi, że zamilknie.

Muszę opuścić to miejsce jak najszybciej, bo to nie jest normalny pogrzeb, prawda, Zach? Całej tej sytuacji daleko do normalności.

Nagle czyjaś dłoń chwyta mnie za ramię. Dwie kobiety stają mi na drodze. Nie zauważyłam, skąd się wzięły. Nie znam żadnej z nich.

Mają mordercze wyrazy twarzy, a z każdego pora w ich ciele sączy się tak intensywna nienawiść, że niemal mogłabym jej dotknąć.

– Ten człowiek nie zasłużył na pogrzeb – syczy kobieta, która mnie przytrzymuje.

Jej ślina ląduje mi na policzku, ale jestem zbyt zszokowana, żeby ją zetrzeć.

W końcu się wyrywam.

– Zostawcie mnie w spokoju!

– Wiedziałaś o tym? – krzyczy druga. – Wiedziałaś, co on wyprawiał? To obrzydliwe. Podłe. A ty jesteś tak samo winna jak on, skoro byłaś jego żoną.

Nie ma sensu odpowiadać na ich zarzuty, próbować tłumaczyć, że nie miałam o niczym pojęcia. Kilka ostatnich tygodni nauczyło mnie, że tacy ludzie nie chcą słuchać – chcą tylko wyładować na kimś swój gniew.

Skręcam wózkiem, by je wyminąć, ale blokują drogę. Serce wali mi w piersi jak oszalałe. Kolejne, czego się nauczyłam, to że tacy ludzie nie boją się wyrządzić komuś krzywdy; w ich oczach jest to usprawiedliwione działanie.

Jedna z kobiet wskazuje na Freyę, która przygląda się całemu zdarzeniu szeroko otwartymi oczami.

– A to jest jego córka. Biedne dziecko! Kiedy jej powiesz, że jej ojciec był potworem?

– Potworem – powtarza po niej Freya i to wtedy taranuję kobiety wózkiem, po czym uciekam przed nimi tak szybko, jak potrafię.

– Jesteś taka sama jak on! – krzyczy za mną któraś z nich. – Powinnaś była wiedzieć, co on wyprawia. Co za żona nie wie, co robi jej mąż? Mam nadzieję, że będziesz się smażyć w piekle!

Ale skąd mogłam wiedzieć, Zach? Jak miałam przewidzieć, do czego jesteś zdolny?

1

Mia

Ktoś mnie obserwuje, jestem tego pewna. Podczas gdy Freya biegnie, żeby pobawić się na huśtawce, ja rozglądam się po parku, ale nie widzę nikogo, kto zachowywałby się podejrzanie, tylko inne matki z dziećmi, kilkoro spacerowiczów z psami oraz parę staruszków przycupniętych na ławce. Ci ostatni spoglądają na wszystkich z łagodnym uśmiechem. Być może wspominają czasy, gdy sami mieli małe dzieci. Słońce świeci jasno, kąpiąc nas w swym cieple; cała ta scenka to kwintesencja beztroski. Nic okropnego nie może się wydarzyć w taki dzień jak ten, prawda? I nie ma tu nikogo, kto zwracałby na mnie uwagę.

– Mamo! – krzyczy Freya. – Patrz na mnie, patrz na mnie!

Łatwo się zatracić w obserwowaniu Frei; mimo okoliczności, w jakich pojawiła się na tym świecie, przemieniła się w piękną, pełną życia siedmiolatkę i mogę być tylko wdzięczna, że była wtedy za mała, by cokolwiek zrozumieć, za mała, żeby nawet pamiętać ojca. Teraz wzbija się w powietrze na huśtawce, wymachując nogami, aby nabrać rozpędu.

Jej radosny uśmiech wywołuje podobny na mojej twarzy, ale wciąż nie potrafię pozbyć się uczucia, że ktoś mi się przygląda.

Podskakuję, gdy czyjaś dłoń dotyka mojego ramienia.

– Przepraszam, Mio, nie chciałem cię przestraszyć.

Jakimś cudem żadna z nas nie zauważyła nadejścia Willa, mojego partnera.

– Nie rób tak więcej! Myślałam… nieważne. Po prostu tak nie rób, proszę.

Will unosi ręce w obronnym geście.

– Okej, przepraszam. Naprawdę nie chciałem…

– Wiem, wiem. Jestem po prostu odrobinę nerwowa, to wszystko.

On marszczy brwi i domyślam się, co robi. Analizuje w myślach daty, zastanawiając się, czy dziś wypada jakaś rocznica. Urodziny Zacha? Dzień naszego ślubu? A może pierwszego spotkania? Ale to żaden z tych dni, a ja nie potrafię wyjaśnić, dlaczego czuję się podminowana.

– Dlaczego? – pyta. – Mogę ci jakoś pomóc?

Oto cały Will. Gotów naprawić wszystko, jeśli tylko zdoła.

Kręcę głową, choć wiem, że w ten sposób go rozczaruję.

– Nie, to nic takiego. Po prostu umówiłam za dużo wizyt w tym miesiącu. Trudno upchnąć wszystkich pacjentów w trzydniowym grafiku. – Żałuję swoich słów chwilę po tym, jak je wypowiedziałam.

Will i tak już uważa, że wzięłam na siebie za dużo, gdy kilka miesięcy temu otworzyłam własną praktykę, ale ja muszę pomagać ludziom. To jedyne, co naprawdę chcę robić.

Dziś środa, a ponieważ są wakacje, nie przyjmuję pacjentów przed południem, żeby być z Freyą, dopóki Will nie przyjdzie. Czasami nie mogę uwierzyć, jak wiele ten człowiek dla nas robi. Oszczędza urlop na czas wakacji Frei, żeby mieć wolne popołudnia, gdy potrzebuję pomocy w opiece nad nią. Na pewno nie jest to dla niego łatwe – pracuje jako księgowy w dużej firmie i wiem, że liczy na awans, więc ciągłe nieobecności nie są dobrze odbierane. Mimo to się dla nas poświęca. Ale wcześniej czy później to się odbije na jego pracy.

Opieka nad moją córką nie należy do obowiązków Willa; nie jesteśmy po ślubie i – mimo jego licznych próśb – nawet nie mieszkamy razem, więc mam wobec niego ogromny dług wdzięczności, że robi tak dużo dla Frei. Kiedyś wreszcie będę gotowa na następny etap w naszym związku, ale Will rozumie, że nie mogę kimś tak po prostu zastąpić Zacha.

– Czy możesz jakoś...

– Nie mogę przestać przyjmować pacjentów, którzy mnie potrzebują, Will. Mogę jednak obiecać, że na razie nie wezmę nikogo nowego.

Kiwa głową.

– To dobry pomysł. Ale nie brakuje ci pieniędzy, prawda? Bo gdybyś kiedykolwiek czegoś potrzebowała, wystarczy, że powiesz.

Zach nie miał ubezpieczenia na życie, ale finansowo radzę sobie nieźle. Pracuję ciężko, żeby zapewnić Frei wszystko, czego potrzebuje – chociaż jej nie rozpuszczam – i nigdy nie doprowadzę do tego, by stać się zależna od kogokolwiek.

Ujmuję rękę Willa i zachęcam go, żeby usiadł przy mnie na ławce, tymczasem Freya piszczy z zachwytu i puszcza jeden z łańcuchów huśtawki, żeby mu pomachać. Gestem pokazuję, żeby trzymała się obiema dłońmi.

– Dziękuję ci. To wiele dla mnie znaczy, ale dam sobie radę.

Will odmachuje Frei.

– To chyba oznacza, że nadal nie bierzesz pod uwagę możliwości, że się do ciebie wprowadzę? A może moglibyśmy kupić coś nowego razem? Wiem, że uwielbiasz Ealing, więc z radością zamieszkałbym w tej okolicy. Właśnie zleciłem wycenę swojego mieszkania i mogę dostać za nie niezłą sumkę. Najwyraźniej po tym całym zamieszaniu na rynku nieruchomości to dobry moment na sprzedaż.

Myślę o mieszkaniu Willa – w nowym budownictwie w Chiswick – i nie mam wątpliwości, że dostałby za nie dobrą cenę, ale zamieszkanie razem to nie jest decyzja, którą mogę podjąć, kierując się logiką. To serce musi mi powiedzieć, że nadeszła odpowiednia pora.

Ściskam jego dłoń w nadziei, że zrozumie, jak się czuję, choćby częściowo.

– Tak mi przykro, Will, ale nie jestem jeszcze gotowa. Nie mówię, że nie stanie się to nigdy, ale po prostu jeszcze nie teraz. Muszę się skupić na mojej praktyce i, cóż, Freya jest teraz taka szczęśliwa. Przez ostatnie pięć lat mieszkałyśmy same, więc... – Tyle że Freya uwielbia Willa, a on był dla niej jak ojciec przez ostatnie dwa lata, więc nie powinnam używać tego argumentu. Poprawiam się: – Ale wiem, że byłaby zachwycona, gdybyś się wprowadził...

Will wzdycha i przez chwilę milczy.

– W porządku. Wiem, że ty również musisz być gotowa. – Odwraca się i przenosi wzrok na Freyę, niezdolny, by spojrzeć mi w oczy, bo po raz kolejny go odrzuciłam. Najlepszego człowieka, jakiego mogłabym spotkać.

Ale czy tak samo nie myślałam o Zachu? Ufałam mu bezgranicznie, a on tak bardzo mnie zawiódł. Nie pozwolę jednak, żeby to wpłynęło na moje uczucia do Willa. Muszę być wobec niego sprawiedliwa: to nie jest Zach.

Nieświadomy myśli kłębiących się w mojej głowie, Will zwraca się do mnie:

– Hej, czy ty przypadkiem nie masz za chwilę pacjentki? Lepiej się zbieraj.

Sięgam po telefon, żeby sprawdzić godzinę. Byłam tak pochłonięta rozmyślaniami, zamknięta w swojej klaustrofobicznej bańce, podczas gdy Freya się bawiła, że nie zdawałam sobie sprawy z upływu czasu. Nowa pacjentka, kobieta, której jeszcze nie znam, ma przyjść o czternastej.

– Całe szczęście, że mieszkasz po drugiej stronie ulicy! – woła Will.

Wiem, co robi: próbuje rozładować napięcie żartami, żebym nie przyjmowała pacjentki obarczona poczuciem winy.

– Zabiorę Freyę do kina – sugeruje. – Grają chyba *Piękną i bestię*.

Znając Willa, już to sprawdził, wybrał seans i wyliczył, o której będą musieli wyjść z parku, żeby dotrzeć do kina na czas i nie przegapić początku filmu.

– Bardzo ci dziękuję – mówię szeptem.

Czuję dławienie w gardle na myśl o jego troskliwości.

Wychodzę z parku i zerkam w stronę domu. Domu, na który Zach i ja oszczędzaliśmy tyle lat temu, w nadziei na lepszą przyszłość dla naszej małej rodziny.

Zanim przejdę przez ulicę, odwracam się i widzę, jak Freya zarzuca Willowi ramiona na szyję. On ją podnosi, a ona piszczy z radości. Para staruszków siedzących na ławce kiwa głowami i się uśmiecha. Pewnie myślą, że Will jest ojcem Frei. Czasami naprawdę chciałabym, żeby nim był.

* * *

Po wejściu do domu zmierzam prosto do gabinetu, żeby poczekać na pacjentkę. Mam szczęście, że mogę tu pracować i nie muszę wynajmować biura, a mój gabinet znajduje się tuż przy drzwiach wejściowych. To przestrzeń oddzielona od reszty domu. Ustalenie wyraźnego podziału między pracą a życiem prywatnym z Freyą było dla mnie bardzo ważne i na razie dobrze się to sprawdza. Toaleta na dole znajduje się tuż koło gabinetu, więc jestem pewna, że klienci nie będą oglądać reszty pomieszczeń. Gdy wybieraliśmy z Zachem to miejsce, nie myślałam, że będę tu pracować ani że jego kiedykolwiek przy nas zabraknie.

Teraz, kiedy tylko znajdę się w gabinecie, natychmiast skupiam się na pracy, odsuwając inne myśli na bok. Nabrałam wprawy, chociaż Zach pewnie powiedziałby, że zawsze byłam w tym dobra. Muszę poświęcić sto procent uwagi kobiecie, która ma się tu zjawić lada chwila. Sprawdzam kalendarz, żeby przypomnieć sobie jej nazwisko.

Alison Cummings. Zadzwoniła dwa dni temu i powiedziała, że po doświadczeniu przemocy w związku chyba potrzebuje pomocy terapeuty. Nie podała więcej informacji. Nie mam pojęcia, ile ma lat, czy ma dzieci, ale jestem pewna, że dowiem się tego w swoim czasie.

Spóźnia się. Niezbyt dobry początek. Minuty mijają i już mam się poddać – to nic nadzwyczajnego, że ludzie w ostatniej chwili zmieniają zdanie na myśl o obnażeniu duszy przed obcą osobą – gdy rozbrzmiewa dzwonek do drzwi. Wstaję, wygładzam dżinsy i idę otworzyć. Nie ubieram się formalnie na czas sesji; odkryłam, że swobodny strój działa na ludzi uspokajająco. Patrzą na mnie jak na kogoś takiego jak oni, kogoś, przed kim mogą się otworzyć.

Pierwsze, co zauważam, to że pacjentka jest młoda. Wygląda na jakieś dwadzieścia lat, chociaż gdy przyglądam się jej uważniej, zdaję sobie sprawę, że zmyliła mnie jej drobna budowa ciała. Sama mam tylko sto sześćdziesiąt pięć centymetrów wzrostu, ale jestem od niej sporo wyższa. Mimo upału jest ubrana na czarno. Nie potrafię stwierdzić, czy ma na sobie legginsy, czy dżinsy, ale ciasno przylegają do jej patykowatych nóg, jeszcze bardziej podkreślając chudość sylwetki.

– Mia Hamilton? – pyta cicho, niepewnie.

Wyciągam do niej rękę na przywitanie.

– Ty musisz być Alison. Miło cię poznać, wejdź.

Jej dłoń jest delikatna i wątła jak reszta ciała, a do tego wilgotna. Alison się denerwuje.

Cofam się o krok, żeby ją wpuścić, ale ona dalej stoi w progu niczym posąg i ani drgnie.

– Alison? Wszystko w porządku?

Kiwa głową, ale nadal się nie porusza. Omiata wzrokiem dom.

– A więc tu mieszkasz? – pyta. – Myślałam, że to będzie... biuro czy coś.

– Pracuję w domu, ale mój gabinet znajduje się tuż obok wejścia. – Wskazuję na pobliskie drzwi, żeby poczuła się bezpieczniej.

– Okej. – W końcu robi krok do przodu, a ja zamykam za nami drzwi.

– Napijesz się czegoś? – pytam, gdy wchodzimy do gabinetu.

Teraz, gdy stoi blisko mnie, czuję zapach jej szamponu albo jakiegoś innego kosmetyku do włosów, którego dziś użyła. To mogą też być perfumy. Z jakiegoś powodu ten zapach przywodzi mi na myśl Zacha, chociaż nie mam pojęcia dlaczego; to zdecydowanie damska woń.

Alison mierzy wzrokiem szafkę w rogu, gdzie trzymam czajnik, kubki i dzbanek z wodą.

– Nie, dziękuję, nie trzeba.

– Może chociaż szklankę wody? Na dworze jest dziś bardzo ciepło. Tutaj w sumie też. Przepraszam, że nie mam klimatyzacji, to coś, czym zamierzam się wkrótce zająć – plotę trzy po trzy, jakbym sama była zdenerwowana, chociaż nie wiem dlaczego.

Pierwsze sesje, zanim dobrze poznam pacjenta, zawsze wydają mi się trudne, bo mimowolnie czuję się osądzana. Ludzie mają oczekiwania; spodziewają się, że terapeuta będzie znał odpowiedzi na wszystkie ich pytania, tymczasem prawda jest taka, że terapia to podróż, przez którą musimy przejść razem. A to znaczy, że najpierw muszę ich poznać, odkryć, kiedy się odprężają, a co wprowadza ich w zakłopotanie. Jednak dziś po południu chodzi o coś więcej, chociaż nie potrafię ustalić o co.

– Usiądź, Alison. – Otwieram okno, bo powietrze w gabinecie wydaje się gęste i lepkie. Odgłosy dobiegające z parku natychmiast napływają do środka. – Pozwól, że najpierw opowiem ci trochę o sobie.

Kiwa głową, a ramiona lekko jej opadają; wyraźnie odczuła ulgę, że to ja będę mówić pierwsza.

– Studiowałam psychologię, ale potem zrobiłam sobie kilka lat przerwy na podróżowanie. Byłam właściwie wszędzie: w Tajlandii, Ameryce, Nowej Zelandii, Europie... – Podczas gdy wymieniam niektóre z odwiedzonych miejsc, czuję się oderwana od rzeczywistości, jakbym opowiadała o życiu kogoś innego. Bo to wszystko działo się wcześniej, a teraz jestem już inną osobą. – Potem poznałam męża i urodziłam córeczkę. Ma teraz siedem lat. – Oczywiście nie wspominam, że Zach nie żyje ani że tak naprawdę nigdy nie znałam człowieka, którego poślubiłam.

Will byłby zdruzgotany i prawdopodobnie zacząłby kwestionować cały nasz związek, gdyby się dowiedział, że o nim nigdy nie mówię podczas tych wprowadzeń, ale jak miałabym to robić? Prowokowałoby to pytania, na które nie umiem odpowiedzieć, zresztą nie mogę pozwolić, żeby pacjenci naruszali moją prywatność: granice muszą być wyraźne.

– Tak, widziałam cię przed chwilą w parku z córką. Jest słodka. Oczywiście nie miałam pojęcia, że to ty, dopóki nie otworzyłaś mi drzwi.

Więc miałam rację, gdy wydawało mi się, że ktoś mnie obserwuje. Cóż, przynajmniej teraz wiem, że to była tylko ta kobieta.

– Dziękuję. W każdym razie dwa lata temu przeszłam szkolenie terapeutyczne i teraz prowadzę własną praktykę. Czy masz jakieś pytania, zanim zaczniemy?

Alison kręci głową, a zasłona rudych włosów opada jej na twarz.

– W porządku. Cóż, skontaktowałaś się ze mną, bo czujesz potrzebę przepracowania pewnych kwestii. Chcesz mi powiedzieć, co takiego sprawia ci ból emocjonalny?

– Trudno o tym mówić – odpowiada, gapiąc się w okno nad moim ramieniem. Promienie słońca zalewają połowę jej twarzy i muszę obrócić się nieco w fotelu, żeby widzieć ją wyraźnie. – Ja... mój partner... on... mnie bije. – Zerka na mnie, żeby sprawdzić reakcję; być może myśli, że będę ją osądzać, ale ja pozostaję niewzruszona.

– Wiem, że powinnam go zostawić, ale to nie takie proste – ciągnie. – O Boże, wiem, jak to musi brzmieć. Ale tyle nas łączy, taka skomplikowana historia. Wiele razem przeszliśmy.

W trakcie rozmowy telefonicznej Alison dała mi do zrozumienia, że już wyzwoliła się z tego związku, a teraz mówi zupełnie co innego. Nie zamierzam jej jednak krytykować; jestem wdzięczna, że opowiada o tym tak otwarcie. Zazwyczaj potrzeba więcej czasu, żeby dojść do sedna sprawy.

– Tylko, proszę, nie mów, żebym poszła na policję – zastrzega, zanim jeszcze zdążę otworzyć usta. – To nie wchodzi w grę.

– To zrozumiałe, że się boisz, ale istnieją bezpieczne miejsca, do których mogłabyś się udać. Tam zadbają o to, żeby on nie mógł cię więcej krzywdzić. To jest najważniejsze, czyż nie?

Alison nie odpowiada i ciężkie milczenie wypełnia gabinet, w jakiś sposób tłumiąc ryk silników samochodowych i okrzyki dobiegające z parku.

Alison wzdycha.

– Proszę, czy możemy po prostu o tym porozmawiać, bez prób zmuszania mnie, żebym zgłosiła się na policję? Czy nie powinnaś mi pomóc w znalezieniu siły, by od niego odejść?

Znowu te oczekiwania. Przekonanie, że machnę czarodziejską różdżką i rozwiążę wszystkie problemy. Ale życie nie jest takie proste, wiem to aż za dobrze. Wszyscy nosimy blizny z przeszłości, kimkolwiek jesteśmy. Nieusuwalne tatuaże wryte w skórę.

– W porządku – zgadzam się. – W takim razie może na początek powiesz mi coś więcej o tym, co się dzieje?

Alison zaplata dłonie i nabiera powietrza w płuca.

– Byłam młoda, gdy się poznaliśmy. To znaczy: wciąż jestem młoda, mam tylko dwadzieścia sześć lat, ale w tamtym czasie miałam dwadzieścia jeden. On jest znacznie starszy ode mnie. Miał czterdzieści jeden, gdy się spotkaliśmy. – Badawczo przygląda się mojej twarzy, po raz kolejny szukając oznak potępienia, ale to ostatnie, co tam znajdzie.

Szybko kalkuluję, że teraz jej partner musi mieć czterdzieści sześć lat. Kiwam głową i czekam na dalszy ciąg opowieści.

– Początkowo w ogóle go nie lubiłam. To dopiero ironia losu. Właściwie to wręcz go nie znosiłam. Był arogancki. Zadufany w sobie, jakby wszystko mu się należało. – Spuszcza wzrok. – To chyba jeszcze pogarsza sprawę, prawda? Że wiedziałam, jakim jest człowiekiem, jeszcze zanim zaangażowałam się w ten związek? – Milknie na tak długo, że zastanawiam się, czy w ogóle się jeszcze odezwie.

– Jak się poznaliście? – Muszę ją jakoś zachęcić do dalszych zwierzeń, a to pytanie wydaje się wystarczająco niewinne.

– U niego w pracy. To znaczy podczas moich studiów. Był wykładowcą na uniwersytecie, na który uczęszczałam. Nie uczył mnie, ale to nie ma znaczenia, prawda?

Czuję ucisk w piersi i mam wrażenie, jakbym miała zapaść się w siebie. To tylko zbieg okoliczności. Muszę się opanować, ale nie mogę wydusić słowa. Wszystko powraca, by mnie prześladować.

Alison pochyla się ku mnie i marszczy brwi.

– Mio? Dobrze się czujesz? – Nasze role się odwróciły i teraz to ona zachowuje się jak terapeutka, podczas gdy ja potrzebuję pomocy.

Udaje mi się kiwnąć głową.

– Przepraszam, mów dalej, proszę. – Wyciągam chusteczkę z pudełka na biurku. – Mam silną alergię, a stężenie pyłków jest dziś wyjątkowo wysokie.

Alison nadal marszczy brwi, ale podejmuje opowieść, a ja próbuję skupić się na każdym jej słowie, chociaż zlewają się ze sobą.

– Zeszliśmy się przez przypadek. Ja byłam pijana i nie powinnam była się do niego zbliżać, ale było mi tak źle z sobą samą, czułam się taka... sama nie wiem... odrzucona przez wszystkich i wszystko i chyba po prostu chciałam poczuć, że ktoś mnie pragnie. Czy to świadczy o mojej słabości?

– Nie, zdecydowanie nie. To świadczy tylko o tym, że jesteś człowiekiem. – Trudno mi zachować przytomność umysłu, ale muszę się skupić, jeśli mam pomóc tej kobiecie. – Takie uczucia są zrozumiałe, Alison. Wszyscy czasami popełniamy błędy, nie obwiniaj się z tego powodu.

Kręci głową.

– Tu nie chodzi o poczucie winy. W tym przypadku go nie mam... – Milknie na moment. – Głupia. Właśnie tak się czuję.

– Cóż, upiłaś się...

– I to bardzo. A normalnie nigdy nie tykam alkoholu. Gdybym tylko tego nie zrobiła, wszystko potoczyłoby się inaczej, a ja byłabym... wolna.

– Więc czujesz się jak więzień?

– Tak, właśnie tak. Jak więzień we własnym życiu.

– Powtórzę raz jeszcze, to normalne. Teraz musimy ustalić, jak wydostać cię z tego więzienia, a zawsze istnieje jakiś sposób. – Czyż sama nie jestem tego dowodem?

– Muszę odebrać Dominicowi klucz i się uwolnić – mówi, patrząc mi prosto w oczy.

Teraz już nie jestem w stanie zignorować tak ogromnego zbiegu okoliczności. Płonę, duszę się i nie mogę przed tym uciec.

– Dominicowi?

– Tak się nazywa mój partner. – Jej głos jest bardziej stanowczy, spokojniejszy; nagle stała się jakby inną osobą. – I myślę, że wiesz, kto to taki.

Jej słowa są jak cios w podbrzusze. Kim jest ta kobieta i co tutaj robi?

– Dominic Bradford – mówi, gdy widzi, że mnie zatkało. – O ile mi wiadomo, był współpracownikiem twojego męża, Zacha.

Jego imię odbija się echem w gabinecie i czuję żółć zbierającą mi się w gardle.

– Kim... kim jesteś?

– Tym, kim mówiłam, że jestem. Po prostu nie wspomniałam, że ja wiem, kim jesteś ty, ani że przyszłam tutaj po to, by ci powiedzieć, że twój mąż nie popełnił samobójstwa.

2

Josie

Czy miewacie wrażenie, że gdzieś nie pasujecie? Jak element układanki, który ktoś próbuje wcisnąć w nieodpowiednie miejsce? Cóż, ja czuję się tak każdego dnia. Wszyscy myślą, że jestem imprezowiczką, że spędzam więcej czasu na piciu szotów niż na nauce. I wiecie co? Mają rację.

To cud, że w ogóle przebrnęłam przez pierwsze trzy miesiące studiów, ale myślę, że zaszłam tak daleko, żeby zrobić jej na złość. Bo ona ani przez chwilę nie wierzyła, że mi się uda. A jednak jestem tutaj, gdzie jestem, Liv.

Chociaż bywają dni takie jak ten, gdy po prostu mam ochotę rzucić to wszystko.

Kawiarnia opustoszała, więc właściwie zostałam sama na zmianie, chociaż Pierre siedzi na zapleczu, w razie gdybym potrzebowała pomocy. Duszę się w tym miejscu, ale trzeba jakoś płacić czynsz, toteż muszę to przetrwać. Nie jestem jedną z tych szczęściar, które mogą liczyć na wsparcie rodziców. Nie, ja należę do innego rodzaju dziewczyn. Takich, które wiecznie pakują się w kłopoty. Takich, na które ludzie patrzą i nie mogą uwierzyć, że zaszły tak daleko. Ale ja upajam się ich zdumieniem. To ono mnie napędza, stanowi dla mnie bodziec, by radzić sobie w życiu jeszcze lepiej. Nie skończę tak jak ona.

Jestem tak pogrążona w myślach, że nie zauważam kobiety w średnim wieku, która podeszła do lady i teraz gapi się na mnie z dłońmi wspartymi na biodrach i grymasem zniecierpliwienia na twarzy. Nosi designerską torebkę w zgięciu łokcia i chwieje się na szpilkach, które są dla niej za wysokie. Potrząsa głową, naburmuszona.

Pieprzyć ją, jestem tylko człowiekiem. Gdyby mnie znała, zrozumiałaby, dlaczego czasami mam problemy z koncentracją.

– Cappuccino z odtłuszczonym mlekiem – mówi bez powitania czy uśmiechu. Może jej cienkie, zaciśnięte wargi nie są zdolne do uśmiechania się. Może uśmiech sprawiłby, że twarz by jej pękła. Kobieta wyciąga z torebki równie designerską portmonetkę i przygląda mi się, mrużąc oczy. – Wolno ci to nosić, gdy obsługujesz klientów?

Mówi o małym diamentowym kolczyku w moim nosie. Ale przywykłam do tego. Przywykłam do ludzi, którzy myślą – a czasem nie tylko myślą – „Byłaby ładna, gdyby pozbyła się tego obrzydlistwa".

Chociaż mam ochotę wrzasnąć, żeby poszła w cholerę, kupiła tę pieprzoną kawę gdzie indziej i zabrała ze sobą swoje poglądy, przywołuję na twarz mój najsłodszy uśmiech i odpowiadam przesadnie wytwornym tonem:

– Naturalnie. Czy mogę pani podać coś jeszcze? – Sztuczny grymas boleśnie napina mi mięśnie twarzy.

– Nie, to wszystko.

Kobieta odsuwa rękaw płaszcza – na jej grubym nadgarstku widnieje lśniący złoty zegarek, który prawdopodobnie kosztował więcej niż mój samochód – i potrząsa głową, gdy zauważa, która godzina. Robi to wszystko na pokaz, by zmusić mnie, żebym się pospieszyła, i właśnie z tego powodu udaję, że mam problem z ekspresem do kawy. Patrzę na nią i przepraszająco wzruszam ramionami, ale w myślach uśmiecham się z wyższością.

Nie zrozumcie mnie źle, nie mam nic przeciwko zamożnym ludziom. Ale nie potrafię znieść tych, którzy patrzą na innych z góry.

Gdy kobieta w końcu wychodzi, po cichu modlę się, żeby już nigdy nie chciała tu wrócić, niezależnie od tego, jak rozpaczliwie będzie potrzebowała kofeiny, a potem znowu czyszczę ekspres, tylko po to by zająć czymś ręce. Tę zmianę uważam za najgorszą; jest późno, ludzie wracają z pracy do domów i prawdopodobnie nie spodziewają się nawet, że będziemy mieć otwarte. A jednak Pierre nalega, by kawiarnia była czynna do ósmej. Musi wiedzieć, że te ostatnie dwie godziny to martwy okres, ale to go nie zniechęca. Może dorabia na boku, zajmując się czymś innym. Nie zdziwiłoby mnie to. Wiecznie odbiera tajemnicze telefony i pilnuje, by nikt nie usłyszał, o czym rozmawia. Odrobinę podejrzane, moim zdaniem. A możecie mi wierzyć, już ja potrafię wyczuć szemraną sytuację.

Muszę tu spędzić jeszcze dwie nieznośne godziny, a w domu czeka na mnie praca pisemna, którą prawdopodobnie sknocę. Mam wrażenie, że każda upływająca minuta trwa rok, ale gdy się odwracam, uśmiecha się do mnie znajoma twarz.

Zach Hamilton, jeden z moich wykładowców.

Rozpoznaję go dopiero po chwili, bo nigdy bym się go tu nie spodziewała. Widuję go tylko na terenie kampusu.

– Cześć – mówi. – Josie, prawda?

Skąd on zna moje imię? Musi mieć z tysiąc studentów, a rok akademicki dopiero się zaczął.

– Tak, cześć. Hmm, co podać?

Zamawia espresso i wręcza mi nowiutki banknot pięciofuntowy. Gdy się odwracam, żeby przygotować napój, czuję na sobie jego wzrok.

– Właściwie to chciałem zamienić z tobą parę słów dziś po wykładzie, ale zniknęłaś, zanim zdążyłem cię złapać.

To nie brzmi dobrze. Zastanawiam się gorączkowo, co takiego przeskrobałam.

– Musiałam jeszcze wrócić do domu przed pracą. – Wręczam mu kawę. – O co chodzi?

Ale już wiem. Powie, że moja pierwsza praca pisemna była do niczego i nie mam szans na zaliczenie zajęć, więc równie dobrze mogę się od razu poddać.

– O nic złego. Może moglibyśmy pogadać teraz? Możesz sobie zrobić przerwę?

Tak naprawdę nie mam prawa do przerw o tej porze, ale wolno mi czasem wyjść na papierosa przed budynek. Na szczęście Pierre też pali, więc jest wobec mnie pobłażliwy. Mówię o tym Zachowi.

Odwraca się i wygląda przez okno.

– Okej, mogę wypić kawę na dworze. Jest zimno jak diabli, ale co mi tam.

Pierwsze, co robię, gdy wychodzę na zewnątrz, to zapalam papierosa, żeby ukoić nerwy. Tak wiele zależy od tego, czy ukończę studia.

– Powiesz mi wreszcie, o co chodzi? – pytam, zaciągając się głęboko i siadając naprzeciwko. Nie chcę, żeby dym leciał na niego, ale tak się dzieje, a Zach próbuje go dyskretnie odpędzić. – Przepraszam, nie palisz, prawda?

– Nie, już nie, ale paliłem w młodości.

Śmieję się, bo musi mieć najwyżej trzydzieści kilka lat.

– No tak, w młodości... Właśnie widzę, że teraz blisko ci już do emerytury. – Gdy tylko kończę mówić, zastanawiam się, co ja najlepszego wyprawiam.

To mój wykładowca, a nie ktoś, z kim można się przyjacielsko przekomarzać, ale jest już za późno, by cofnąć te słowa.

Na szczęście on chichocze.

– Jeszcze trochę mi zostało. W każdym razie chciałbym porozmawiać o twoim opowiadaniu. Właśnie skończyłem oceniać prace i cóż, szczerze mówiąc, twoja zrobiła na mnie ogromne wrażenie.

Gapię się na niego i zastanawiam, czy się nie przesłyszałam. A może źle go zrozumiałam. Czy właśnie powiedział, że moja praca mu się podoba? To niemożliwe. Musiał mnie pomylić z inną studentką.

Gdy nie odpowiadam, on kontynuuje:

– Skąd ci się to wzięło? To znaczy, jesteś taka młoda, a masz tak wnikliwe spostrzeżenia. Nie chcę zabrzmieć protekcjonalnie, ale gdybym nie wiedział, kto to napisał, byłbym gotów przysiąc, że autor jest znacznie starszy.

A więc naprawdę mu się podobało. Czuję ogromną ulgę, ale wciąż jestem w szoku. Nikt nigdy nie pochwalił mnie za coś, co zrobiłam czy stworzyłam. Jedyne komplementy, jakie otrzymywałam, pochodziły od mężczyzn, którzy próbowali się ze mną przespać.

– Hmm, dziękuję. Ja... ja po prostu piszę z serca.

Nie ma pojęcia, jak bardzo jest to prawdziwe. Byłam w stanie tchnąć życie w swoje opowiadanie, bo częściowo traktuje o niej. Obnażyłam duszę, przelewając słowa na papier, ale chyba było warto.

– I jestem starsza, niż myślisz – dodaję. – Ukończenie szkoły średniej zajęło mi trochę czasu, więc mam już dwadzieścia jeden lat.

W takim wieku jest większość studentów trzeciego roku.

Zach się uśmiecha.

– Cóż, masz prawdziwy talent, Josie. Naprawdę czułem rozpacz tej postaci. Co zamierzasz robić po studiach? Wiem, że dopiero zaczęłaś, ale te lata szybko miną, wiesz? Powinnaś przemyśleć plany na przyszłość.

Ale ja nie czuję, żeby czas mijał szybko, właściwie to niemal stoi w miejscu i nie mogę się doczekać końca studiów. Potrzebuję konkretnych osiągnięć, by udowodnić, że naprawdę w niczym jej nie przypominam, że nie jestem samolubną, bezduszną kobietą, taką jak ona.

Nie chcę mówić Zachowi, że nie mam pojęcia, co zrobię po studiach, że już samo przebrnięcie przez pierwszy semestr wydaje mi się trudne. Ale nie jestem głupia i wiem, że muszę szybko podjąć decyzję. Konkurencja na rynku pracy jest ogromna, zbyt wiele osób będzie kończyć studia wraz ze mną. Osób znacznie lepszych niż ja.

Nagle przychodzi mi do głowy odpowiedź.

– Myślę, że pójdę do kolegium nauczycielskiego. Oczywiście angielski. Nauczanie w liceum. Prawda jest taka, że angielski to jedyny przedmiot, który kiedykolwiek mnie interesował. Jedyny, w którym byłam dobra.

Jego usta rozciągają się w uśmiechu.

– Jestem pewien, że byłaś dobra nie tylko w angielskim. Ale to świetnie, że chcesz uczyć. To trudne, ale naprawdę satysfakcjonujące zajęcie. Chociaż to oznacza dodatkowy rok nauki po ukończeniu studiów.

Tak, ale miejmy nadzieję, że do tego czasu będę sobie lepiej radzić. W końcu poczuję, że mogę coś osiągnąć. Owszem, ukończyłam liceum, ale na egzaminach końcowych ledwie zyskałam wystarczającą liczbę punktów i wylądowałam na liście rezerwowej. Musiałam czekać, aż zwolni się miejsce, żeby móc rozpocząć studia na University of West London. Bardzo chciałam studiować w Londynie, ale poszłabym gdziekolwiek, byleby tylko wydostać się z Brighton.

Raz jeszcze zaciągam się papierosem. Tym razem uważam, w którą stronę wydmuchuję dym, a potem spoglądam na życzliwą twarz Zacha.

– Mogę cię o coś zapytać?

– Oczywiście. – Unosi filiżankę z kawą i bierze łyk.

– Czy masz jakąś radę dotyczącą... ustalania priorytetów? Ciągle coś staje mi na drodze i czuję, że we wszystkim mam zaległości. To dziwne... tak bardzo zależy mi na tych studiach, a zachowuję się, jakby było wręcz przeciwnie. Wychodzę, gdy powinnam się uczyć, a potem robię wszystko na ostatnią chwilę.

Nie mówię mu, że kryje się za tym coś więcej. Że czuję potrzebę opuszczania domu i świadomości – wódka i dżin zazwyczaj w tym pomagają – żeby nie musieć o niczym myśleć. Następnego dnia nienawidzę siebie i uczę się, ile wlezie, żeby nadrobić. Wkrótce się wypalę... to wszystko w końcu się na mnie zemści.

– Hmm – zaczyna Zach. – To trudne. Pewnie nie powinienem ci tego mówić, ale gdy byłem na pierwszym roku studiów, nie traktowałem nauki zbyt poważnie. Przez większość czasu imprezowałem. Ale w końcu zakasałem rękawy. I wiesz co? Wszystko się ułoży. Jeśli potrafisz tworzyć prace takie jak ta, którą właśnie napisałaś dla mnie, nie masz się czym przejmować.

Jego słowa otulają mnie jak ciepły koc. Ten człowiek naprawdę we mnie wierzy. Problem w tym, że ja nie potrafię uwierzyć w siebie.

Nie wiem, co sprawia, że zwierzam mu się jeszcze bardziej. Może to dobroć, jaką mi okazuje, albo jego przekonanie o moich zdolnościach.

– Tak szczerze to czasami mam ochotę wszystko rzucić. – Gdy tylko to mówię, żałuję, że ujawniłam tak wiele.

Teraz pomyśli, że marnuje na mnie czas, że nie jestem warta jego uwagi czy porad.

Ale on kręci głową.

– Nie rób tego, Josie. Nigdy. Nie bądź osobą, która się poddaje.

– Masz rację. Nie mogę tego zmarnować. I prawdopodobnie powinnam przestać tak często wychodzić. Muszę się bardziej skupić na nauce.

Ale już wiem, jakie to będzie wyzwanie. Nie jest łatwo postępować wbrew własnej naturze.

– Cóż, z drugiej strony pamiętaj, żeby czasem dać sobie trochę luzu – radzi Zach. – Potrzebujesz równowagi. Ale wiesz co? Naprawdę wierzę, że możesz osiągnąć wszystko, co postanowisz. – Spogląda w ciemne niebo. – Nigdy się nie poddawaj.

31

Gaszę papierosa w popielniczce, która wymaga wyczyszczenia, i wstaję.

– Zajęłam ci już za dużo czasu – mówię. – Smacznej kawy.

Zach wyciąga dłoń na pożegnanie. Jest zaskakująco ciepła.

– Miło było z tobą porozmawiać, Josie Carpenter.

Gdy wracam do środka, ogarnia mnie nieznajome uczucie. Dam radę. Zach we mnie wierzy. Podobało mu się moje opowiadanie. Uda mi się.

Odwracam się w drzwiach, a on dalej na mnie patrzy.

* * *

Mieszkanie śmierdzi, jak zawsze, tanimi perfumami Alison i przesłodzoną wonią świeczek waniliowych, które porozstawiała po wszystkich kątach. Nigdy nie wspomniała o tym ani słowem, ale jestem pewna, że zrobiła to, by zatuszować zapach papierosów. Mimo że palę przewieszona przez parapet okna w swojej sypialni, dym jakimś cudem przenika do wszystkich pomieszczeń.

Alison i ja nie mogłybyśmy się bardziej od siebie różnić, a jednak musimy dzielić ze sobą tę klitkę i jesteśmy od siebie zależne, chociaż obie wiemy, że nie znosimy się nawzajem. Nie możemy nawet pogadać o studiach, jako że ja nie mam bladego pojęcia o ochronie środowiska, a ona nie wykazuje zainteresowania literaturą czy kreatywnym pisaniem.

Kobieta, która zaaranżowała ten wynajem, zapewniała, że znajdziemy wspólny język. Że chociaż Alison jest studentką trzeciego roku, a ja dopiero zaczynam pierwszy, jesteśmy w tym samym wieku, więc powinnyśmy się świetnie dogadywać. Jakby to miało wystarczyć. Lepiej dogadałam się z moim wykładowcą w ciągu paru minut niż z Alison, z którą

mieszkam od miesięcy, a przecież on pożegnał się z dwudziest-
ką już jakiś czas temu.

Podejrzewam, że obie z Alison oczekujemy, że ta druga
w końcu poprosi władze uniwersyteckie o przeniesienie do innego lokum, ale z jakiegoś powodu żadna z nas dotąd tego nie
zrobiła. Myślałam o tym, ale nie chcę kolejny raz zaczynać od
nowa. Wytrzymam do wakacji, a potem, na drugim roku, za-
mieszkam z kimś innym.

W środku panuje mrok, rozpraszany tylko przez słaby po-
marańczowy poblask ulicznych latarni, więc wiem, że nie
ma jej w domu, ale nigdy nie mówimy sobie, dokąd się wybieramy.

Jak zawsze, gdy jestem tu sama, ruszam do pokoju Alison
i chwytam za klamkę. Tylko po to, żeby sprawdzić. Oczywiście drzwi są zamknięte. Nie wiem, jak załatwiła sobie zamek
do sypialni, skoro ja go nie mam. Myślę, że jej tata musiał go
zainstalować.

Albo mi nie ufa, albo ma coś do ukrycia, chociaż trudno sobie wyobrazić, żeby pracowita Panna Mól Książkowy trzymała pod łóżkiem trupa. Śmieję się na tę myśl. Jest taka chuda
i słabowita, że wątpię, by zdołała zrobić komukolwiek krzywdę. Ale z drugiej strony to na tych najbardziej niepozornych
ludzi trzeba uważać. Alison wiecznie się na mnie gapi, a ja nie
mam pojęcia dlaczego.

Burczy mi w brzuchu, więc ruszam do kuchni, żeby zrobić sobie coś do jedzenia. W mojej szafce nie ma niczego poza
na wpół opróżnioną butelką keczupu. Nie mam nawet chleba, a najbliższy sklep spożywczy znajduje się pół godziny piechotą stąd, więc przetrząsam zapasy Alison. Kolejna różnica
między nami: jej szafka zawsze jest pełna jedzenia, wszystko

schludnie poukładane, z etykietkami skierowanymi frontem do patrzącego.

Biorę puszkę zupy pomidorowej i dwie kromki chleba; zdarzało mi się to już robić wcześniej, ale ona nigdy nic nie powiedziała, więc nie sądzę, by zauważyła. Albo boi się doprowadzić do konfrontacji. Owszem, mam wyrzuty sumienia, ale nie za duże – rodzice opłacają jej czynsz i przysyłają dodatkowe pieniądze na jedzenie, żeby nie musiała dorabiać podczas studiów.

Jem zupę i rozmyślam o rozmowie z Zachem Hamiltonem. Zachwycał się moim opowiadaniem. Odtwarzam w głowie jego słowa. Wypełniają mnie i czuję, jakbym unosiła się w powietrzu.

Nagle rozlega się sygnał przychodzącej wiadomości i sięgam po telefon, rozsmarowując na ekranie resztki masła. Wycieram je ręcznikiem papierowym, który leży na stole. Pewnie to ja go tam wcześniej zostawiłam. Nie jestem bałaganiarą, ale absurdalna schludność Alison doprowadza mnie do szału i prowokuje do buntu.

Wiadomość jest od Anthony'ego, studenta psychologii, którego poznałam w barze w zeszłym tygodniu. Czy do czegoś między nami doszło? Pamiętam czarne włosy, opaloną skórę, zarost na jego twarzy, jakby próbował udowodnić, że jest dorosłym mężczyzną. Pamiętam, jak pochylał się ku mnie, szeptał coś o tym, jaka jestem seksowna, ale z pewnością go odepchnęłam, tak jak zawsze to robię.

Odczytuję jego krótką wiadomość: „Chcesz się spiknąć dziś wieczorem?".

Żadnego „Jak się masz?" ani „Mam nadzieję, że wszystko u ciebie okej". Równie dobrze mógł zapytać prosto z mostu, czy się z nim prześpię.

„Sorry, jestem zajęta". Wysyłam wiadomość i z uśmiechem wyobrażam sobie jego minę, gdy odkryje, że go spławiłam.

Odbieram kolejny esemes. Ta wiadomość bardziej mnie cieszy. Vanessa, którą poznałam zupełnym przypadkiem, pyta, czy mam ochotę na noc pełną tequili u niej w domu. Trudno się oprzeć tej propozycji. Vanessa jest zabawna i nie ocenia mnie ani nikogo innego. Nie nazwałabym jej przyjaciółką, ale z braku laku nawet takie powierzchowne znajomości są miłe.

Wciąż jem, gdy słyszę dźwięk klucza obracanego w zamku. Po chwili Alison staje w progu kuchni z przewieszoną przez ramię niedorzecznie wielką torbą, wypełnioną podręcznikami. Dziwię się, że daje radę udźwignąć taki ciężar.

– Cześć – mówi, zerkając na miskę z resztkami zupy.

Jej rude włosy, ułożone w nieskazitelne fale, połyskują w świetle. Stawia torbę na podłodze.

– Cześć. – Może i się nie lubimy, ale nie zaszkodzi traktować się uprzejmie, skoro mamy tu razem tkwić aż do lata.

– Dziwię się, że jesteś w domu – mówi w ten swój pasywno-agresywny sposób.

Dlaczego nie zapyta prosto z mostu: „Już prawie dziewiąta wieczorem, nie powinnaś być zalana w trupa?".

Odsuwam miskę.

– Miałam ochotę na spokojny wieczór.

Nie odpowiada, ale otwiera swoją szafkę z jedzeniem i grzebie w niej, po czym odwraca się, żeby zerknąć na moją miskę. Modlę się, żeby tym razem coś powiedziała, doprowadziła do konfrontacji, żeby wybuchła między nami straszliwa kłótnia, która zmusi którąś z nas do poproszenia o natychmiastowe przeniesienie.

35

Ale ona tylko przekłada produkty, żeby zamaskować lukę po puszce z zupą.

Znowu zaczyna mi dokuczać poczucie winy. Może jutro odkupię jej tę zupę. Ostatecznie nie możemy nic poradzić na to, w jakiej rodzinie się wychowaliśmy. Niektórzy z nas dostają kiepskie karty, podczas gdy inni, jak Alison, mają idealnych, kochających rodziców. Tak czy inaczej ta dziewczyna może i jest dziwna, ale nigdy nic mi nie zrobiła – poza tym, że się na mnie gapi. A z tym mogę żyć; przeżyłam już znacznie gorsze rzeczy.

Ruszam do swojego pokoju, kładę się na łóżku i z zaskoczeniem odkrywam, że moje myśli znów wędrują do Zacha Hamiltona. Kilka minut później zrywam się i siadam przy biurku. Zanim włączę laptopa, piszę do Vanessy, żeby dać jej znać, że dzisiaj zostaję w domu.

Muszę się pouczyć.

3

Mia

Nie byłoby przesadą stwierdzenie, że ściany zamykają się wokół, wysysając ze mnie oddech. Gapię się na młodą kobietę siedzącą naprzeciwko i w mgnieniu oka jej wyzywające spojrzenie zamienia się w pełne lęku, jakby ktoś użył przełącznika.

– Co? Co takiego powiedziałaś? – pytam.

Marszczy brwi.

– Co masz na myśli? Właśnie mówiłam ci, że muszę wydobyć od partnera klucz, żeby się uwolnić. Mówiłyśmy o tym, że jestem więźniem we własnym życiu. – Pochyla się do przodu. – Dobrze się czujesz, Mio?

Ogarnia mnie panika. Może tracę zmysły? Może to zespół stresu pourazowego czy coś podobnego? Nie byłoby to zaskoczeniem po tym, co się wydarzyło. To cud, że wytrwałam tak długo. Ale przecież ją słyszałam. To niemożliwe, żebym to sobie wyobraziła.

– Właśnie wspomniałaś o moim mężu, Alison.

Znowu marszczy brwi i potrząsa głową.

– Nieprawda. Mówiłam o moim partnerze. Nie znam twojego męża.

Dalej się na nią gapię, a szok odbiera mi mowę. Wiem, co słyszałam.

– Jak nazywa się twój partner?

– Aaron. Już mówiłam. Nie zapisałaś tego?

Nie sporządzam notatek w trakcie sesji, żeby nie onieśmielać pacjentów. Notuję wszystkie ważne szczegóły później, gdy jestem już sama.

– Nie, nie zapisałam. Ale powiedziałaś, że nazywa się Dominic. Takiego imienia się nie zapomina.

Znowu kręci głową i obejmuje się ramionami.

– Nie powiedziałam niczego takiego. Przerażasz mnie. Co z ciebie za terapeutka? Nie słuchałaś, a teraz zmyślasz.

Zastanawiam się, jak ją przekonać, ale zanim zdołam coś wymyślić, zrywa się z fotela i wypada z gabinetu, zatrzaskując za sobą drzwi. Zostaje po niej tylko woń kwiatowych perfum.

Przez okno widzę, jak przekracza jezdnię i rusza wzdłuż parku, jej ciemna postać kontrastuje z zielenią skąpaną w oślepiającym blasku słońca. Kusi mnie, żeby za nią pobiec, ale co miałabym jej powiedzieć? Co, jeśli to ona ma rację i wcale nie usłyszałam tego, co mi się wydaje? Ale jak to możliwe? Od śmierci Zacha minęło pięć lat. Dlaczego mój umysł miałby zacząć przeżywać to tak intensywnie właśnie teraz?

Mój oddech staje się płytki i czuję, że zaraz się uduszę. Siadam w fotelu, ale nie mogę zapanować nad drżeniem całego ciała.

Zerkam na zegar wiszący na ścianie i widzę, że jest zaledwie czternasta dwadzieścia, co oznacza, że Alison spędziła tu niecały kwadrans. Otwieram szufladę biurka, wyjmuję teczkę z danymi pacjentki i przeglądam formularz kontaktowy.

Zawsze proszę o podanie numeru telefonu i adresu, ale już gdy wybieram cyfry, wiem, że nie usłyszę sygnału.

Mam rację, więc się rozłączam, zdezorientowana jeszcze bardziej niż wcześniej.

Rozpaczliwie potrzebuję świeżego powietrza. Biegnę do ogrodu na tyłach domu i mdleję na tarasie.

* * *

– Mamusiu? Mamusiu? Nic ci nie jest? – Mała rączka Frei potrząsa mną i powoli unoszę powieki.

Córka patrzy na mnie dużymi brązowymi oczami, a obok niej klęka Will i pomaga mi się podnieść.

– Co się stało? Wszystko w porządku? – pyta spokojnym głosem.

Nie traci zimnej krwi, mimo że musiał przeżyć szok, gdy wrócił i znalazł mnie nieprzytomną.

– Ja… chyba tak. Musiałam zemdleć. Nie pamiętam.

Ale pamiętam doskonale. Pamiętam wszystko. Alison Cummings. Pamiętam, jak powiedziała, że Zach nie popełnił samobójstwa, a potem, dwie sekundy później, się tego wyparła. Kręci mi się w głowie i czuję mdłości.

– Czy możesz przynieść mamusi trochę wody? – proszę córkę.

Will pomaga mi usiąść na jednym z krzeseł ogrodowych, a ja opadam na poduszkę.

– Która godzina? – pytam, obmacując kieszenie w poszukiwaniu komórki.

Ale nie wyczuwam tam nic poza chusteczkami. Musiałam zostawić ją w gabinecie.

– Prawie czwarta. Ostatecznie nie poszliśmy do kina. Freya zmieniła zdanie, więc wybraliśmy się do Creams. Mam nadzieję, że nie masz nic przeciwko? Wiem, że starasz się ograniczać jej słodycze.

Kiwam głową i mu dziękuję. W tej chwili informacja, że Freya jadła lody, nie ma znaczenia; to najmniejsze z moich zmartwień.

Will rozgląda się po ogrodzie.

– Co tutaj robiłaś? – pyta. – Spotkałaś się z pacjentką?

– Tak, widziałam się z nią – mówię, a on marszczy brwi, jakby nie wierzył, jakby coś w mojej historii nie do końca się zgadzało.

Ale jak mogę mu wszystko opowiedzieć i nie wyjść na wariatkę cierpiącą na urojenia?

– I dobrze poszło? Co się potem wydarzyło? Naprawdę nie pamiętasz? – Wzdycha. – Martwię się o ciebie, Mio, i myślę, że powinnaś pójść do lekarza. Albo przynajmniej zadzwonić pod 111* i przekonać się, co o tym sądzą.

Zadaje tak wiele pytań, że nie wiem, na które odpowiedzieć najpierw. Will chce dobrze, ale nie ma mowy, żebym pojechała do szpitala.

– Nie – protestuję. – Nie zamierzam siedzieć godzinami na szpitalnym oddziale ratunkowym tylko po to, żeby usłyszeć, że dostałam udaru cieplnego czy coś. Może przyjmowałam dziś za mało płynów. To musi być to. Serio, nic mi nie jest.

Fizycznie może i czuję się dobrze, ale co z moją psychiką? Tę myśl zachowuję dla siebie.

Ale Will nie odpuszcza; nie należy do ludzi, którzy dają się tak łatwo spławić.

***

* Brytyjski numer alarmowy, pod którym pacjenci niewymagający natychmiastowej pomocy medycznej mogą uzyskać poradę lekarską [przyp. tłum.].

– Zatem myślisz, że to udar? Za długo przebywałaś na słońcu? Odwodniłaś się?

Łapię go za rękę, częściowo po to, żeby udowodnić, jak gorąca i lepka jest moja.

– Tak, jestem pewna. Straszny dziś upał.

Will wykrzywia usta – nie jest przekonany – ale w końcu postanawia uwierzyć mi na słowo. Przynajmniej na razie.

– W porządku, Mio, ale jeśli nie pozwolisz się przebadać, nie zostawię cię dzisiaj samej. Powinienem tu być, na wypadek gdyby to się powtórzyło. – Unosi dłonie w obronnym geście. – Nie martw się, będę spał w pokoju gościnnym. Wiem, że nie chcesz, żeby Freya widziała nas w tym samym łóżku.

To, co mówi, ma sens; muszę myśleć o córce i nie mogę ryzykować, że znowu zemdleję. Jestem pewna, że moje omdlenie było następstwem szoku wywołanego przez słowa Alison Cummings – a w każdym razie przez słowa, które wydaje mi się, że wypowiedziała – ale nie będę ryzykować.

– Dzięki – uśmiecham się do Willa.

Jego twarz nie rozświetla się tak, jak się tego spodziewałam, i pozostaje na niej cień grymasu.

– Będę musiał szybko skoczyć do domu po kilka rzeczy. Mam jutro prezentację i potrzebuję swojego laptopa.

Freya wraca. Ostrożnie niesie szklankę w obu dłoniach. Nalała za dużo i woda wylewa się jej na sandały i na taras. Pospiesznie biorę od niej szklankę, zanim cała się obleje.

– Dziękuję, skarbie.

– Już dobrze się czujesz, mamusiu? Naprawdę się przestraszyłam.

Odstawiam szklankę na pobliski stolik, przyciągam córkę do siebie i przytulam ją mocno.

– Nic mi nie jest, nie masz się czym przejmować. Myślę, że od słońca trochę zakręciło mi się w głowie, to wszystko.

Mruży oczy i wiem, że w tej chwili decyduje, czy mi uwierzyć. Mimo że nie pamięta Zacha, wie, że został nam odebrany, i stanowi to dla niej źródło wielu lęków. Łamie mi to serce i często muszę ją zapewniać, że ja się nigdzie nie wybieram.

Ale jak mogę być tego pewna? Nie sądziłam, że Zach umrze tak młodo. Nikt z nas nie wie, co go czeka tuż za zakrętem.

Alison Cummings. Kim ona, do cholery, jest?

– Okej, mamusiu. – Freya odwzajemnia uścisk, a ja ścieram smużkę lodów z jej włosów.

– Hej, wiesz co? Will dziś u nas zanocuje, fajnie, nie?

Freya wyrywa się z moich ramion i krzyczy:

– Hurra! Czy możemy obejrzeć jakiś film, skoro żadnego dziś nie widzieliśmy?

Zerkam na Willa, ale on już kiwa głową. Mówi, że oczywiście, a mała pędzi po schodkach do ogrodu i gramoli się na trampolinę.

– Dzięki – szepczę. – Za wszystko.

Will całuje mnie w czoło.

– Nie ma sprawy. Pojadę teraz, żeby wrócić akurat na film.

Gdy wychodzi, szybko przygotowuję dla Frei paluszki rybne i pieczone łódeczki z batatów. To jeden z jej ulubionych posiłków – przynajmniej tyle mogę zrobić po tym, jak ją wystraszyłam. Will i ja zjemy coś później, gdy ona już pójdzie spać.

Próbuję się skupić, wsłuchiwać w każde słowo, jakie wypowiada Freya między kęsami jedzenia, ale nie mogę przestać myśleć o Alison Cummings. O Zachu. Muszę wiedzieć, kim ona jest i jaki mogłaby mieć powód, żeby powiedzieć mi coś takiego, a potem cofnąć te słowa. Im więcej o tym myślę, tym bardziej jestem przekonana, że się nie pomyliłam. Nie przeżywam załamania, nie mam żadnego kryzysu, to po prostu do mnie niepodobne. W jakiś cudowny sposób udało mi się zachować wszystko pod kontrolą po śmierci Zacha – owszem, głównie ze względu na Freyę, ale urodzenie córeczki uruchomiło we mnie ogromne pokłady siły. Więc nie zamierzam zwątpić w siebie teraz.

Ona wypowiedziała te słowa.

„Twój mąż nie popełnił samobójstwa".

I muszę wiedzieć dlaczego. Co jej się wydaje, że wie? I dlaczego się z tego wycofała?

Podczas gdy Freya się kąpie, włączam laptopa. Will może wrócić lada chwila, więc muszę działać szybko. Będę mogła dłużej poszperać w Google, gdy już wszyscy znajdziemy się w łóżkach, ale nie wytrzymam tak długo.

Wpisuję nazwisko Alison w pasek wyszukiwarki i natychmiast wyświetlają się wyniki. Większość to linki do profilów na Facebooku, chociaż jest też kilka innych stron, na których widnieje jej nazwisko. O ile to w ogóle jej prawdziwe nazwisko. Gdy sprawdzam te kobiety jedna po drugiej, żadna nie jest tą, którą poznałam dzisiaj.

Nie mam już profilu na Facebooku. Po śmierci Zacha skasowałam konto. Miałam dość obelg, którymi zasypywano mnie za to, co ponoć zrobił. Byłam zrozpaczona pełnymi jadu wiadomościami od obcych ludzi, którzy nie mieli nic wspólnego z naszym życiem. Już nigdy nie pojawię się w mediach społecznościowych, nigdy więcej nie stanę na linii ognia.

Może jednak łatwiej coś znaleźć, gdy ma się konto? Wiem, że Will jest na Facebooku, będę więc musiała jakoś skłonić go do zalogowania się, żebym mogła posprawdzać profile. Ale to nie będzie łatwe, jeśli nie powiem mu prawdy.

Na razie przeglądam te profile, które widzę, ale dziesięć minut poszukiwań nie przynosi efektów.

– Mamusiu, pomożesz mi umyć włosy? – woła Freya z łazienki.

Zamykam laptopa, ale zostawiam go przy łóżku. Nie pośpię dziś za dużo.

– Czy Will już przyszedł? – pyta Freya, gdy wchodzę do łazienki.

Patrzę na jej niezliczone zabawki do kąpieli i zastanawiam się, kiedy przestanie o nie prosić. Pod pewnymi względami czas mija tak szybko, a pod innymi zdecydowanie za wolno.

– Przyjdzie lada moment – mówię. – Gdy skończymy tutaj, możesz się przebrać w piżamę, a potem pójdziemy na dół i wybierzemy film.

Freya uśmiecha się do mnie promiennie spod korony z piany wieńczącej jej włosy.

– A mogę dostać gorącą czekoladę? Proszę, mamusiu.

– Jestem pewna, że wczoraj też ją piłaś. A dziś jadłaś już lody. Zgaduję, że zapewne duże? – Uśmiecha się zawadiacko, identycznie jak jej ojciec, a mój opór topnieje. – No dobrze, ale wiedz, że nie będzie tak codziennie.

– Obiecuję, że nie będę wciąż prosić.

Wiem, że dotrzyma słowa. To tylko jedna z wielu wspaniałych cech mojej córki.

Nie mija pół godziny, a już tłoczymy się wszyscy na sofie. Freya siedzi między mną a Willem i opiera głowę na moim ramieniu. To błoga, idealna chwila, w której byłabym gotowa uwierzyć, że wszystko będzie dobrze, gdyby nie przytłaczający ciężar słów Alison Cummings.

Chociaż patrzę na ekran telewizora – Freya po raz dwudziesty wybrała *Krainę lodu* – nie dociera do mnie, co robią i mówią bohaterowie. Całe szczęście, że tyle razy widziałam ten film, bo wiem, że córka będzie chciała o nim podyskutować. Po prostu siedzę tam, odrętwiała, i odliczam minuty do końca wieczoru. Nie mogę się doczekać powrotu do laptopa.

* * *

Po filmie, gdy Freya już leży w łóżku, Will sugeruje, żebyśmy wypili po kieliszku wina. Chociaż pomysł jest kuszący – wino pomogłoby mi się odprężyć – rozpaczliwie pragnę wznowić poszukiwania.

– Naprawdę nie sądzę, że powinnam pić alkohol po tym, co się dziś wydarzyło. Nie chcę ryzykować – tłumaczę.

Przyznaje mi rację.

– Faktycznie, nie pomyślałem o tym. Nie masz nic przeciwko, że ja się napiję? Może przygotuję ci coś innego?

Mówię mu, jak bardzo jestem zmęczona, że to był długi dzień i muszę się przespać. Wciąż nie potrafię wymyślić pretekstu, pod którym mogłabym skorzystać z jego konta na Facebooku. Mógłby pomyśleć, że mu nie ufam, a poświęciłam całe dwa lata naszego związku na próby udowodnienia mu, że mimo doświadczeń z Zachem nie wpadam w paranoję na myśl o tym, co robi Will, gdy nie jest ze mną.

– A może dołączę do ciebie na trochę? – Na jego twarzy pojawia się uśmiech, przez co jeszcze trudniej jest mi go rozczarować.

Zazwyczaj, gdy Freya już śpi, mamy czas dla siebie i chociaż Will nocuje w pokoju gościnnym, pierwszą część wieczoru zawsze spędza w moim łóżku.

– Will, tak mi przykro, ale dziś po prostu potrzebuję snu. Rozumiesz? Obiecuję, że ci to wynagrodzę.

– Okej – mówi z udawanym optymizmem, ale wiem, że jest zawiedziony. – Skoczę tylko do sklepu po wino. Zauważyłem, że nie masz żadnego. Potrzebujesz czegoś?

Zaprzeczam, a on wstaje i całuje mnie w czoło. Robi to często i podoba mi się, że w taki sposób zapewnia mnie, że wszystko jest w porządku.

– Moje klucze leżą na stoliku przy telefonie – mówię, a gdy rusza do drzwi, powtarzam, że mi przykro.

Po wyjściu Willa wstaję, żeby nalać sobie szklankę wody, i zauważam jego iPhone'a wetkniętego między poduszki sofy. Nie powinnam tego robić. To naruszanie jego prywatności, a Will jest ostatnią osobą, która by na to zasługiwała, ale czuję, że muszę sięgnąć po aparat. Znam hasło – tak bardzo mi ufa, że powiedział mi kiedyś, że to rocznica naszego poznania – i ani się obejrzę, a telefon ląduje w moich dłoniach. Wstukuję 0-8-1-0 i wita mnie ekran główny.

Robię to dla ciebie, Zach, bo potrzebuję odpowiedzi. Myślałam, że się z tym pogodziłam, że zaakceptowałam to, co zrobiłeś, ale teraz ta kobieta pojawia się i zrzuca na mnie bombę. Zegar tyka… i nie mam za wiele czasu.

W myślach obiecuję Willowi, że nie będę węszyć, że poszukam tylko Alison Cummings i Dominica Bradforda i nie sprawdzę niczego więcej.

Sklep znajduje się zaledwie pięć minut od domu, więc zakupy nie zajmą Willowi dużo czasu; muszę się pospieszyć. Ale moje poszukiwania po raz kolejny okazują się jałowe. Chociaż widzę mnóstwo ludzi o takich nazwiskach, nie są to ci, których szukam. Na niektórych profilach nie ma zdjęć, ale żadna z tych osób nawet nie mieszka w Londynie.

Nie zamierzam się poddać. Mam przecież adres – choć pewnie fałszywy – który mogę wykorzystać jako punkt wyjścia: Hawthorn Gardens. Chociaż ulica znajduje się tutaj, w Ealing, nie znam jej, ale nawigacja w telefonie pomoże mi ją odszukać. Dotrzymując cichej obietnicy złożonej Willowi, zacieram za sobą ślady i odkładam telefon tam, gdzie go znalazłam, ale i tak ogarnia mnie poczucie winy.

Kilka sekund później Will staje w drzwiach, ściskając w dłoni butelkę wina, z głową odrobinę przechyloną na bok.

– Och, nie słyszałam, jak wszedłeś.

Jak długo tam stoi? Wystarczająco długo, żeby zobaczyć, jak grzebię w jego telefonie? Panikuję i przygotowuję się, by wyjaśnić, co robiłam. By powiedzieć mu o Alison Cummings i zaryzykować, że zwątpi w moje zdrowe zmysły, bo to lepsze niż podejrzenia o brak zaufania.

– Starałem się zachowywać cicho, żeby nie obudzić Frei – wyjaśnia.

Żadnej wzmianki o telefonie ani o tym, co z nim robiłam.

– Zostawiłeś tu swoją komórkę – mówię i pochylam się, żeby po nią sięgnąć.

Bierze ją ode mnie i wsuwa do kieszeni.

– Dzięki. Nawet nie zauważyłem.

Przyglądam się badawczo jego twarzy, szukając oznak tego, że mnie widział, że poddaje mnie jakiemuś testowi i czeka, aż się przyznam, ale jego twarz pozostaje nieprzenikniona.

Will idzie do kuchni, nalewa sobie kieliszek wina, a potem całuje mnie na dobranoc. Pocałunek jest krótszy niż zazwyczaj, ale mam nadzieję, że to tylko z powodu rozczarowania, że nie będziemy się dziś kochać.

Szykuję się do snu i zamykam za sobą drzwi do sypialni, mimo że zazwyczaj zostawiam je szeroko otwarte, na wypadek gdyby Freya mnie potrzebowała, po czym wracam do poszukiwań. Tym razem poluję na Dominica Bradforda i chociaż zaczynam od strony University of West London, gdzie pracował z Zachem, nie ma o nim wzmianki na liście wykładowców. To, że już tam nie uczy, nie jest dla mnie zaskoczeniem, ostatecznie ludzie często zmieniają pracę. Wklepuję jego nazwisko w Google, ale żaden z wyników wyszukiwania nie wskazuje na osobę, o którą mi chodzi.

Jak przez mgłę pamiętam jego twarz, ciemne włosy, zbyt gładkie i starannie zaczesane. Tak naprawdę niemal go nie znałam. Nie był bliskim przyjacielem Zacha. Pracowali razem, ale nie wykładali nawet na tym samym wydziale. Po raz pierwszy spotkałam go na pogrzebie. Pamiętam, że ujął moją dłoń, powiedział, jak bardzo mu przykro, i zapewnił, że Zach był wspaniałym człowiekiem mimo tego, co ludzie o nim mówią. Byłam wdzięczna, że się pojawił, podczas gdy tylu innych kolegów z pracy Zacha – a nawet jego przyjaciół – postanowiło trzymać się od całej tej sprawy z daleka. Był gładko ogolony, a jego wygląd świadczył o tym, że ma o sobie wysokie mniemanie. Dokładnie tak, jak opisała to Alison Cummings.

Przechodzę na następną stronę z wynikami i zauważam na samej górze link prowadzący do strony uniwersyteckiej, pod której adresem widnieje jego nazwisko: Dominic Bradford. Czuję gulę w gardle, gdy klikam w link i zostaję przeniesiona na stronę University of Westminster. Kilka chwil później odkrywam, że jest kierownikiem wydziału prawa i pracuje w pobliżu stacji metra Euston.

W końcu poczyniłam jakieś postępy. To jest człowiek, który doprowadzi mnie do Alison Cummings.

A potem dowiem się, co ona wie o śmierci mojego męża.

4

Josie

W ciągu ostatnich kilku tygodni naprawdę wzięłam się w garść. Częściej można mnie znaleźć w domu, zaszytą w sypialni z książkami, niż w barze i ku mojemu zaskoczeniu jestem szczęśliwsza niż kiedykolwiek wcześniej.

Nie zrozumcie mnie źle, nie jestem święta – nie przypominam Miss Pruderii, Alison – i zeszłego wieczoru wylądowałam na tylnym siedzeniu samochodu Anthony'ego, ale uciekłam, zanim sprawy zaszły za daleko. Myśl o rozebraniu go mnie odrzuciła, więc obdarowałam go tylko kilkoma pijackimi pocałunkami, w które nie włożyłam żadnego wysiłku. Wykasowałam jego numer, gdy tylko dotarłam do domu.

Trwają ferie świąteczne, ale tego ranka postanawiam wybrać się na uniwerek i pouczyć w spokoju. Rodzice Alison przyjechali z wizytą i myśl o tym, że będą odgrywać szczęśliwą rodzinę zaledwie kilka metrów ode mnie, była nie do zniesienia. Właściwie to nie ma w tym żadnego odgrywania. Oni naprawdę są szczęśliwą rodziną. Odwiedzają Alison co najmniej raz na dwa tygodnie i zabierają ją na lunch czy kolację. Ja nie potrafię sobie wyobrazić, że

50

miałabym pójść na lunch z rodzicami, którzy uśmiechają się do mnie z dumą. Ta dziewczyna nie ma pojęcia, jaką jest szczęściarą.

Docieram na kampus, który przypomina wymarłe miasteczko. Większość studentów cieszy się, że ma przerwę i może spędzić czas z rodziną, więc dla odmiany mogę wybierać i przebierać w dostępnych komputerach.

Kilka godzin później robię notatki do pracy na temat Szekspira, gdy ktoś klepie mnie w ramię. Zakładam, że to jedna z bibliotekarek, która chce mi powiedzieć, że zaraz zamykają, odwracam się więc, gotowa, by błagać o kilka dodatkowych minut, ale widzę Zacha Hamiltona.

Uśmiecha się do mnie, a gdy ściska moje ramię, czuję, jakby przeszył mnie prąd. Chyba tamta pogawędka przy espresso i papierosie sprawiła, że nasza znajomość przeszła na bardziej poufały poziom.

– Hej, Josie, cieszę się, że cię tu widzę. – Szeroki uśmiech potwierdza jego słowa.

– Czy to dlatego, że to ostatnie miejsce, w jakim spodziewałbyś się mnie zobaczyć?

Chichocze.

– Powiedzmy po prostu, że najwyraźniej zrobiłaś spore postępy od naszej ostatniej rozmowy. Wiesz, tamtej, podczas której próbowałaś mnie udusić dymem papierosowym.

– Bardzo zabawne. – Odrzucam włosy do tyłu, a potem zastanawiam się, co najlepszego wyprawiam. Czy ja z nim flirtuję? Zerkam na jego lewą dłoń i widzę na palcu srebrną obrączkę – a może to platyna...

Oczywiście, że jest żonaty.

Siada na sąsiednim krześle.

– Tylko żartowałem. Ale serio, jestem z ciebie dumny. Wnioskując z tego, co mówiłaś ostatnio, pozostanie na studiach nie było dla ciebie łatwe.

„Dostanie się na nie też nie", myślę, mimo to milczę. Nie musi nic wiedzieć o mojej przeszłości. Czy to, dokąd się zmierza, nie jest ważniejsze?

– Co tutaj robisz? – pytam. – Nie masz w domu rodziny, z którą powinieneś być? Wykładowcy chyba też potrzebują przerwy?

Zach zerka ukradkiem na dłoń, a potem znowu podnosi na mnie wzrok.

– Zostawiłem pendrive'a w jednym z komputerów – wyjaśnia. – Są na nim wszystkie moje wykłady na następny semestr, więc musiałem przyjść i go zabrać. – Przygląda się mojej twarzy. – Komputer w moim gabinecie się popsuł i nie spieszą się z naprawieniem go, więc przychodziłem pracować tutaj. Zazwyczaj nie jestem taki niezorganizowany... Na szczęście Maggie – wskazuje gestem na bibliotekarkę – sprawdziła zawartość pendrive'a, zdała sobie sprawę, do kogo należy, i przechowała go dla mnie.

A więc zaraz sobie pójdzie. Pustka wypełnia moje ciało. To uczucie, którego nie potrafię zrozumieć i właściwie nawet nie chcę próbować.

– Cóż, w takim razie wesołych świąt – mówię, zamykając podręcznik.

Dochodzi piętnasta, a żołądek zaczyna mi przypominać, że jeszcze nic dziś nie jadłam.

– Już kończysz? – pyta.

Czy to możliwe, że słyszę rozczarowanie w jego głosie, czy tylko chciałabym, żeby tak było? Ludzie widzą i słyszą to, co chcą, prawda?

Kiwam głową.

– Muszę coś zjeść. Potrzebuję przerwy. Spędziłam tu ponad dwie godziny.

– W takim razie wyjdę z tobą. Czy to twój samochód stoi na parkingu?

Skąd on wie, że mam samochód?

– Eee, tak.

– Srebrne polo, prawda?

Serce zaczyna mi bić jak oszalałe.

– Zgadza się. To tanie, które wygląda, jakby miało się zaraz rozpaść. Śledzisz mnie czy co? – Szczerzę zęby w uśmiechu, żeby dać mu do zrozumienia, że tylko żartuję, ale w rzeczywistości chciałabym, aby mnie śledził.

Śmieje się.

– Nie. Przykro mi, że muszę cię rozczarować, ale przejeżdżałaś koło mnie kilka dni temu. Nie przepadasz za ograniczeniami prędkości, co?

To zdecydowanie do mnie podobne. Trzpiotowata. Właśnie tak nazwała mnie kiedyś Liv i to zabawne, że ten jeden raz udało się jej nie minąć z prawdą.

– Cóż, zawsze się spieszę – mówię. – Życie jest za krótkie, prawda?

Kręci głową.

– W twoim wieku nie powinno takie być, Josie.

Dlaczego wciąż powtarza moje imię? Musi przestać, bo za każdym razem, gdy to robi, roztapiam się jak wosk.

– Mieszkasz daleko stąd?

– Nie. Mieszkam przy stacji South Ealing. – Unoszę rękę. – Wiem, wiem, to zaledwie kilka minut spacerem i zazwyczaj chodzę na piechotę, ale tamtego dnia byłam spóźniona. Nie chciałam przegapić wykładu. – Mogłam skłamać, powiedzieć, że musiałam później gdzieś pojechać, ale czuję, że nie będzie mnie osądzał.

Uśmiecha się szeroko.

– A dziś?

– Hmm, dziś właściwie nie mam wymówki.

– Cóż, wszyscy mamy takie dni. Ja na pewno. I mogę ci się z czegoś zwierzyć?

Serce mi niemal zamiera.

– Tak. Pewnie.

– Ja też mieszkam w Ealing, więc z łatwością mógłbym tu przychodzić na piechotę. Tyle że nigdy nie wstaję wystarczająco wcześnie, żeby wyjść z domu na czas.

– Pieprzyć to! – wołam, a potem przyciskam dłoń do ust, jakbym przeklęła przy księdzu.

On znowu się śmieje i miło jest wiedzieć, że potrafię wywołać uśmiech na jego twarzy.

– To co, idziemy? – pyta.

Gdy wychodzimy na zewnątrz, zimne powietrze uderza mnie jak cios, więc ciaśniej otulam się kurtką. Parking znajduje się po drugiej stronie budynku i kiedy tam idziemy, Zach pyta mnie o plany na święta.

Tego pytania się obawiam i gorączkowo szukam wiarygodnie brzmiącej odpowiedzi.

– Nie jestem pewna – mówię.

Powinnam skłamać, bo teraz on zapyta mnie o rodziców, a to jest rozmowa, której nie chcę przeprowadzać z nikim, nie mówiąc już o tym mężczyźnie, który porusza mnie do głębi każdym swoim słowem.

– Och – mówi tylko. – Musisz mieć wiele możliwości.

– A ty? – pytam szybko, by zmienić temat i odsunąć od siebie myśl, że spędzę sama kolejne święta.

– Jadę z wizytą do rodziców – mówi.

Ta liczba pojedyncza wywołuje moje ożywienie.

Może jest rozwiedziony. Proszę, niech będzie rozwiedziony.

– Nie widują nas za często, a nasza mała ma już prawie dwa latka – dodaje.

Czuję, jakbym dostała w twarz. Ale to przecież niedorzeczne. Jest moim wykładowcą i to oczywiste, że ma żonę, więc dlaczego czuję takie rozczarowanie?

„Bo go lubisz, głupia. Przejrzał cię na wylot, nie ocenia cię po wyglądzie, nie patrzy na ciało i zdaje się lubić ciebie jako osobę".

– Miło – mówię, szybko odzyskując rezon.

Nie wolno mi się zdradzić ze swoimi uczuciami.

– Tak, będzie miło – potwierdza.

Idziemy dalej w milczeniu, aż w końcu skręcamy za róg i widzę swój samochód.

– Stoję tam – mówię. – A ty gdzie zaparkowałeś?

Gdy odpowiada, że też zatrzymał się na tyłach budynku, czuję jednocześnie ulgę i rozczarowanie. To oznacza, że spędzę z nim jeszcze chwilę, ale z drugiej strony po co mi czas z mężczyzną, o którym nie powinnam nawet myśleć.

Docieramy do ostatniego rzędu, a on zatrzymuje się i odwraca twarzą do mnie.

– Właściwie, Josie, to cieszę się, że na ciebie wpadłem. Jest coś, co chciałem ci powiedzieć. Zamierzałem to zrobić ostatnio, ale nie było okazji.

„Zachowaj spokój. Opanuj się".

– Tak? – Wyciągam z kieszeni kluczyk do samochodu, żeby się czymś zająć.

– Okej. Hmm, to trochę dziwne, ale po prostu muszę ci powiedzieć... – Unika mojego wzroku i patrzy gdzieś ponad moim ramieniem, szurając stopami jak zdenerwowany nastolatek. – Twoje opowiadanie naprawdę mnie zainspirowało. Nie wspominałem o tym nikomu, poza rodziną oczywiście, ale piszę powieść. To długa historia, w każdym razie zacząłem pisać wiele lat temu i, cóż, w pewnym momencie pojawiła się blokada i przez długi czas tkwiłem w miejscu, ale gdy przeczytałem twoje opowiadanie... to chyba dało mi motywację.

Potrzebuję chwili, zanim dotrą do mnie jego słowa, a gdy uświadamiam sobie, co próbuje mi powiedzieć, czuję, jakbym dostała skrzydeł, upojona tym ogromnym komplementem.

– Ja... eee... dziękuję. To nieoczekiwane, ale... wow.

– To ja chcę podziękować tobie. Jesteś taka utalentowana, Josie, i naprawdę nie chcę, żebyś się poddała, niezależnie od tego, jak ciężko ci będzie. Po prostu pamiętaj o tym, o czym rozmawialiśmy w kawiarni. Gdy tylko będzie ci źle, po prostu o tym pomyśl.

Nie mam pojęcia, co na to odpowiedzieć, więc tylko dziękuję mu i patrzę, jak odchodzi. Jestem zszokowana, że cała ta sprawa znaczyła dla niego tak wiele, że musiał mi to wyznać.

Co to oznacza?

* * *

Wsiadłam do samochodu, ale nie pojechałam do domu. Zamiast tego poczekałam, aż Zach odjedzie – grzebiąc w schowku i udając, że czegoś szukam – a potem wysiadłam z auta i poszłam do parku Walpole. Nie chciałam być sama, a nawet jeśli Alison byłaby w domu, nie jesteśmy dla siebie dobrym towarzystwem.

Usiadłam na ławce i zagłębiłam się w lekturze książki, którą musiałam przeczytać na następny semestr: *Opowieść podręcznej*. Zaabsorbowała mnie tak bardzo, że straciłam poczucie czasu i nagle zaczęło się robić ciemno.

Teraz, gdy jadę do domu, Zach zajmuje moje myśli, chociaż wiem, że nie powinien. Jest moim wykładowcą, ma żonę i dziecko, więc co ja wyprawiam?

Zdarzało mi się postępować w życiu dość wątpliwie, ale nigdy nie zrobiłam czegoś takiego. Muszę wziąć się w garść. Poza tym nawet gdyby mnie kusiło, nie mam dowodów na to, że on czuje to samo.

Gdy przekraczam próg, słyszę głosy w salonie. Rodzice Alison muszą wciąż tu być. Pewnie próbują spędzić z córką jak najwięcej czasu.

Otula mnie chmura samotności. Może zazdroszczę Alison tego, co ma, bo po prostu nie potrafię sobie wyobrazić, że ktokolwiek chciałby poświęcić swój czas, żeby mnie odwiedzić i sprawdzić, jak mi idą studia. Może właśnie to skłania mnie, żeby tam wejść. Uczucie, że ten jeden raz chcę być częścią czegoś normalnego, nawet jeśli tak naprawdę tam nie należę.

Gwałtownym ruchem otwieram drzwi, przywołując na twarz uśmiech, który zapewne zirytuje Alison. Jestem ostatnią osobą, którą chciałaby przedstawić rodzicom.

– Cześć! Miło mi... – Ale to nie rodzice Alison siedzą na sofie, tylko młody chłopak, którego wcześniej nie widziałam.

Ma włosy opadające na twarz. Jest ubrany w dżinsy i trampki Converse.

Alison rzednie mina, jakbym przyłapała ich nagich w łóżku, chociaż siedzą z dala od siebie na naszej sfatygowanej sofie.

– Myślałam, że dziś pracujesz – mówi, zerkając na chłopaka, a potem znów na mnie.

– Nie, dziś nie.

Chłopak wstaje i wyciąga do mnie rękę.

– Jestem Aaron, miło mi cię poznać. Josie, prawda? Wiele o tobie słyszałem.

Trudno wyczytać coś z jego uśmiechu. Bez wątpienia wszystko, cokolwiek usłyszał, musiało postawić mnie w fatalnym świetle.

– A ja nie słyszałam o tobie ani słowa – mówię. Z ociąganiem puszcza moją dłoń. – Studiujecie z Alison na tym samym kierunku?

– Nie. My tylko...

– Chodźmy do mojego pokoju, Aaron. – Alison zrywa się i staje murem między nami. Dociera do mnie, że ten facet jej się podoba. To interesujące. Nie wspominała, że ma chłopaka czy choćby jest kimś zainteresowana... ale z drugiej strony jestem ostatnią osobą, z którą chciałaby rozmawiać o czymś takim.

– Czemu nie zostaniemy tutaj? – pyta Aaron. – Może do nas dołączysz, Josie? Mieliśmy właśnie zamówić coś do jedzenia i wypić parę drinków. – Uśmiecha się do mnie i wtedy się orientuję, że w ogóle nie jest zainteresowany Alison. – Cóż, w każdym razie ja zamierzam wypić kilka drinków. Alison mówi, że boli ją głowa.

Zerkam na Alison i widzę jej zbolałą minę. W milczeniu błaga mnie, żebym sobie poszła.

– Niee... Chyba zostawię was samych – mówię, ale potem myślę o pustym pokoju, o spędzeniu następnych kilku tygodni w samotności, podczas gdy wszyscy inni będą obchodzić święta.

Pieprzyć to, muszę coś zjeść, a spędzenie dwóch godzin z Alison to nie jest najgorsza rzecz pod słońcem. Lepsza niż siedzenie w barze i łamanie obietnicy, którą sobie złożyłam, czy spotkanie kolejnego Anthony'ego. Poza tym zabawnie będzie odkryć, co jest między nimi.

– A zresztą... Chętnie do was dołączę. Co zamawiamy? Hinduskie żarcie?

– Nie mam nic przeciwko – zgadza się Aaron. – Co myślisz, Ali?

To zabawne, słyszeć, jak ktoś zwraca się do niej tak poufale. Nigdy nawet nie brałam pod uwagę skracania jej imienia. Jakoś mi to nie pasuje do sztywnej maniaczki czystości, jaką jest.

– Nie należy do moich ulubionych, ale w porządku – mówi cicho.

Wstaje i podchodzi do półki, po czym wyciąga teczkę i przerzuca kartki. Dopiero po chwili zdaję sobie sprawę, że to organizer na menu, i nie mogę powstrzymać chichotu. Tylko Alison mogłaby mieć coś takiego.

– Proszę. – Wyciąga ulotkę i wręcza ją Aaronowi. – To najlepsza hinduska knajpa w okolicy.

Gdy jedzenie w końcu dociera, wcale nie jest najlepsze, więc z wdzięcznością przyjmuję od Aarona butelkę becka, żeby zapić czymś ten smak. Jedno piwo nie zaszkodzi, prawda? Dziś wieczorem i tak już nie będę się uczyć, a przynajmniej zostałam w domu.

W trakcie posiłku Alison prawie się nie odzywa, jednak Aaron najwyraźniej tego nie zauważa – jest zbyt zajęty mówieniem o sobie. Zastanawiam się, czy nie wymyślić jakiejś wymówki i nie wycofać się do pokoju, bo to okrutne z mojej strony: siedzieć tutaj, podczas gdy ona ewidentnie chce być sama z tym facetem. Ale właśnie wtedy dzwoni jej telefon, a ona zostawia nas na chwilę samych, żeby porozmawiać z rodzicami, więc decyduję, że równie dobrze mogę jeszcze chwilę tu posiedzieć.

– Napij się jeszcze, Josie – proponuje Aaron.

– Chętnie – mówię, bo naprawdę nie chcę być sama.

Będę się tylko snuć z kąta w kąt, myśląc o Zachu i o tym, że jedyny facet, którym naprawdę kiedykolwiek byłam zainteresowana, ma żonę i dziecko. I jest moim wykładowcą.

Aaron wręcza mi kolejną butelkę, a ja pociągam z niej łapczywie, rozkoszując się chłodem szkła na palcach.

– A więc jak wygląda sytuacja między tobą a Alison?

Bierze kilka łyków, nim odpowie.

– Nijak. Nie ma żadnej sytuacji, jesteśmy tylko przyjaciółmi.

Mrużę oczy.

– Naprawdę? Bo tak to nie wygląda.

Wzrusza ramionami.

– Wiem, że się jej podobam. Co nie oznacza, że ona musi się podobać mnie, prawda? Nigdy jej nie zwodziłem ani nie pozwoliłem jej myśleć, że jest inaczej.

Nie, oczywiście, że tego nie robił. Bo wspólne picie i zamawianie jedzenia na wynos w piątkowy wieczór nigdy nie może zostać opacznie zrozumiane. Mówię mu to, a on się śmieje.

– Jesteś zabawna, wiesz o tym, Josie? Podoba mi się to.

No i proszę… kolejny nieudacznik. Mimo mojego nastawienia do Alison jest mi jej żal. Ona ewidentnie lubi tego faceta, ale nic z tego nie będzie. Trochę jak ze mną i z Zachem, ale przynajmniej mną interesują się inni faceci… gdyby w ogóle mnie to obchodziło. Nie chodzi o to, że Alison jest nieatrakcyjna, ona jest po prostu zbyt dziwna. Zbyt cicha i niepokojąca. Gdy o tym myślę, robi mi się jej jeszcze bardziej żal.

Może ostatecznie nie tak bardzo się od siebie różnimy. Obie mamy w jakiś sposób przerąbane.

– Bardzo mi się to podoba – dodaje Aaron.

Wyciąga rękę, żeby dotknąć mojego kolczyka w nosie.

Odpycham jego dłoń.

– Tak, cóż, nie mam tatuaży, więc mogę zrobić tylko tyle, jeśli chodzi o ozdabianie ciała.

Podwija rękaw i okazuje się, że połowę chudego ramienia ma pokrytą tatuażem.

– Nie interesują mnie. – Wzruszam ramionami, a jemu rzednie mina.

Może przyzwyczaił się do dziewczyn, które się do niego przymilają – w sumie nie jest nieatrakcyjny – ale jestem zaskoczona, że wpadł w oko Alison. Pomyślałabym, że bardziej w jej typie będą sztywni starsi kolesie w garniturach. Albo ludzie tacy jak Zach.

Aaron obciąga rękaw i pochyla się ku mnie.

– Naprawdę? W takim razie co cię interesuje?

To ciekawe pytanie i aż do dziś nie wiedziałabym, jak na nie odpowiedzieć. Ale ignoruję Aarona, bo nie chcę go zachęcać. Jego żałosne próby flirtu stanowią obrazę dla Alison.

– Czy ona wie, że nie jesteś nią zainteresowany? – pytam.

Wciąż ściskam w dłoni butelkę z piwem, ale nie mam już ochoty na alkohol.

Wzrusza ramionami.

– Nie wiem. Ten temat nigdy nie wypłynął.

Czasami bywam przyzwoitą osobą i w tej chwili odczuwam nagłą potrzebę, żeby stanąć w obronie Alison. Ona nie

61

obroni się sama, więc ja muszę to zrobić. Nie pozwolę temu frajerowi, żeby źle ją traktował.

– A więc co dokładnie tutaj robisz? Liczysz na szybkie bzykanko? Ludzie tacy jak ty przyprawiają mnie o mdłości. Wiesz, że ona nie jest tego typu osobą, więc co kombinujesz? Nie miałeś za dużo propozycji w tym tygodniu?

Szczęka mu opada. Być może nie przywykł, że ktoś rozmawia z nim tak otwarcie. Czy to dlatego wziął sobie na cel Alison?

Nie czekam na jego odpowiedź.

– Myślisz, że ona jest zdesperowana, prawda? Że będzie wdzięczna za okazane zainteresowanie i ot tak pójdzie z tobą do łóżka?

Narasta we mnie wściekłość i tracę kontrolę. Ale nie mogę się powstrzymać. Może to te wszystkie lata wykorzystywania, którego sama byłam ofiarą – chociaż innego rodzaju – zmuszają mnie do obrony Alison.

Aaron udowadnia, że nie ma na to przyzwoitej odpowiedzi, bo zrywa się, a jego butelka przewraca się na podłogę. Rzeka piwa zalewa dywan.

– Nie muszę wysłuchiwać tych bzdetów. Pieprzcie się obie!

Po czym znika, zatrzaskując za sobą drzwi.

Czuję jej obecność za plecami, jeszcze zanim się odwrócę. Alison gapi się na mnie, przyciskając komórkę do piersi. Oczy ma szeroko otwarte z przerażenia. A gdy w końcu się odzywa, jej głos jest cichy, ale słowa mówią wiele:

– Co ty, do cholery, zrobiłaś?

5

Mia

Zeszłej nocy spałam niespokojnie, strach i niepokój nie pozwoliły mi zmrużyć oka, więc jestem już na nogach, chociaż nie ma jeszcze szóstej. Wciąż w szlafroku, schodzę na dół do kuchni, a gdy otwieram drzwi, widzę Willa stojącego przy kuchence. Jest już ubrany, a z patelni wydobywa się zapach bekonu i jajek.

– Hej, jak się czujesz? Tak myślałem, że obudzisz się mniej więcej o tej godzinie, skoro poszłaś spać tak wcześnie. – Wskazuje na patelnię. – Mam nadzieję, że nie masz nic przeciwko, ale pomyślałem, że wszystkim nam przydałoby się solidne śniadanie.

Jedzenie to ostatnie, na co mam ochotę, ale doceniam jego starania.

– Dziękuję. Czy jest już gotowe? Powinnam pójść i obudzić Freyę?

– Dopiero zacząłem. Czy moglibyśmy zamienić kilka słów, zanim Freya wstanie?

Chodzi o coś poważnego; normalnie Will nie pyta, czy możemy porozmawiać. Musi wiedzieć, że użyłam jego telefonu bez pytania. Albo jakimś cudem dowiedział się o Alison Cummings i chce wiedzieć, dlaczego to przed nim zataiłam.

– Wszystko w porządku? – pytam.

Oczywiście nic nie jest w porządku. I coś mi się wydaje, że nie będzie, dopóki nie wytropię tej kobiety i nie dowiem się, co ona knuje.

Will miesza jajecznicę, po czym zwraca się do mnie:

– Mio, naprawdę się o ciebie martwię. Najpierw mdlejesz, a potem jesteś milcząca przez cały wieczór. Wiem, że byłaś zmęczona, ale czy stało się coś jeszcze? Po prostu nie kupuję tej historii z odwodnieniem.

Próbuję go zapewnić, że nic mi nie jest, że to była jednorazowa sprawa i więcej się nie powtórzy, ale on wciąż nie jest przekonany.

– Nie możesz wiedzieć, że to się nie powtórzy, prawda? A jeśli fizycznie coś jest z tobą nie tak, to musisz się przebadać.

– Will, kocham cię za twoją troskliwość i spostrzegawczość, ale serio, nic mi nie jest. Wczoraj po prostu miałam zły dzień. Dzisiaj będzie lepiej, obiecuję. – Moje słowa są puste i podszyte fałszem.

„Czy właśnie tak czuł się Zach, gdy mnie okłamywał?"

Will pochyla się i całuje mnie w policzek.

– W porządku, ale jeśli znowu poczujesz się źle...

– Nie poczuję – zapewniam go. – Pójdę obudzić Freyę, śniadanie wygląda na prawie gotowe.

Odwracam się, zanim się załamię i wyznam mu wszystko. Nie mogę obarczyć Willa takim ciężarem. Nie teraz. Nigdy.

* * *

– Pamiętaj, że wziąłem dzisiaj wolne popołudnie – mówi Will, podczas gdy sprzątam po śniadaniu.

Freya bawi się w ogrodzie, na przemian na trampolinie i w baseniku, a ja obserwuję ją przez okno. Tylko ona pomaga mi zachować spokój, gdy cały mój świat wali się w gruzy.

– Pomyślałem, że moglibyśmy zabrać Freyę do zoo? – ciągnie Will.

Serce mi zamiera – zapomniałam, że umówiliśmy się na to w zeszłym tygodniu, ale ja muszę dziś wytropić Alison i odkryć, co ta kobieta wie. Nie mogę odkładać tego na później.

Przed południem, gdy ja będę przyjmować pacjentów, Freya będzie się bawić u Megan, swojej najlepszej przyjaciółki. Nie mogę odwołać wizyt, więc pozostaje mi tylko popołudnie, żeby sprawdzić adres, który podała Alison, gdy zadzwoniła, żeby się umówić. Planowałam, że zabiorę Freyę ze sobą i połączę to z wycieczką na Oxford Street, która znajduje się niedaleko wydziału prawa, gdzie pracuje Dominic.

– Och, Will, tak mi przykro. Muszę coś załatwić dziś po południu i zamierzałam zabrać Freyę ze sobą. Wiem, że to nie będzie dla niej ekscytujące, ale... W każdym razie może porobimy coś razem wieczorem?

Uśmiech znika mu z twarzy i wiem, że chce zapytać, dokąd się wybieramy, ale nigdy nie bywa wścibski, podobnie jak ja nie wtrącam się w jego sprawy.

– W porządku – mówi tylko.

– Ale nie krępuj się i spędź tutaj popołudnie. Masz swój klucz.

– Nie, nie trzeba. Mam trochę rzeczy do zrobienia w domu. – Odwraca się ode mnie i patrzy, jak Freya przechodzi przez kuchenne drzwi. – Właściwie to może ja zajmę się Freyą dziś po południu, jeśli ci to pomoże?

Nawet gdy Will zmaga się z rozczarowaniem, potrafi się przełamać, by okazać mi serce.

– Jesteś pewien? Nie chcę cię obciążać – mówię, chociaż wiem, że to będzie lepsze dla Frei. Lepsze dla nas wszystkich. Jeśli znajdę Alison, nie chcę, by moja córka była w pobliżu.

– Oczywiście. Wiesz, że traktuję ją jak własne dziecko.

Przyciągam go do siebie i przytulam mocno, bo jest takim dobrym człowiekiem, a w tej chwili ja naprawdę na niego nie zasługuję.

* * *

Hawthorn Gardens to wysadzana drzewami ulica pełna wiekowych wiktoriańskich domów. Większość z nich jest dobrze utrzymana i jeśli Alison naprawdę tu mieszka, to jej i Dominicowi musi się dobrze powodzić. Przypominam sobie, że on jest teraz kierownikiem wydziału na prestiżowym uniwersytecie. To coś, czego Zach nigdy nie miał szansy osiągnąć.

Gdy zmierzam w kierunku numeru 26, przychodzi mi do głowy, że Alison mogła skłamać, że Dominic Bradford jest jej partnerem – ale w jakim celu by to robiła? Nic z tego nie ma sensu, a o tym, co ma – o śmierci Zacha – nie chcę nawet myśleć.

Dom góruje nade mną, gdy staję przed drzwiami. Co ja sobie myślałam, przychodząc tutaj? Nawet jeśli istnieje nikła szansa, że Alison podała mi prawdziwy adres, co takiego mogę zrobić, by zmusić ją do przyznania, że wczoraj wspomniała o moim mężu? Uciekła z gabinetu; najwyraźniej wyrobiła sobie opinię na mój temat.

Ale muszę spróbować. Nie mogę odpuścić.

Wciskam dzwonek, ale nie słyszę nic po drugiej stronie, więc nie mam pojęcia, czy w ogóle działa.

Otacza mnie cisza, ale ostatecznie jest druga po południu, więc większość ludzi pewnie pracuje. Odwracam się, przekonana, że nikogo nie ma w domu, gdy drzwi uchylają się ze skrzypieniem.

– Czy mogę pani w czymś pomóc?

To nie Alison. Pewnie, że nie. Kobieta stojąca w progu ma co najmniej osiemdziesiąt lat i garbi się, opierając o framugę.

– Dzień dobry, szukam Alison Cummings...

Kobieta marszczy brwi i mierzy mnie wzrokiem od stóp do głów.

– Pomyliła pani adres. Tutaj mieszkam tylko ja.

– Rozumiem, przepraszam. Musiała się przeprowadzić.

– To mało prawdopodobne. Mieszkam tu całe życie, a wcześniej dom należał do moich rodziców.

Dziękuję jej, odwracam się i odchodzę. Jest tak, jak przypuszczałam, ale niepokój nie ustępuje. Co, jeśli nigdy jej nie znajdę? Co ona knuje?

* * *

Dawno już nie byłam na terenie uniwersytetu, ale wejście na kampus jednego z nich od razu przywołuje falę wspomnień: początki dorosłości, poznanie Zacha, jego śmierć kilka lat później. Nie sądziłam, że wizyta tutaj tak mocno mnie poruszy – ostatecznie to konkretne miejsce nie ma nic wspólnego z Zachem – ale z trudem brnę przed siebie.

Powinnam była najpierw zadzwonić. Są wakacje i chociaż wiem, że wykładowcy uniwersyteccy pracują przez większość lata, istnieje mała szansa, że on tutaj będzie. Mogłam sobie oszczędzić tego bólu. Ale nie potrafiłabym po prostu siedzieć w domu. Teraz przynajmniej coś robię. Niezależnie od tego, czy moje próby cokolwiek dadzą, czy nie, zmierzam we właściwym kierunku. Nie wiem tylko, czego się spodziewać, gdy tam dotrę.

W recepcji siedzi młoda kobieta o lśniących czarnych włosach i w okularach. Uśmiecha się, gdy podchodzę, co mnie uspokaja.

– W czym mogę pomóc?

– Zastanawiałam się, czy Dominic Bradford jest dziś w pracy? Kierownik wydziału prawa? To mój stary znajomy i chciałam się z nim skontaktować.

Kobieta patrzy w stronę wyjścia.

– Och, właśnie się pani z nim minęła. Ale wyszedł dopiero co, więc jeśli się pani pospieszy, może go pani dogoni. Pewnie idzie w kierunku stacji metra.

Szybko wychodzę na ulicę, ale jest zbyt zatłoczona. Kręci się po niej wielu mężczyzn, którzy mogliby być Dominikiem. Nie rozpoznam go od tyłu, zwłaszcza że widziałam go tylko raz, pięć lat temu. Obracam się, jednocześnie chcąc i nie chcąc go znaleźć, i nagle zauważam go po drugiej stronie ulicy, jak pochyla się, żeby zawiązać sznurowadło.

Dominic jest wyższy, niż go zapamiętałam, co najmniej pięć kilo cięższy, ale ma taką samą fryzurę, a jego twarzy nie da się pomylić z inną. Na pogrzebie uznałam ją za arogancką, ale aż trudno uwierzyć, by ten człowiek zachowywał się agresywnie, chociaż mężczyźni stosujący przemoc wobec kobiet nie chodzą po ulicy z etykietkami czy znakami ostrzegawczymi. To zawsze są ludzie, których najmniej się o to podejrzewa. „Jak Zach", myślę sobie.

Dominic prostuje się i rusza dalej, więc przechodzę przez ulicę i zmierzam w jego stronę. Ale co niby miałabym mu powiedzieć? Nie mogę po prostu podbiec i zażądać, by mi

powiedział, czy spotyka się z niejaką Alison Cummings. Nie
ma mowy, żebym mogła z nim o tym porozmawiać. Poza tym
jeśli ona mówiła prawdę o tym, że Dominic ją bije, to co on
zrobi, gdy odkryje, że zwróciła się do mnie o pomoc? To tylko
spotęgowałoby jego gniew.

Zwalniam i zachowuję dystans, ale nadal za nim idę. Wpadłam na lepszy pomysł.

* * *

Nie muszę go długo śledzić – pokonujemy tylko kilka stacji
metrem, z Euston do East Finchley, a po krótkim spacerze ci-
chymi uliczkami skręcamy w Abbots Gardens. Dominic zbliża
się do numeru 95, dużego białego bliźniaka, którego ogród po-
rastają ogromne drzewa, zapewniające mieszkańcom odrobinę
prywatności.

Ale widzę wyraźnie, jak stoi przed wejściem, grzebiąc
w kieszeni, najwyraźniej w poszukiwaniu kluczy, i właśnie
je wyciąga, gdy drzwi otwierają się i staje w nich Alison, po
czym cofa się o krok, żeby go wpuścić. Żadne z nich się nie
uśmiecha. Nawet się ze sobą nie witają.

Przywieram do drzewa w nadziei, że Alison mnie nie zauważyła. Zrobiłam dziś duże postępy i wrócę tutaj, żeby zdobyć odpowiedzi.

* * *

– Mamusiu! Gdzie ty byłaś? Czekaliśmy na ciebie całą
wieczność!

Freya pędzi do drzwi, gdy tylko słyszy, jak przekręcam
klucz w zamku, i rzuca się na mnie, obejmując mnie ramionami, jakbyśmy nie widziały się od tygodni.

Zerkam na Willa, który kręci głową, stojąc w progu kuchni. Wzruszam ramionami w przepraszającym geście i całuję córkę w czubek głowy.

– Przepraszam, skarbie, coś mnie zatrzymało. Ale już jestem.

Freya odrywa się ode mnie:

– Will powiedział, że jest już za późno, żeby gdzieś wyjść. I że już prawie pora spać, prawda?

Nie zamierzałam wrócić tak późno, ale przedarcie się przez połowę Londynu w godzinach szczytu pochłonęło mnóstwo czasu.

– A może zjemy pizzę na kolację? – sugeruję. To kolejne z ulubionych dań Frei, więc powinno przynajmniej odrobinę poprawić jej humor. – I możemy zagrać w tę twoją ulubioną grę, Sequence.

To wywołuje uśmiech na jej twarzy.

– Ale tym razem nie pozwolisz mi tak po prostu wygrać, prawda? Mam już siedem lat, mamusiu, dam sobie radę sama.

Czochram jej włosy.

– Będę grała uczciwie – obiecuję. – I spróbuję wygrać.

Odnosi się to również do Alison Cummings, którą tak łatwo dziś odnalazłam, chociaż to nie jest żadna gra.

Freya pyta Willa, czy zostanie, ale on kręci głową.

– Przykro mi, dziś nie mogę. Muszę jeszcze popracować. Ale najpierw zjem z wami pizzę, jeśli nie macie nic przeciwko?

Kieruje to pytanie do mnie, a ja kręcę głową.

– Oczywiście, że nie. Wiesz, że nie musisz pytać.

Ale czy on na pewno to wie? Od wczoraj zachowuję się przy nim tak dziwnie, że nie zaskoczyłoby mnie, gdyby nie czuł się tu komfortowo.

Nie postępuję wobec niego fair. Myślałam, że pogodziłam się z przeszłością, ale potem pojawiła się Alison i namieszała. Muszę się dowiedzieć, co się dzieje, a potem może wreszcie zacznę normalnie żyć.

Will nie mówi za wiele w trakcie kolacji, ale gadanina Frei wypełnia ciszę, podczas gdy moja córka ekscytuje się jutrzejszą wyprawą do dziadków. Rodzice Zacha mieszkają w Reading i staram się zabierać tam Freyę tak często, jak to możliwe.

Zawsze ją uwielbiali, a teraz stanowi ona jedyne ogniwo łączące ich z synem, więc każda spędzona z nią chwila jest dla nich jeszcze cenniejsza. Freya też uwielbia tam jeździć; dziadkowie potrafią odmalować jej obraz Zacha nawet lepiej niż ja.

Wychodząc, Will całuje mnie przelotnie i mówi, że zadzwoni jutro.

– Wiem, że Freya wyjeżdża na kilka dni, ale naprawdę muszę nadrobić zaległości w pracy w ten weekend. Może spotkamy się w poniedziałek?

Nie ma nic nadzwyczajnego w tym, że czasami nie widzimy się przez kilka dni – ostatecznie oboje jesteśmy bardzo zajęci – ale nie wydarzyło się to od bardzo dawna. Ostatnio zazwyczaj spotykaliśmy się codziennie. Teraz jednak przyda mi się ten czas, więc chętnie przystaję na jego propozycję.

* * *

Coś wyrywa mnie ze snu: ostry, przeszywający dźwięk, którego początkowo nie potrafię zidentyfikować. To dzwoni moja komórka leżąca na stoliku nocnym.

Nieprzytomnym wzrokiem zerkam na ekran, ale numer jest zastrzeżony. Normalnie zignorowałabym taki anonimowy telefon – większość z nich to zawracanie głowy – ale jest druga w nocy, więc to musi być coś ważnego.

Odbieram i czekam na wieści, które mogą być tylko złe.

– Mia? Co robiłaś dziś pod moim domem? – Przez telefon głos Alison brzmi inaczej.

Ignoruję jej pytanie i chcę wiedzieć, dlaczego powiedziała, że mój mąż nie popełnił samobójstwa.

– Zostaw to w spokoju, Mio. I nie przychodź do mnie więcej. Nie masz pojęcia, co robisz.

A potem zapada cisza, gdy Alison przerywa połączenie.

6

Josie

Alison nie odzywa się do mnie od czasu incydentu z Aaronem i nawet nie chce dać mi szansy, żebym mogła wyjaśnić, co się wydarzyło. Za każdym razem, gdy próbuję z nią porozmawiać, wychodzi z pokoju bez słowa i to – o dziwo – okazuje się gorsze, niż gdyby po prostu na mnie naskoczyła.

Racja leży po mojej stronie, ale ona nie chce mnie wysłuchać, co czyni z niej jeszcze dziwniejszą osobę, niż myślałam. Nie wiem, czy próbowała kontaktować się z Aaronem, ale jeśli rozmawiali, to jestem pewna, że naopowiadał jej bzdur.

Dziś jest ostatni dzień ferii świątecznych i jakimś cudem udało mi się przebrnąć przez ten okres. Brałam dodatkowe zmiany w kawiarni i rzuciłam się w wir nauki – w dziwnej mieszance determinacji i desperacji, jednocześnie pragnąc odnieść sukces i zagłuszyć samotność, żeby nie ulec pokusie i nie pójść na drinka.

Ale dziś nie pracuję, a nie mogę znieść myśli o tym, że utknę tutaj, z Alison wałęsającą się po mieszkaniu i odpychającą mnie swoim milczeniem, równie zagubioną jak ja, tyle że w inny sposób. Większość przerwy świątecznej spędziła u rodziców, ale teraz wróciła i już sama nie wiem, co jest gorsze.

73

W końcu podejmuję decyzję: dziś pojadę do domu. Oczywiście nie po to, żeby zobaczyć się z nią, ale tęsknię za Kierenem i wiem, że jemu też musi mnie brakować. Nie rozumie, dlaczego wyprowadziłam się tak daleko, dlaczego musiałam od niej uciec. Może Liv próbowała nastawić go przeciwko mnie, ale nie zdaje sobie sprawy, jak mocny charakter ma Kieren, chociaż ma jeszcze tak mało lat. Jest taki jak ja – gdy ona w końcu to odkryje, nie będzie zachwycona...

Podróż pociągiem do Brighton mija zbyt szybko i wychodzę na peron, chociaż nie jestem jeszcze gotowa na powrót do miasta, o którym nigdy nie zdołam myśleć jak o domu. A jednak jeszcze kilka miesięcy temu stnowiło jedyne miejsce, w którym kiedykolwiek mieszkałam, jedyne miejsce, w którym kiedykolwiek byłam.

Jakimś cudem ona ma wielu przyjaciół, którzy ją wspierają: zbyt wielu, rozsianych po całym osiedlu. Wzdrygam się na myśl o tym, ile osób przeciwko mnie nastawiła. Muszę zachować czujność i być gotowa, żeby bronić siebie i swoich działań. Ale mogę trzymać głowę wysoko, bo zrobiłam jedyne, co mogłam zrobić: postąpiłam właściwie.

Jest tylko jedna osoba, która nie odwróciła się ode mnie po tym, co się stało: Sinead, mieszkająca po sąsiedzku. Mimo że jest mniej więcej w wieku Liv i sama ma dwoje dzieci, nigdy nie znalazła z nią wspólnego tematu i nigdy jej nie lubiła, więc nie byłam zaskoczona, gdy podeszła do mnie któregoś dnia w sklepie i powiedziała, że wierzy w moją wersję wydarzeń.

– Wiem, że nigdy byś nie skłamała, Josie. Za to Liv... Przepraszam, wiem, że to twoja mama, ale mój Boże, co za ciężki przypadek.

Od tamtego czasu Sinead regularnie wysyła mi esemesy z informacjami na temat Kierena – tylko dzięki temu wiem, co u niego słychać. Zastanawiam się, czy nie zapukać do niej, zanim pójdę do Liv, ale szybko dochodzę do wniosku, że to zły pomysł. Nie chcę, żeby ktoś mnie tam zobaczył; Sinead i jej rodzina mieliby przez to nieprzyjemności.

Dom Liv – nie mój, nigdy nie był mój – znajduje się niedaleko plaży, więc najpierw podjeżdżam autobusem na molo, żeby dać sobie więcej czasu. O tej porze roku nabrzeże jest opuszczone, atmosfera w niczym nie przypomina zgiełku letnich miesięcy, ale to mi odpowiada – mogę być niewidzialna.

W tej chwili naprawdę chętnie bym się napiła, żeby choć trochę się uspokoić, bo tak naprawdę boję się, do czego ona jest zdolna. Ale trzymałam się z dala od Brighton już wystarczająco długo. Cztery miesiące to cholernie dużo czasu dla dzieciaka, a chcę, żeby Kieren wiedział, że o nim nie zapomniałam; że nigdy nie zapomnę.

Gdyby istniał sposób, żeby odebrać go jej teraz, zrobiłabym to za wszelką cenę. Ale taki sposób nie istnieje; już to sprawdziłam. Nie wiem, jak wygląda życie Kierena, ale modlę się, żeby nie było tak złe jak moje kiedyś. To chłopiec, więc przynajmniej nie będzie o niego zazdrosna, ale wciąż nie ma pojęcia, jak być matką – to nie leży w jej naturze. Dla niej dzieci to tylko błędy, które powstrzymują ją przed życiem, jakie chciałaby wieść. I odstraszają każdego mężczyznę, którym jest zainteresowana.

Zbyt długo gapię się na fale i już naprawdę nie mogę tego odwlekać. Przyjechałam tutaj, żeby zobaczyć Kierena. Aby to zrobić, muszę się z nią zmierzyć.

„Dobra, jestem gotowa. Dawaj! Zniosę wszystko".

Dom jest tak samo obskurny, jak zapamiętałam, przez co uświadamiam sobie, że nic się tu nie zmieniło. Naciskam dzwonek i słyszę, jak jego dźwięk rozlega się w środku. Nabieram powietrza w płuca i przygotowuję się na najgorsze, gdy drzwi otwierają się powoli.

– JoJo! – piszczy Kieren i rzuca się na mnie, ściskając mocno. Kucam, żeby się z nim zrównać.

– Gdzie mama? Chyba jest w domu, prawda? – To byłoby w jej stylu, zostawić pięciolatka samego.

Kieren kiwa głową, a uśmiech znika mu z twarzy.

– Jest w wannie – odwraca się i spogląda na schody wiodące na piętro. – Powiedziała, że mam cię nigdy nie wpuszczać – mówi. – Dlaczego ona jest dla ciebie taka okropna?

„Wyjaśnię ci to pewnego dnia, gdy będziesz wystarczająco duży, żeby zrozumieć, co mi zrobiła".

Spoglądam nad jego ramieniem w głąb przedpokoju i zauważam piętrzące się buty i kurtki oraz porzucone worki ze śmieciami. Ich zawartość wysypuje się na ziemię, bo nie chce jej się przejść tych kilku dodatkowych metrów, żeby wrzucić je do kontenerów na zewnątrz.

– Kieren, kiedy poszła się kąpać?

Mój brat wzrusza ramionami.

– Dopiero co. Powiedziała mi, żebym oglądał telewizję i nikomu nie otwierał.

To na wypadek, gdybym się pojawiła. Ona wiedziała, że nie dam rady długo trzymać się z dala od Kierena. Zawsze wyleguje się w wannie godzinami, więc odprężam się odrobinę i mówię mu, żeby włożył kurtkę i dołączył do mnie na progu. Moja stopa nie postanie w tym domu, o ile nie będę zmuszona tam wejść.

Siadamy na schodkach i wtulamy się w siebie, żeby się ogrzać.

– Myślałem, że wyjechałaś – mówi Kieren. Odsuwa się, żeby na mnie popatrzeć. – Mama powiedziała, że nigdy nie wrócisz.

– Cóż, a jednak tu jestem – odpowiadam.

Z łatwością mogłabym wyjaśnić, jak podłą, kłamliwą suką jest ta kobieta, ale nie chcę mu tego robić. Tak długo, jak ona go karmi, ubiera i nie znęca się nad nim, nie zamierzam mówić o niej źle w jego obecności. Mój brat jest w takim wieku, gdy rodzice są dla dziecka całym światem, i nie chcę mu tego odbierać. A gdy patrzę na jego najwyraźniej nową i nieskazitelnie czystą bluzę z Myszką Miki, wszystko wydaje się w porządku.

„A zatem maltretowanie i zaniedbywanie było przeznaczone tylko dla ciebie, Josie. Czy to sprawia, że czujesz się lepiej, czy gorzej?"

– Jadłeś lunch? – pytam.

Sięgam do torby po kanapkę z tuńczykiem i kukurydzą, którą kupiłam na stacji.

– Nie – zaprzecza.

– Proszę, weź ją – proponuję, ale on po nią nie sięga.

Zerka z powrotem na schody i kręci głową.

– Nie, będę miał kłopoty. Później Richard zabiera nas do McDonalda.

Nigdy wcześniej nie słyszałam tego imienia, ale nie muszę pytać, kto to jest. Nowy chłopak mamy, bez wątpienia. Cóż, szybko pogodziła się z utratą Johnny'ego. Na samą myśl o nim robi mi się niedobrze.

– Czy Richard jest dla ciebie miły? – pytam.

77

Bo jeśli nie, zabiorę brata ze sobą w tej chwili. Pieprzyć konsekwencje.

Kieren wzrusza ramionami.

– Jest w porządku, sam nie wiem. – Wtula twarz w zgięcie mojego ramienia. – Tęsknię za tobą, JoJo.

Mierzwię mu włosy.

– Ja za tobą też.

– Mogę zapytać, czy wolno ci wrócić... Wtedy znowu moglibyśmy być razem.

Serce mi się kraje, gdy mówię mu, że to niemożliwe. Próbuję wyjaśnić, że jestem teraz na studiach i muszę mieszkać z dala od domu, ale że będę odwiedzać go tak często, jak to możliwe.

– To nie fair! – protestuje. – Dlaczego mama cię nienawidzi?

– Bo twoja siostra jest paskudną, obrzydliwą kłamczuchą i nie zasługuje na to, żeby żyć.

Serce mi zamiera, gdy słyszę chropawy głos Liv. Ledwie dociera do mnie, co powiedziała, taka jestem oszołomiona, że stoi za nami i żadne z nas nie słyszało, jak schodzi z piętra. Ma na sobie długi, puszysty zielony szlafrok, poplamiony kosmetykami do makijażu, a włosy zawinęła w różowy ręcznik. Co ona właśnie powiedziała? Chyba coś o tym, że życzy mi śmierci.

Kieren puszcza mnie, ale nie rusza się z miejsca, sparaliżowany tak jak ja. Gdyby to ona otworzyła drzwi, byłabym przygotowana na konfrontację. Nie radzę sobie jednak dobrze, gdy ktoś mnie bierze z zaskoczenia.

– Wynoś się z mojego domu! – Liv niemal wypluwa te słowa.

– Właściwie to nie jestem w twoim domu. – To marna próba, ale nie pozwolę się zastraszyć.

Jak to możliwe, że łączą nas te same geny?

Liv pochyla się i łapie Kierena za ramię.

– Idź na górę, natychmiast.

On nie protestuje, tylko ucieka, nie oglądając się za siebie, a jego kroki dudnią na schodach. Widać, że się boi. Ale gdy dociera na podest, obraca się i przesyła mi buziaka, którego tylko ja mogę zobaczyć.

– Masz niezły tupet, żeby tutaj przychodzić – syczy Liv. – Wiesz, ile osób chciałoby zobaczyć, jak zostajesz powieszona, wybebeszona i poćwiartowana za to, co zrobiłaś?

– A co takiego zrobiłam, matko? – Pytam, chociaż wiem, że nie zauważy ironii, jaką nasyciłam to słowo. Dla mnie ona jest i zawsze była tylko Liv Carpenter.

– Naprawdę? Chcesz dalej udawać? Posyłasz niewinnego człowieka do więzienia i odchodzisz, jakby nic się nie wydarzyło! – Zbliża się do mnie, a jej oczy są zimne jak lód. – On ma myśli samobójcze, wiesz? A jeśli ze sobą skończy, to niech Bóg ci dopomoże, bo ludzie dokonają na tobie samosądu. On ma dużą rodzinę, mnóstwo przyjaciół. I wszyscy chcemy sprawiedliwości.

Ledwie powstrzymuję mdłości, żeby nie obrzygać popękanego progu jej domu.

Unoszę ręce.

– Nikogo tu nie ma, Liv. Nikt nie słucha. Więc czemu po prostu nie powiesz prawdy? Bo wiesz, co on zrobił. Widziałaś go, wiem, że widziałaś, więc daruj sobie ten fałsz. Jesteś równie winna jak on i to się kiedyś na tobie zemści.

Odwracam się szybko i odchodzę. Nie mogę dłużej na nią patrzeć.

Jej krzyki odprowadzają mnie, gdy idę ulicą.

– Nie pokazuj się tu więcej, ty brudna dziwko. Słyszysz mnie? Zdechnij w jakimś kącie, tylko na to zasługujesz.

Jakie to dziwne, że jej słowa potrafią ranić tak samo, a nawet bardziej niż to, co dotąd mi zrobiła.

* * *

Gdy wracam do domu, w mieszkaniu panuje cisza, ale to nie znaczy, że jestem sama. Alison zawsze zachowuje się przesadnie cicho, przemyka ukradkiem, niezauważona, dopóki nagle nie zobaczę jej, jak stoi i się na mnie gapi. Ciarki mnie od tego przechodzą.

Przeżyłam taki dzień, że ucieszyłabym się, gdyby była w domu; chcę uporządkować sprawy między nami i zmusić ją do słuchania. Musi poznać prawdę.

Ale ta taktyka nie sprawdziła się dzisiaj w przypadku Liv... Kiedy się nauczysz, że ludzie tacy jak ona i Alison słyszą tylko to, co chcą usłyszeć, a ty strzępisz sobie język, próbując ich przekonać, że masz rację?

Mogę zrobić tylko jedno, żeby nie upić się do nieprzytomności: przygotować się do jutrzejszych wykładów. Z samego rana mam zajęcia u Zacha i właśnie upływa termin oddania kolejnej pracy, więc muszę ją jeszcze raz przejrzeć.

Gdy wchodzę do swojego pokoju, wyczuwam zapach mdląco słodkich perfum Alison. Przesiąkło nim całe mieszkanie: łazienka, kuchnia, a teraz przesączył się nawet do mojej sypialni, jedynego miejsca, w którym mogłam się ukryć przed współlokatorką. A od incydentu z Aaronem Alison skrapia się tymi perfumami jeszcze obficiej, prawdopodobnie po to, żeby mnie zirytować.

Sadowię się przy biurku, odpalam laptopa i szukam pendrive'a. Zazwyczaj zostawiam go w szufladzie biurka, ale teraz go tam nie ma. Zapisałam na nim wszystkie prace pisemne i gdybym go zgubiła, to byłaby katastrofa. Czuję tylko lekki przypływ paniki – już mi się zdarzało, że znajdowałam go w kieszeni czy w torbie – ale po gorączkowych poszukiwaniach odkrywam, że nie ma po nim śladu.

Klnąc pod nosem, przeglądam pliki w komputerze. Na szczęście zapisuję kopie najważniejszych prac. Ale opowiadania dla Zacha tam nie ma. Przeszukuję twardy dysk i nie wyświetla się żaden plik z nazwą mojej pracy.

Jak mogłam być taka głupia? Szukam w pamięci i po chwili przypominam sobie, że ją zapisywałam. Mogłabym przysiąc. Pamiętam nawet, jak kopiowałam ją na pendrive'a, zastanawiałam się, czy Zach wyrazi się o niej równie pochlebnie jak o poprzedniej, i przekonywałam samą siebie, że w końcu zrozumie, że się co do mnie pomylił.

Przez kolejne pół godziny przewracam pokój do góry nogami, aż wygląda, jakby się do niego włamano, ale poszukiwania nie dają rezultatu.

Alison... to musi być jej sprawka. Próbuje mi dokuczyć w ten swój pasywno-agresywny sposób i zrobiła coś, co wie, że mnie zaboli. Pędzę do jej pokoju i walę w drzwi, wykrzykując jej imię, na wypadek gdyby się tam ukrywała. Ale odpowiada mi tylko cisza.

Łapię klucze i wypadam z mieszkania, zatrzaskując za sobą drzwi. Nawet nie zawracam sobie głowy zakładaniem kurtki i ignoruję lodowaty wiatr. Moje kroki dudnią po chodniku. Nie mam pojęcia, dokąd zmierzam, ale muszę się wynieść z tego mieszkania.

Po kilku minutach czuję, jakby głowa miała mi eksplodować. Uświadamiam sobie, że biegnę w stronę kawiarni. Mimo zimna jestem zlana potem i muszę wyglądać okropnie, ale to nic. Przyda mi się trochę kofeiny, żeby zapanować nad tętnem i skupić się na napisaniu tej cholernej pracy od nowa.

Wciąż mam odręczne notatki, które sporządziłam, zanim zabrałam się do pisania, ale wiem, że nigdy nie uda mi się odtworzyć oryginalnej historii. Nie ma szans, by ta nowa okazała się równie dobra jak poprzednia. Niech szlag trafi tę dziwkę, straciła głowę dla mężczyzny – jeśli Aarona w ogóle można tak nazwać – i dlatego to zrobiła. Widywałam Liv zachowującą się podobnie. Nigdy nie pozwoliłabym, żeby facet doprowadził mnie do tego rodzaju psychotycznych zachowań.

Gdy wchodzę do środka, w kawiarni siedzi tylko jeden klient: starszy mężczyzna, któremu drży ręka, gdy unosi filiżankę do ust. Za barem stoi dziś Lucia i pyta, czy chcę to, co zwykle.

– Nie – mówię. – Poproszę podwójne espresso.

Będę siedziała dziś do późna i muszę wlać w siebie jak najwięcej kofeiny.

Lucia marszczy brwi i jednocześnie się śmieje, a potem wtrąca coś po słowacku.

– Przepraszam. Siadaj. Już przynoszę.

Starszy mężczyzna właśnie sobie poszedł, więc zajmuję jego miejsce w kącie przy oknie i wyciągam notatnik w oczekiwaniu na kawę. Gapię się na swoje zapiski i modlę się o wenę. Ale słowa zlewają się w czarną bazgraninę. To na nic; nie dam rady tego zrobić.

– Hej, oto balsam dla zbolałych oczu.

Podnoszę wzrok, a Zach Hamilton stoi przy moim stoliku i uśmiecha się szeroko.

– Co tutaj robisz? – próbuję ukryć zadowolenie, jakie od-
czułam na jego widok.

Przysiada się do mnie.

– Musiałem ocenić kilka prac na ostatnią chwilę i pomyślałem, że wpadnę tutaj, zanim wrócę do domu. Zastanawiałem
się, czy dziś pracujesz... – Spogląda na notatki rozrzucone po
blacie. – ...ale najwyraźniej nie.

– Nie dzisiaj, ale musiałam chociaż na trochę wyjść
z mieszkania. Mam dużo nauki.

Gdyby tylko wiedział...

Zach marszczy brwi.

– Josie, wszystko w porządku? Wydajesz się odrobinę...
nie w sosie? Och, Boże, to głupie wyrażenie, prawda? Muszę
brzmieć, jakbym miał z dziewięćdziesiąt lat.

Ale ja nie potrafię się zmusić do śmiechu. Jeszcze nigdy
w życiu nikt nie zapytał, czy wszystko u mnie w porządku,
no może poza policją, więc siłą tłumię łzy cisnące mi się do
oczu.

– Nie, właściwie to nie. Wcale. Nic nie jest w porządku.

Już w chwili gdy wyrywają mi się te słowa, wiem, że popełniam błąd, wciągając Zacha Hamiltona do swojego życia.

7

Mia

Tamtego wieczoru, gdy policjanci stali w moim salonie i mówili mi o śmierci Zacha, czas się dla mnie zatrzymał. Ich usta się poruszały, ale ja słyszałam tylko niektóre słowa: „ciało", „mieszkanie", „martwy", „samobójstwo". A potem osunęłam się na podłogę, a oni dźwignęli mnie z ziemi, poprowadzili do sofy, podali szklankę wody, której nie chciałam. Jakiś czas później ktoś przypadkowo kopnął tę szklankę, a ja obserwowałam, jak woda rozlewa się i zostawia ciemną plamę na beżowym dywanie. To zabawne, jak dobrze to pamiętam. Ledwie potrafię sobie przypomnieć szczegóły twarzy Zacha, o ile nie popatrzę na zdjęcia, ledwie pamiętam, jak brzmiał jego głos, a jednak pamiętam tamtą kałużę wody.

Inna rzecz, której nigdy nie zapomnę, to zawodzenie Pam, która zawyła jak zarzynane zwierzę, gdy wciąż otumaniona i odrętwiała zadzwoniłam do jego rodziców. Policjanci proponowali, że sami ich powiadomią, ale nie mogłam pozwolić, żeby Pam i Graham usłyszeli to od kogoś obcego. To ja musiałam im o tym powiedzieć. Krzyk Pam i świszczący oddech Grahama, gdy z trudem łapał powietrze, to były dźwięki ich łamiących się serc. Moje też się wtedy złamało.

Właśnie o tym myślę, gdy jadę autostradą M4 do Reading, a Freya siedzi w foteliku i śpiewa do piosenki z radia.

W wakacje ruch na drogach zawsze jest mniejszy, więc dotarcie na miejsce zajmuje nam niecałą godzinę, co oznacza, że nie będę musiała się spieszyć z powrotem. Zazwyczaj nie przyjmuję klientów w weekendy, ale zrobiłam wyjątek dla Carla, który niedawno stracił żonę, więc muszę wrócić przed trzynastą.

Ale najpierw chcę porozmawiać z Pam, najlepiej na osobności, a wiem, że nie będzie mi łatwo nakłonić ją do tego, by się przede mną otworzyła.

Gdy podjeżdżamy, Pam i Graham stoją już przed domem. W lusterku wstecznym widzę, jak twarz Frei się rozjaśnia. Mała wyciąga rączkę, żeby im pomachać.

Chociaż przekroczyli już siedemdziesiątkę, oboje są dość dziarscy, więc Pam pędzi nam na powitanie. Ledwie wyłączam silnik, a ona już otwiera drzwi od strony Frei i pomaga jej wygramolić się z fotelika.

– Babciu! – woła Freya, obejmując ją ramionami.

– Och, skarbie, jak dobrze cię widzieć! Tak bardzo za tobą tęskniliśmy.

Graham przesyła jej pocałunek i otwiera mi drzwi.

– Witaj, Mio. Ciebie też dobrze widzieć, oczywiście.

Wysiadam i obejmuję go, ale jak zwykle to krótki, skrępowany uścisk. Chociaż Graham jest ciepłym, na swój sposób serdecznym człowiekiem, nigdy nie potrafił bez skrępowania okazywać czułości, nawet własnemu synowi. Ale Zachowi to nie przeszkadzało i nie wątpił w to, jak bardzo ojciec go kocha.

Graham bardziej stara się przy Frei; bierze od niej plecak i chwyta ją za rękę.

– Chodź, Socks już na ciebie czeka.

Gdy ruszają do domu, mimowolnie myślę, że ich kot, chociaż stary i słabowity, jakimś cudem przeżył Zacha.

– Wszystko w porządku, moja droga? – pyta Pam, biorąc mnie pod rękę. – Wyglądasz odrobinę blado.

Zapewniam ją, że nic mi nie jest, ale ona mruży oczy.

– Ciężko ci tutaj przyjeżdżać, prawda? Tyle wspomnień.

Chociaż Pam i Graham kupili ten bungalow dopiero po przejściu na emeryturę, już po tym jak poznałam Zacha, oboje mieszkaliśmy tu przez jakiś czas, gdy oszczędzaliśmy na zakup własnego domu, mimo że codzienne dojeżdżanie do Londynu było uciążliwe. Więc Pam ma rację; trudno nie mieć wrażenia, że Zach lada chwila przejdzie przez drzwi, jakby jakoś przetrwał w tym miejscu. Nie potrafię wyjaśnić, dlaczego nie odczuwam tego samego u siebie, skoro spędziliśmy tam razem tyle lat. Może to dlatego, że Freya wniosła do tej przestrzeni coś nowego, a ja nigdy nie miałam okazji zobaczyć, jak Zach bawi się z nią będącą w tym wieku.

Uśmiecham się do Pam.

– Tak. Ale dobrze jest pamiętać.

Wchodzimy do środka, a Freya już rozpakowuje kolorowanki, kredki i num nomsy, które uparcie kolekcjonuje, po czym rozkłada wszystko na podłodze w salonie.

– Muszę pokazać ci nowe – zwraca się do Pam, która oczywiście sprawia radość wnuczce i kuca, żeby je obejrzeć.

Przestałam już przepraszać Pam i Grahama za bałagan, jaki Freya zawsze u nich robi. Wielokrotnie zapewniali, że to uwielbiają, że dzięki temu ich dom wydaje się zamieszkany jak prawdziwe rodzinne gniazdko.

Po kilku minutach Graham proponuje Frei:

– Chodźmy na zewnątrz, jestem pewien, że Socks chowa się gdzieś pod drzewem. A babcia może przyniesie wszystkim coś do picia?

To jest moja szansa. Idę za Pam do kuchni i obserwuję Freyę i Grahama w ogrodzie, podczas gdy ona włącza czajnik. Mówię, że ja poproszę tylko wodę, że jest zdecydowanie za gorąco na cokolwiek innego, ale ona mimo wszystko krząta się przy parzeniu herbaty. Nie potrafią się bez niej obejść, niezależnie od pogody.

– Mogę z tobą porozmawiać, Pam? Chodzi o Zacha.

Normalnie nie przeszłabym do rzeczy tak obcesowo. Bałabym się, że się przede mną zamknie, ale muszę skorzystać z tego, że zostałyśmy same.

Widzę, jak się spina. Dalej parzy herbatę, unikając spoglądania w moją stronę.

– Przepraszam, że poruszam ten temat, naprawdę, ale zastanawiałam się tylko, czy wiesz cokolwiek o jednym z kolegów z pracy Zacha, Dominicu Bradfordzie? Ja go nie znałam, ale był na pogrzebie i pamiętam, że rozmawiałaś z nim dość długo i, cóż... Pomyślałam, że byłoby miło, gdybym mogła się z nim skontaktować. Żeby wspólnie powspominać Zacha...

Przerywa to, co robi, i zwraca się do mnie:

– Dominic Bradford? Ale dlaczego teraz? Minęło pięć lat, Mio. Dlaczego chcesz to zrobić teraz?

– Wiem, że może ci się to wydawać odrobinę niespodziewane, ale wcześniej po prostu nie czułam się gotowa, żeby rozmawiać o nim z kimkolwiek. Widziałaś, w jakim byłam stanie po pogrzebie... ledwie mogłam rozmawiać z tobą. Gdybym nie musiała się opiekować dwuletnim dzieckiem, nie wiem, co bym zrobiła. Podejrzewam, że jeszcze bardziej odcięłabym się od świata. Ale teraz czuję, że muszę porozmawiać o nim z ludźmi. Z ludźmi, którzy go znali i których obchodził. To chyba zrozumiałe?

– Owszem. Ale co dobrego z tego wyniknie? Wiesz, co ludzie myślą o Zachu. Nikt poza nami nie ma dla niego dobrego słowa.

– Ale nie Dominic – przypominam. – On nigdy nie wierzył, że Zach byłby zdolny do zrobienia czegoś takiego. Powiedział mi to na pogrzebie.

Jakiś cień przemyka po twarzy Pam i wiem, że nie może znieść myśli o romansie swojego syna z jedną ze studentek. Kręci głową, ale ja muszę ją nakłonić, by coś mi powiedziała, zanim całkowicie się w sobie zamknie.

– Proszę, Pam. To jest po prostu coś, co muszę zrobić.

– Dlaczego teraz, Mio? Ułożyłaś sobie życie na nowo. Masz piękną córeczkę, więc po co rozdrapywać stare rany? Jeśli porozmawiasz z kolegą Zacha, znowu będziesz wszystko analizować. A potem zwątpisz. Zaczniesz myśleć, że jest winny. Zapomnisz, jakim człowiekiem był naprawdę.

Nigdy nie przyznałam się Pam i Grahamowi, że nie wierzę w niewinność Zacha, że dowody przeciwko niemu są zbyt obciążające, by je ignorować. Owszem, nienawidziłam siebie za to każdego dnia, ale koniec końców zdrowy rozsądek musiał zwyciężyć. Nie mogłam pozwolić, żeby miłość mnie oślepiła.

– Miał depresję – ciągnie Pam, gdy nie odpowiadam. – To dlatego odebrał sobie życie w taki sposób. Zażył tego wystarczająco dużo, żeby nie było szans na odratowanie go, prawda? To nie miało nic wspólnego z tamtą dziewczyną, nic wspólnego z poczuciem winy. – Osusza oczy. – To była po prostu rozpacz. Smutek. Sama nie wiem. Trudno zaakceptować, że żadne z nas nie widziało, jaki był zdesperowany. I trudno uwierzyć, że osierocił Freyę, chociaż kochał ją tak bardzo, ale właśnie to robi z ludźmi depresja.

Słyszę w głowie słowa Alison Cummings: „Twój mąż nie popełnił samobójstwa".

Nie mam pojęcia, co na to odpowiedzieć, więc tylko kiwam nieznacznie głową. Ale przecież wiedziałabym, gdyby Zach miał depresję, prawda? Zauważyłabym jakieś objawy, coś, czego nie dałoby się przegapić. I nigdy wcześniej nie miał żadnych problemów psychicznych.

Nie mogę się z nią podzielić tym, co naprawdę myślę, ani opowiedzieć jej o sesji z Alison Cummings i rewelacjach, które mi wyjawiła. Nie mogę, dopóki nie dowiem się, o co w tym wszystkim chodzi. Nie mogę pozwolić, by świat Pam znowu legł w gruzach, jeśli się okaże, że moje poszukiwania doprowadzą donikąd.

– Zresztą już nic nie przywróci mu życia, Mio – dodaje ona. – A co dobrego przyjdzie ci z rozmowy z Dominikiem Bradfordem? Nie byli blisko zaprzyjaźnieni i jestem pewna, że ten człowiek już dawno zostawił za sobą przeszłość.

Biorę głęboki wdech i zastanawiam się, czy mogę ją bardziej przycisnąć. Oczywiście nie potrzebuję jego adresu, ale jeśli istnieje szansa, że wie o nim coś więcej, muszę to z niej wydobyć.

– Pewnie masz rację, Pam. Jestem pewna, że nie chciałby, żebym pojawiła się na jego progu po tylu latach i przypomniała mu o tym, co się wydarzyło... – Urywam. – Miał sympatyczną żonę, prawda? Chyba była z nim na pogrzebie... – Źle mi z tym, że muszę tak manipulować akurat Pam, ale potrzebuję amunicji, żeby przygotować się na to, co ma nadejść.

Potrząsa głową, tak jak się spodziewałam.

– Nie, był tam sam. Rozwiódł się niedługo po śmierci Zacha, więc może już wtedy miał problemy małżeńskie... W każdym razie tak naprawdę nie wiem, co się wydarzyło. Pozostawał z nami w kontakcie jeszcze przez jakiś czas, ale od dawna nie miałam od niego żadnych wieści. Nawet nie wiem, gdzie teraz mieszka.

– A pamiętasz może, jak ona miała na imię? – Przeciągam strunę, ale muszę spróbować.

Pam marszczy brwi.

– Myślę, że nazywała się Elaine. A co? Dlaczego mnie o to pytasz, Mio? Co się dzieje? Dlaczego nagle chcesz się czegoś dowiedzieć o żonie Dominica?

Odwracam się i spoglądam przez okno na ogród. Freya w końcu znalazła kota i spaceruje, tuląc go w ramionach.

– Nic takiego. Ja po prostu... tęsknię za Zachem i chyba chcę poczuć jego bliskość, spędzić trochę czasu z ludźmi, którzy go znali. – Czuję, że nie przekonały jej moje słowa. Też nie dałabym się na nie nabrać; nie mają za wiele sensu nawet dla mnie. Muszę jakoś odwrócić jej uwagę. – Jeden z moich klientów właśnie stracił żonę i wszystko mi się przypomniało...

Ta taktyka najwyraźniej działa, bo Pam podchodzi i mnie obejmuje.

– Zawsze będzie nam ciężko, moja droga. Musimy po prostu żyć dalej, tylko tyle możemy zrobić. – Przez chwilę stoimy przytulone, aż w końcu ona odrywa się ode mnie i prostuje. – A jak mają się sprawy z Willem? Pozwolisz mu w końcu się wprowadzić?

To jedna z najbardziej niezwykłych cech Pam. Potrafi odsunąć na bok swój ból i mimo wszystko chce dla mnie tego, co najlepsze, nawet jeśli czuje, że jej jedyny syn zostanie kimś zastąpiony.

– Nie mogę, Pam. Jeszcze nie. Nie jestem gotowa.

Kiwa głową, ale wiem, że zaraz o to zapyta.

– Minęło pięć lat, Mio. Jak wiele czasu to „wystarczająco długo"? Z tego, co nam mówiłaś, Will sprawia wrażenie przemiłego człowieka, a Freya go kocha, czyż nie?

Nie da się zaprzeczyć jej logice, ale nie potrafię wyjaśnić, co czuję w głębi serca.

– Tak, Freya go uwielbia. Obie go uwielbiamy.

Pam marszczy czoło.

– Ufasz mu, prawda? Bo jeśli boisz się zostać zraniona, to powtórzę raz jeszcze: nie wierzyłam ani przez sekundę, że Zach zrobił coś złego. Cokolwiek. Byłaś dla niego dobrą żoną, Mio, i on nigdy nie zrobiłby niczego, żeby cię zranić... – Urywa. – Och, wiem, jak to zabrzmiało, skoro odebrał sobie życie i musiał wiedzieć, jak bardzo to zrani was obie, zrani nas wszystkich, ale wiesz, co mam na myśli.

Znajome odrętwienie ogarnia moje ciało i nie czuję już nic. Zaciskam dłoń w pięść, żeby zmusić się do jakichś emocji, ale mam wrażenie, jakbym obserwowała kogoś obcego z oddali. To mechanizm obronny, który wypracowałam przez wszystkie te lata, żeby się nie załamać.

– Staram się w to wierzyć każdego dnia – mówię.

„Nie. Nie staram się. Wcale się nie staram. Zach wyrwał mi serce swoją zdradą. Ale wiem, że kochał Freyę i mnie też, na swój sposób, więc skupię się na tym ze względu na Pam".

– W niektóre dni łatwiej jest mi zachować pozytywne nastawienie niż w inne – wyjaśniam. – W każdym razie owszem, Will jest dobrym człowiekiem. – Słowa więzną mi w gardle; to samo ludzie zawsze mówili o Zachu.

Pam kiwa głową.

– Rozmawialiśmy o tym niedawno z Grahamem i cóż, oboje uważamy, że najwyższa pora, abyśmy poznali Willa. Upłynęło już wystarczająco dużo czasu, prawda?

To ostatnie, czego bym się po nich spodziewała, i na moment odbiera mi mowę.

– Ja… eee… tak, w porządku.

Wiem, jak trudne będzie dla Willa spotkanie się z nimi. Zrobi to dla nas, bez wątpienia, ale nie chcę go zmuszać do przechodzenia przez coś takiego. Mimo wszystko obiecuję Pam, że z nim o tym porozmawiam.

Uśmiecha się. Angażowanie się w moje życie sprawia jej przyjemność.

– To nie musi być nic oficjalnego – zapewnia. – Bez presji. Przecież to nie tak, jakby miał poznać twoich rodziców, prawda? – Zatrzymuje się. – A właściwie to trochę tak, bo właśnie tak o tobie myślimy, Mio. Jak o naszej córce.

Oczy zachodzą mi łzami i ledwie mogę wyszeptać słowa podziękowania.

– To zabawne… – wspomina Pam. – Gdy Zach cię poznał na… to była Teneryfa?

– Fuerteventura.

– Ach tak, właśnie. Cóż, nie sądziłam, że wasz związek przetrwa. Te wakacyjne romanse rzadko przeradzają się w coś głębszego, a wy byliście tacy młodzi. Zach miał tylko dwadzieścia pięć lat. A ty musiałaś mieć ile…? Dwadzieścia dwa?

Kiwam głową. Pam zawsze miała pamięć do dat.

– Ale potem cię do nas przywiózł i od razu wiedziałam, że jesteś dla niego stworzona. Po prostu wiedziałam, że jesteś dobrą osobą.

Jej słowa tak mnie wzruszają, że nie mogę przemówić. Ale dziwnie się czuję, gdy wspominam, jak poznaliśmy się z Zachem. Wieki temu. Zakładałam, że skończy się to na kilku wieczorach zabawy zaprawionej alkoholem, i z pewnością nie spodziewałam się, że zadzwoni do mnie, gdy oboje wrócimy do domu. Ale zadzwonił. I mimo że nikt nie dawał nam wielkich szans, nawet gdy pobraliśmy się trzy lata później, udało się nam. Jak to możliwe, że dostaliśmy tylko dziesięć wspólnych lat, Zach? Dziesięć krótkich lat. Póki śmierć nas nie rozłączy.

Cieszę się, że nie jadłam śniadania, bo pozbyłabym się zawartości żołądka mniej więcej w tym momencie. Na szczęście Freya wybiera tę chwilę, by wpaść do kuchni, wciąż z kotem w ramionach. To mile widziana przerwa w rozmowie.

– Zostaniesz na lunch, mamusiu? – pyta mała.

Chociaż bardzo kocha dziadków, nie znosi, gdy wyjeżdżam... w każdym razie dopóki nie odwrócą jej uwagi jakąś grą czy zabawą.

– Nie mogę, skarbie, mam pacjenta dziś po południu. Ale zobaczymy się w poniedziałek, dobrze? – Pochylam się, żeby dać jej całusa w policzek. – Bądź grzeczna.

– Zawsze jestem grzeczna – protestuje, a ja czochram jej włosy, żeby dać znać, że o tym wiem.

Gdy wreszcie opuszczam ten dom, czuję, jakbym znowu mogła oddychać.

8

Josie

Zawsze staram się być silna, trzymać emocje na wodzy i nie okazywać słabości, niezależnie od okoliczności, w jakich się znajdę. Nawet po tym, co zrobił mi Johnny, nie uroniłam przy nim ani jednej łzy. Skupiłam się na gniewie i to on oddzielił mnie od niego jak mur obronny.

Ale teraz, gdy siedzę naprzeciwko swojego wykładowcy, czuję, że za chwilę się załamię. To do mnie niepodobne, ale nie potrafię się z tego otrząsnąć.

– Chodź – mruczy Zach – musimy stąd wyjść.

Nie czeka na odpowiedź, tylko delikatnie ujmuje mnie za ramię i wyprowadza na zewnątrz. Jak damę w opałach. Jutro będę nienawidziła siebie. I już nigdy nie zdołam spojrzeć mu w twarz; wiem o tym.

– Czy chodzi o studia? – pyta. – Czy jest coś, co mogę zrobić? Wiesz, jeśli masz problemy z nauką, to nie ma wykładowcy, który by ci nie pomógł, gdybyś tego potrzebowała. Wystarczy, że poprosisz.

Wzruszam ramionami.

– Nie o to chodzi. Cóż, może częściowo, ale to nie cała historia. – Sięgam do kieszeni po chusteczkę, ale jedyna, jaką znajduję, jest stara i wiem, że gdzieś tam w niej tkwi zużyta guma do żucia. Korzystam z niej mimo wszystko, żeby pozbyć się tych irytujących łez. – To, co mówię, nie ma sensu, prawda? – zwracam się do Zacha. – Lepiej już sobie pójdę. – Zaczynam odchodzić, ale on łapie mnie za ramię.

– Nie pozwolę ci odejść w takim stanie, Josie. Najwyraźniej coś cię zdenerwowało.

To dziwne. Nie powinien aż tak się mną przejmować. Powinien ochoczo powiedzieć: „Okej, świetnie, do zobaczenia".

– Nie przejmuj się, dam sobie radę.

Ale on tego nie kupuje.

– Nie, nie dasz. Ręce ci się trzęsą.

Czy rzeczywiście? Nie potrafię stwierdzić. Nic nie czuję. To jego dobroć tak na mnie działa. Inne rzeczy też, ale głównie to, że on w ogóle zawraca sobie mną głowę.

– Słuchaj – mówi. – Czy jest ktoś, kto mógłby ci teraz dotrzymać towarzystwa? Ktoś, z kim mogłabyś porozmawiać? Wygląda na to, że przydałaby ci się rozmowa. Po prostu nie sądzę, że powinnaś być teraz sama. Z kim mieszkasz?

Ha, Alison! Tak, to byłaby idealna partnerka do rozmowy w tej chwili.

– Ze współlokatorką. Ale nie ma jej w domu – wyjaśniam.

Nie wspominam, że to ona jest przyczyną tego wszystkiego; że prawdopodobnie byłaby zachwycona, gdyby zobaczyła mnie w takim stanie.

Nagle czuję nieoczekiwany przypływ buntu. Nie potrzebuję specjalnego traktowania ani od Zacha, ani od nikogo innego. Napiszę tę pracę od nowa, choćby to miało być ostatnie, co zrobię. Nie pozwolę nikomu, a zwłaszcza Alison, mnie pokonać.

Zach zerka na zegarek i się rozgląda.

– Odprowadzę cię do samochodu. Gdzie zaparkowałaś?

– Właściwie to przyszłam tu piechotą.

– No to chodź, podrzucę cię do domu.

Nie mogę mu na to pozwolić. To nie fair. On ma swoje życie, żonę i dziecko; nie musi przebywać w pobliżu takiej osoby jak ja.

– Nie, nie trzeba. Mogę się przejść.

– Josie, robi się ciemno, a ja po prostu chcę się upewnić, że wrócisz do domu bezpiecznie. Chodź.

W końcu się poddaję, tylko dlatego że tak wydaje się łatwiej, bo czuję, że on jest równie uparty jak ja i będziemy tutaj debatować przez cały wieczór, jeśli któreś z nas nie ustąpi.

Samochód Zacha pachnie nowością, jakby dopiero wyjechał z salonu, ale wnętrze wygląda na wysłużone. Wszędzie są porozrzucane płyty kompaktowe, a na tylnym siedzeniu piętrzą się książki. I leży tam para małych różowych bucików.

– Płyty kompaktowe? Naprawdę kupujesz płyty kompaktowe? – zwracam się do niego.

– Tak, a co? To nie jest cool? – Jego uśmiech mówi mi, że mojej reakcji nie wziął do siebie.

– Po prostu nie widziałam żadnej od bardzo dawna.

Od kiedy opuściłam jej dom. Ale to w sumie nic zaskakującego. Liv urodziła mnie, gdy miała szesnaście lat, i prawdopodobnie jest mniej więcej w wieku Zacha.

Przez kilka minut jedziemy w milczeniu i zatracam się w muzyce ze stacji radiowej, którą włączył Zach. To rock – tak naprawdę nie przepadam za tym gatunkiem – ale jakoś do niego pasuje. Odchylam głowę i przymykam oczy, próbując

sprawić, by ta chwila trwała wiecznie, chociaż w rzeczywistości od mojego mieszkania dzieli nas tylko kilka minut jazdy.

– Dobrze się czujesz, Josie? – pyta Zach.

Gwałtownie unoszę powieki. Czy czuję się dobrze? Trudno powiedzieć, ale w tej chwili, będąc z nim, czuję się lepiej.
Jego samochód to kokon, który oddziela mnie od świata ze-
wnętrznego. Wszystko, co jest nie tak w moim życiu, znajduje się zbyt daleko, żeby mnie dotknąć. Dam radę napisać to
opowiadanie od nowa. Może nie będzie tak dobre jak oryginał,
ale i tak to zrobię. Alison jest mimo wszystko nieszkodliwa,
a tamta kobieta siedzi w Brighton. Może mi grozić, ile wlezie.
Nie dam się jej zastraszyć – ani nikomu innemu.

– Odrobinę lepiej – mówię. – Przepraszam, zazwyczaj nie
tracę nad sobą kontroli w taki sposób.

Potrząsa głową.

– Josie, to normalne, każdy przeżywa takie chwile. Jesteś
tylko człowiekiem. Nie możesz przez cały czas zachowywać
się jak superbohaterka.

Odrzucam głowę do tyłu.

– Ha, naprawdę tak o mnie myślisz? Nie mógłbyś się bardziej mylić.

– Cóż, dobrze to słyszeć. Doskonałość jest męcząca. Sprawia, że inni mają wrażenie, jakby nie byli wystarczająco do-
brzy, jakby nie mogli sprostać twoim oczekiwaniom. Nie
chcesz być idealna.

Zastanawiam się, czy mówi to na podstawie własnego doświadczenia, czy może miał na myśli swoją żonę.

– A więc co się stało? – ciągnie dalej. – Musiało się wydarzyć coś poważnego, skoro aż tak wytrąciło cię to z równowagi, i to jeszcze przy mnie.

Nie wiem, co chce przez to powiedzieć, ale to nie ma znaczenia. Liczy się tylko, że pyta, że chce wiedzieć.

– Ja nie mogę... Przepraszam.

– Nie, nie! To tobie należą się przeprosiny. Nie powinienem zadawać ci takich pytań, to niestosowne. To pewnie jakaś osobista sprawa, a ja jestem twoim wykładowcą, więc naprawdę nie musisz mi nic mówić. Ale, cóż, jestem tu, gdybyś chciała kiedyś porozmawiać. O czymkolwiek. Mam całkiem otwarty umysł.

W to akurat łatwo uwierzyć. Mogłabym wyciągnąć pochopne wnioski i podejrzewać, że Zach ma wobec mnie jakieś ukryte zamiary, ale w ogóle tego nie wyczuwam. Ledwie go znam, ale wiem, że jest szczery. A przeżyłam już wystarczająco dużo, żeby wyczuć, kiedy facet coś knuje.

Może jestem głupia, że zaufałam mu tak łatwo, a może wynika to po części z tego, że mi się podoba, ale lubię myśleć, że mogę ufać swojej intuicji.

– Dzięki, Zach. Może innym razem. Skręć tutaj. Mieszkam przy tej ulicy, mniej więcej w połowie.

Zatrzymuje się tuż przed wejściem do mojego budynku, ale nie gasi silnika.

– Przebrniesz przez to Josie, cokolwiek to jest.

Owszem, przebrnę. Zaszłam tak daleko i nie zamierzam teraz zawieść samej siebie.

– Dzięki za podwózkę – mówię i sięgam do klamki.

– Do zobaczenia jutro, Josie.

Zatrzymuję się i odwracam w jego stronę. Nie należę do osób, które owijają w bawełnę, a muszę o to zapytać.

– Dlaczego to robisz? To znaczy: dlaczego jesteś dla mnie taki dobry? Nie jestem twoją jedyną studentką. Nie wystarczyłoby ci dnia, żeby pomóc nam wszystkim.

Nie wydaje się speszony moim pytaniem.

– Nie, masz rację – mówi, patrząc mi w oczy. – Ale zrobiłbym to samo dla każdego z moich studentów, gdyby potrzebował pomocy. Nie sądzę, by moja praca kończyła się w chwili, gdy opuszczacie salę wykładową. – Odwraca głowę i wygląda przez okno. – Poza tym chciałbym myśleć, że zostaliśmy, tak jakby, cóż... przyjaciółmi. W jakiś dziwny sposób. Że połączyło nas nasze pisanie.

– Przyjaciółmi. – Wypróbowuję to słowo i odkrywam, że mi się podoba.

Nie mówię mu, że dawno temu porzuciłam myśl o posiadaniu przyjaciół. Kiedy jesteś na dnie, odwracasz się i widzisz, że wszyscy zniknęli, że nie ma tam nikogo, kto wyciągnąłby do ciebie rękę i pomógł ci wstać.

Otwieram drzwi i wysiadam z auta.

– Mogę być z tobą szczery, Josie? – woła Zach.

Obchodzę samochód i zbliżam się do okna od strony kierowcy.

– Pewnie. We wszystkim.

Uśmiecha się.

– Czuję, że muszę to powiedzieć. Jestem żonaty, mam małą córeczkę i kocham moje domowe życie, więc proszę, nie myśl, że mam wobec ciebie jakieś dziwne zamiary. Po prostu muszę to wyjaśnić. Nie powinienem musieć. To znaczy, gdybyś była chłopakiem, prawdopodobnie nawet nie musielibyśmy poruszać tego tematu, ale po prostu chcę, żebyś wiedziała, że gdy mówię „przyjaźń", dokładnie to mam na myśli.

– Dobrze wiedzieć! – odpowiadam pogodnie, chociaż jego słowa rozdzierają mi serce. – Ale tak dla jasności, nigdy nie podejrzewałam, że masz wobec mnie... niecne zamiary. – Śmieję się, żeby zatuszować rozczarowanie.

– W dzisiejszych czasach ludzie są zbyt sztywni – mówi zamyślony. – Ja po prostu lubię płynąć z prądem, przyjaźnić się, z kim chcę, niezależnie od tego, co myśli społeczeństwo. Można poczuć więź z rozmaitymi osobami i nie rozumiem, dlaczego nie moglibyśmy gawędzić i rozmawiać o pisaniu, tylko dlatego że jestem twoim wykładowcą. Dodam, że przez trzy godziny tygodniowo. Oboje jesteśmy dorośli. A ty naprawdę pomogłaś mi w procesie twórczym, Josie, już samym tym, że wręczyłaś mi swoją pracę domową. – Śmieje się. – Boże, jak to brzmi?

– Brzmi tak, jakbyś był szczery – mówię. – I zgadzam się ze wszystkim, co powiedziałeś. Poza tym miło wiedzieć, że pomagam ci w ukończeniu powieści.

Uśmiecha się i widzę, że mu ulżyło, gdy zapewniłam, że rozumiem, co próbuje mi powiedzieć. I naprawdę to rozumiem, co nie znaczy, że mi się to podoba.

Pochylam się ku niemu.

– Mogę cię o coś zapytać? Skoro jesteśmy teraz przyjaciółmi?

Śmieje się.

– Oczywiście.

– Przepraszam, że zadaję ci tak osobiste pytanie, ale... zanim się ożeniłeś, skąd wiedziałeś, że to ta jedyna? Nie próbuję być wścibska, po prostu zastanawiam się, jak można kiedykolwiek być tego pewnym, skoro żadne z dwojga ludzi nie wie, co przyniesie przyszłość.

– To odrobinę cyniczne, nie uważasz?

„Zrozumiałbyś, dlaczego taka jestem, gdybyś znał moją przeszłość".

– Wiem, ale po prostu spraw mi przyjemność i odpowiedz.

Zach wypuszcza powietrze z płuc i bębni palcami po kierownicy.

– Okej, cóż, w chwili gdy zobaczyłem Mię, wiedziałem, że jest w niej coś innego. Była taka... miała nad wszystkim taką kontrolę. Nad samą sobą. To po prostu była miła odmiana po wszystkich kobietach, które spotykałem wcześniej. Ona wcale mi się nie narzucała, a ja po prostu mogłem... chyba mogłem być przy niej sobą. – Patrzy na mnie i wzrusza ramionami. – Nie byliśmy o wiele starsi niż ty teraz, więc nie mogę powiedzieć, że od razu wiedziałem, że chcę ją poślubić, ale z czasem wydało mi się to naturalne. To było jedyne, co mogłem zrobić.

– Nie potrafię sobie wyobrazić, żeby coś takiego przytrafiło się mnie – mówię.

Niemal zapominam, z kim rozmawiam, bo właśnie na tym polega talent Zacha: ten mężczyzna sprawia, że czuję, jakbym znała go od wieków. Co za banał, prawda? Ale tak jest.

– No i z pewnością ludzie się zmieniają? – ciągnę dalej. – Nie możesz być tą samą osobą, którą byłeś po dwudziestce.

W moich słowach słychać zazdrość i zgorzknienie, ale tak naprawdę czuję się przede wszystkim smutna i samotna. Ale przynajmniej potrafię się do tego przyznać.

– Nie. Po prostu musisz mieć nadzieję, że będziecie razem dojrzewać. Ja też nie potrafiłem sobie tego wyobrazić, zanim mi się to przytrafiło. Ale na tym polega piękno życia. Na tym, co nieoczekiwane. Zaakceptuj to, Josie. To ekscytujące, że nigdy nie wiesz, co może się wydarzyć kolejnego dnia. – Milknie i czeka, aż mężczyzna wyprowadzający psa minie samochód. – Próbuję przez to powiedzieć, że powinnaś mieć pozytywne nastawienie, takie jak masz teraz do swoich

studiów. Pozwól, aby przeniknęło ono wszystkie aspekty twojego życia.

– Właśnie to robię.

– Dobrze. Zresztą nie powinnaś się teraz przejmować
związkami czy wręcz małżeństwem. Masz na to jeszcze mnóstwo czasu. – Patrzy przez przednią szybę i zastanawiam się,
o czym myśli. – W każdym razie... – kontynuuje, odwracając
się do mnie. – Będę już wracał. Mia na pewno się zastanawia,
gdzie jestem.

– Jeszcze raz dziękuję. Za wszystko.

Cofam się na chodnik i grzebię w kieszeni w poszukiwaniu
kluczy, patrząc, jak samochód Zacha znika za rogiem.

Mia. To takie ładne imię i założę się, że jego żona jest równie piękna. Sprawia wrażenie idealnej. Ale przecież nikt nie
jest idealny, prawda? A Zach przed chwilą mówił, że jesteśmy
tylko ludźmi i powinniśmy móc popełniać błędy. Że doskonałość jest męcząca. A w każdym razie coś w tym stylu.

Jak szczęśliwe jest więc jego małżeństwo?

Zamykam za sobą drzwi wejściowe i opieram się o nie. Stoję w ciemności. Serce wali mi w piersi. Czy Zach próbował mi
przekazać coś innego, niż można by sądzić po tym, co mówił
o swojej żonie? A może jestem po prostu zaślepiona przez jego
dobroć i rozpaczliwie pragnę, by mieć w życiu kogoś, kto będzie dla mnie ważny? Bo poza Kierenem tak naprawdę nie
mam nikogo. Owszem, są znajomi, z którymi mogłabym się
napić, ale co to tak naprawdę oznacza? Żadne z nich nie po-
święciłoby mi ani chwili, gdybym potrzebowała pomocy. Najwyżej zaproponowaliby, że postawią następną kolejkę.

„Weź się w garść, Josie, są ludzie, którzy mają znacznie gorzej
niż ty. I jeszcze nikt nie umarł z powodu samotności, prawda?"

Podnoszę wzrok i widzę Alison. Stoi w ciemnościach przy drzwiach swojej sypialni i patrzy na mnie. Wydaję stłumiony okrzyk.

– Co, do cholery⸮

– Kto to był⸮ W tamtym samochodzie⸮ Nowy chłopak⸮ Cieszę się, że ci się układa. Mam nadzieję, że przetrwa to dłużej niż mój związek z Aaronem. – Uśmiecha się złośliwie.

Jestem zszokowana, że w ogóle się do mnie odezwała i robi mi przytyki, ale szybko odzyskuję rezon, jak zawsze gotowa, żeby się bronić.

– Nie masz pojęcia, o czym mówisz, Alison. Gdybyś poczekała chwilę i dała mi wyjaśnić, to wiedziałabyś, że Aaron był oblechem i dobrze, że się go pozbyłaś. Nawet ty zasługujesz na coś lepszego. – Nie chciałam, żeby tak to zabrzmiało, ale jest już za późno, żeby cofnąć te słowa.

– Ale to nie do ciebie należała ta decyzja, prawda, Josie⸮ To był mój wybór, z kim będę, a z kim nie – mówi teraz tak cicho, że ledwie ją słyszę.

Podchodzę o krok bliżej.

– On nawet nie był tobą zainteresowany, Alison. Przepraszam, to przykre, wiem, ale nie możesz obwiniać za to mnie. Może następnym razem wybierzesz lepiej.

Jej usta wykrzywiają się w paskudnym grymasie. Czekam na kolejny atak, ale ona tylko piorunuje mnie wzrokiem. Ma wielkie zielone oczy.

Zerkam w stronę drzwi do swojego pokoju i widzę, że są lekko uchylone.

– Byłaś w moim pokoju, Alison⸮

Sama nie wiem, po co pytam. Daję jej w ten sposób szansę, żeby zaprzeczyła.

Marszczy nos, ale w jej oczach nadal widać błysk szaleństwa.

– Po co miałabym wchodzić do twojego pokoju?

Co teraz? Nie mogę jej tak po prostu oskarżyć, że skasowała moją pracę. Na pewno zaprzeczy, a ja wyjdę na wariatkę.

– Nie, nie zrobiłabyś tego, prawda? Nie weszłabyś tam, gdy mnie nie ma, bo to byłoby po prostu, sama nie wiem, chore. A ty nie jesteś jakimś prześladującym mnie dziwadłem, prawda?

Alison odwraca się bez słowa i znika w swojej sypialni. Po cichu zamyka za sobą drzwi.

Zostaję sama i czuję gorycz w ustach.

9

Mia

Carlo, podobnie jak ja, jest za młody na wdowca. Utrata partnera to wystarczająco trudne doświadczenie, gdy spędziło się z nim całe życie, lecz gdy te lata zostają nagle ukrócone, ukradzione, cios jest jeszcze bardziej miażdżący.

Ten młody mężczyzna to jedyny pacjent, z którym rozmawiałam o tym, przez co sama przeszłam, i myślę, że po części właśnie dlatego wciąż do mnie przychodzi. Początkowo przyznał, że wolałby, aby pomocy udzielił mu terapeuta płci męskiej. „Proszę nie brać tego do siebie – powiedział w trakcie naszej pierwszej sesji. – Ale rozmawianie z kobietami nigdy nie przychodziło mi łatwo. Jenny stanowiła wyjątek. Próbowałem znaleźć mężczyznę, ale nie było nikogo odpowiedniego w okolicy".

Niemniej minęło już pięć miesięcy, a on dalej umawia się na spotkania i otwiera się przede mną, więc lubię myśleć, że jakoś mu jednak pomagam. O utracie męża opowiedziałam mu po kilku sesjach, gdy zdawał się stawiać opór, jakby nie wierzył ani we mnie, ani w siebie. To jedyny raz, kiedy to zrobiłam, i szczerze mówiąc, nie żałuję. Właśnie to potrzebował usłyszeć.

– Nieustannie czuję, jakbym robił jeden krok do przodu, a potem dwa wstecz – żali się, siedząc w fotelu naprzeciwko mnie.

Jak zawsze lekko się pochyla i opiera łokcie na kolanach.

Mimo że jest weekend, cieszę się, że pozwoliłam mu zapisać się na tę wizytę; właśnie tego potrzebowałam, by oderwać myśli od chaosu, w jakim się pogrążyłam. Alison dała mi jasno do zrozumienia, że nie będzie ze mną rozmawiać, więc muszę opracować plan działania, a tymczasem rzucam się w wir pracy, by pomóc temu biednemu mężczyźnie.

– To normalne, Carlo, naprawdę. I można tak się czuć nawet po pięciu latach.

– Pięć lat – wzdycha. Wie, że tak długo trwa to w moim przypadku. – Wiesz, co przeraża mnie najbardziej? Że zapomnę Jenny. Że za rok, może za dwa, obudzę się, a ona nie będzie pierwszą osobą, o której pomyślę. Naprawdę się tego boję, Mio. Nie chcę zapomnieć o tym, co mi mówiła, ani o jej zabawnych zachowaniach. – Jego twarz się rozjaśnia. – Miała taki zabawny śmiech, który zawsze na koniec przeradzał się w chrząknięcie, jak u prosiaczka. To było takie urocze. To była po prostu cała Jenny.

Nie mówię mu, że kiedyś zapomni, jak dokładnie brzmiał ten śmiech.

– Ale wiesz, co to będzie oznaczało, Carlo? Postęp. To, że uporałeś się z bólem.

Rozważa przez chwilę moje słowa, a potem kiwa głową, przekonany, że wiem, o czym mówię, że nie czerpię swoich porad wyłącznie z podręczników. Ale między jego sytuacją a moją jest wielka różnica. Carlo może normalnie opłakiwać swoją żonę, odtwarzać chwile, które dzielili, i nic nie kładzie się cieniem na jego wspomnieniach. Za to dla mnie śmierć Zacha odnosi się bezpośrednio do Josie Carpenter. Ci dwoje pozostaną na zawsze połączeni.

– Jest coś, czego mógłbyś spróbować – mówię, odsuwając na bok własne myśli. – Sądzę, że to mogłoby ci pomóc.

Któregoś wieczoru po śmierci Zacha położyłam Freyę do łóżka i wyszłam do ogrodu na tyłach domu. W chwili, gdy słońce zaszło i zaczął zapadać zmierzch, zapaliłam chiński lampion i wypuściłam go w powietrze. Patrzyłam, jak wznosi się i odlatuje, a w myślach żegnałam się z Zachem. Upłynęło dużo czasu, nim światełko stało się niedostrzegalne, a gdy dryfowało w górę, oddalając się ode mnie i wędrując do jakiegoś nowego, nieznanego miejsca, wspominałam Zacha, powiedziałam mu o wszystkim, za czym będę tęsknić, a zignorowałam całkowicie okoliczności jego śmierci.

Proponuję pacjentowi, żeby spróbował tego samego, a na jego twarzy pojawia się nadzieja.

– Chcesz powiedzieć, że to naprawdę działa? To chyba dobry pomysł. Zrobię to.

Kiwam głową.

– To ładny sposób na pożegnanie się z kimś, kto umarł, na pogodzenie się z utratą czegoś albo z jakąś wielką życiową zmianą. To może złagodzić twój żal.

Zaplata dłonie, nadal pochylony.

– Dziękuję, nie wpadłbym na to. Wiesz, co sobie czasem myślę? I co sprawia, że robię się jeszcze smutniejszy? Jenny bardzo by cię polubiła. Wiem, że tak. Była silna i dobra tak jak ty i miała wielkie serce. Ale z drugiej strony, gdyby nie umarła, nie pojawiłbym się tutaj i nigdy bym cię nie poznał, więc… cóż, życie jest odrobinę dziwne, nieprawdaż?

– Owszem, Carlo. A Jenny musiała być naprawdę niezwykłą kobieta. Dowiedzieć się o nieuleczalnym nowotworze i zachować pozytywne nastawienie ze względu na ludzi, którzy cię otaczają... to wymaga ogromnej odwagi.

Kiwa głową, a na jego twarzy wykwita uśmiech dumy.

– Podobnie jak to, przez co ty przeszłaś... – mówi, ale potem odwraca wzrok.

Gdy powiedziałam mu, że straciłam męża, brałam pod uwagę, że poszpera w internecie i dowie się o samobójstwie Zacha. I o Josie Carpenter. A teraz jestem przekonana, że to zrobił. Carlo jest zbyt uprzejmy, by cokolwiek powiedzieć, ale wie, jestem pewna. Zastanawiam się, kiedy się dowiedział. Chociaż miałam możliwość powrotu do panieńskiego nazwiska i były chwile, gdy rozpaczliwie próbowałam uciec przed prześladowaniami, nie potrafiłam się do tego zmusić. Nie chciałam zmieniać nazwiska Frei czy nazywać się inaczej niż córka.

Zalewa mnie fala wstydu, jaki kiedyś odczuwałam zawsze, gdy spotykałam kogokolwiek, kto wiedział o mojej przeszłości. Ale Carlo mnie nie osądza i najwyraźniej nic z tego, czego się o mnie dowiedział, nie powstrzymało go przed przychodzeniem do mnie.

Muszę skierować tę rozmowę na inne tory, wrócić do jego problemów.

– Jak się odnajdujesz w lokalnej grupie wsparcia, Carlo?

Wzrusza ramionami.

– Jest w porządku, rzecz w tym... Większość ludzi tam jest znacznie starszych ode mnie, więc trochę trudno mi znaleźć z nimi wspólny język. Jestem tam jedyną osobą po trzydziestce. Dlatego wolę przychodzić tutaj. Czuję, że ty naprawdę mnie rozumiesz.

– To miłe z twojej strony i cieszę się, że mogę ci pomóc, ale otaczanie się ludźmi, którzy przeżyli to samo, jest najistotniejsze. Nie musicie być w tym samym wieku czy mieć wspólnych zainteresowań. Jest coś znacznie ważniejszego, co pozwoli wam nawiązać więź. Rozumiem, że nie chcesz się z nimi spotykać zbyt często, ale nie zalecałabym opuszczania grupy. Nie na tak wczesnym etapie. Z czasem odkryjesz, że już tak bardzo nie potrzebujesz tych spotkań, ale na początku lepiej nie zostawać z bólem samemu. Uwierz mi, nie chcesz przechodzić przez to bez wsparcia. – Tak jak ja musiałam, bo z kim mogłabym porozmawiać, skoro wszyscy nienawidzili Zacha?

Przypominam sobie, co Carlo wspomniał kiedyś o swojej rodzinie.

– Twoi rodzice i rodzeństwo mieszkają we Włoszech, prawda?

Kiwa głową.

– Część przeniosła się do Stanów. Pociesza mnie myśl, że gdy poczuję się na siłach, będę mógł się wybrać w podróż i ich odwiedzić. Na razie nie potrafię sobie tego wyobrazić, ale kiedyś na pewno to zrobię.

– Najważniejsze, żebyś nie odcinał się od ludzi. Izolacja tylko wszystko utrudnia. – Wiem o tym aż za dobrze.

Moja mama zmarła niedługo po tym, jak Zach i ja się pobraliśmy, a tata przeprowadził się do Kanady, żeby mieszkać bliżej swojej siostry, więc nie było go w pobliżu po śmierci mojego męża. Rozumiałam to; tata nie umiałby sobie poradzić z kolejną śmiercią. Miałam tyle szczęścia, że znalazła się garstka przyjaciół, którzy wspierali mnie mimo wszystkich oskarżeń wymierzonych w Zacha. Ale nigdy nie lubiłam i wciąż nie lubię obarczać innych swoimi problemami.

– Rozumiem – mówi Carlo.

Pod koniec sesji sprawia wrażenie, jakby był w lepszym nastroju, ale wiem, że ta godzinna rozmowa ze mną to tymczasowe remedium. Gdy tylko stąd wyjdzie, znowu przeżyje zderzenie z rzeczywistością, a moje słowa i wsparcie zejdą na dalszy plan, aż do następnej wizyty.

Dom jest zbyt cichy pod nieobecność Frei i chociaż potrzebowałam trochę czasu w samotności, żeby wszystko przemyśleć, teraz rozpaczliwie brakuje mi zgiełku normalnego życia.

Siedzę przy biurku jeszcze długo po wyjściu Carla i gapię się na notatki. Jestem zadowolona z postępów, jakie robi, ale nie mogę się skupić na spisaniu szczegółów sesji. Co powinnam zrobić z informacją, którą ujawniła mi Alison? Jaką chorą grę prowadzi ta kobieta? Mogłabym porozmawiać z Dominikiem, ale jeśli Alison mówiła prawdę o jego agresywnym zachowaniu, nie mogę ryzykować, że on zrobi jej krzywdę. Niezależnie od tego, czy Alison kiedykolwiek tu wróci, wciąż jest moją pacjentką i jestem jej winna dyskrecję. Co więcej, nie zaryzykowałabym, że przeze mnie stanie się jej coś złego. Mimo jej słów i niezależnie od powodów, jakimi się kierowała.

Ale jest jedna osoba, z którą mogłabym porozmawiać. Była żona Dominica, Elaine. Spodziewam się, że nie będzie rozmowna, gdy usłyszy, że chodzi o jej byłego męża, ale tylko to mi pozostało i muszę chociaż spróbować.

Wpisuję w Google frazę „Elaine Bradford"; mimo że są rozwiedzeni, istnieje niewielka szansa, że zachowała nazwisko męża. Podobnie jak wtedy, gdy szukałam Alison, pojawia się kilka wyników, ale tylko uświadamiają mi, jak jałowe są moje działania. Nie wiem, jak wygląda ta kobieta, nie znam jej wieku ani żadnych szczegółów, które pomogłyby mi ją zidentyfikować. Wiem tylko, że rozwiodła się mniej więcej pięć lat temu.

Sfrustrowana przeglądam linki w nadziei, że coś rzuci mi się w oczy. To na nic.

Słyszę dzwonek komórki i sięgam po nią szybko, gdy widzę, że dzwoni Will.

– Hej! Jak się masz? Odwiozłaś Freyę bez problemów? – pyta głosem ciepłym jak zawsze i przez chwilę niemal udaje mi się uwierzyć, że wszystko jest w normie.

Powinnam sobie odpuścić całą tę sprawę z Alison; zaczęłam nowe życie, a Zacha nic nie sprowadzi z powrotem. Odszedł, podobnie jak osoba, którą byłam, więc muszę o nim zapomnieć. Alison najwyraźniej też nie chce drążyć tego tematu, więc za jej słowami nie może się kryć nic więcej. A jednak. Istnieje jakiś powód, dla którego mnie odwiedziła. Powód tego, co powiedziała.

– Tak, wszystko w porządku. Pam i Graham chcą cię poznać. Zapraszają nas na obiad. – Waham się. – Co o tym myślisz?

Will milczy kilka sekund, po czym mówi:

– Właściwie byłoby to miłe. To dla nich wielki krok, więc doceniam tę propozycję. Wiem, ile dla ciebie znaczą. Są jak rodzina.

– Ale to również wielki krok dla ciebie, Will. Jesteś gotowy?

– Najważniejsze pytanie brzmi, czy ty jesteś gotowa, Mio?

Prawdę mówiąc, nie wiem. Ale muszę udowodnić Willowi, że jest dla mnie ważny i że wierzę w naszą wspólną przyszłość.

– Zróbmy to – decyduję. – Dam im znać.

– Ale jeśli zmienisz zdanie…

– Nie zmienię. – Teraz, gdy złożyłam tę obietnicę, zadbam o to, by jej dotrzymać.

Nasza rozmowa napawa mnie optymizmem. Czuję przypływ sił i resztę dnia spędzam na nadrabianiu zaległości w robocie papierkowej. Sporządzam nawet notatki ze spotkania z Alison, chociaż jest mało prawdopodobne, by wróciła.

Gdy odkładam teczki na miejsce, zauważam rożek ślubnej fotografii wystający spod papierów. Nie powinna leżeć w tej szufladzie tak długo, ale nie potrafię się zmusić, żeby schować ją razem z innymi. Sprawia, że czuję, jakby Zach towarzyszył mi, gdy pomagam innym.

Rzadko potrafię się zmusić, żeby na nią spojrzeć, ale teraz wyciągam ją i spoglądam na mojego męża. Uśmiecha się do mnie, a jego orzechowe oczy lśnią obietnicami, jakie mi złożył. Obietnicami, które do niczego nie doprowadziły.

Co zrobiłeś tej dziewczynie, Zach?

Nie zauważam łez płynących mi z oczu, dopóki nie spadają na zdjęcie, prosto na moją twarz na nim. Twarz, którą udoskonaliłam makijażem, bo był to najważniejszy dzień w moim życiu, przynajmniej dopóki nie urodziła się Freya.

Zach zawsze mi powtarzał, że rzeczy nie potrzebują udoskonalania, muszą po prostu być takie, jakie są, ale rozumiał, że tamtego dnia chciałam, by wszystko było, jak należy. I było. To był ślub jak z bajki. Nic nie zapowiadało koszmaru, który miał nadejść.

Dzwonek do drzwi wyrywa mnie z zamyślenia i cieszę się, że odwraca moją uwagę.

Nie jestem z nikim umówiona, ale przechodzi mi przez myśl, że to może Will chce mi zrobić niespodziankę.

Powiedział, że ma dużo pracy, ale to byłoby zupełnie w jego stylu: pojawić się w chwili, gdy najbardziej go potrzebuję.

Ostatnią osobą, jaką spodziewam się zobaczyć, gdy otwieram drzwi, jest Dominic Bradford.

10

Josie

Nie miałam okazji porozmawiać z Zachem przez ostatnie dwa tygodnie. Widywałam go na wykładach i ociągałam się z wyjściem, by zamienić z nim parę słów, ale zawsze ustawia się do niego kolejka studentów. Nawet nie wiem, co chciałabym mu powiedzieć. Czuję tylko, że coś muszę.

Widział dziś, że chcę porozmawiać, i miałam nadzieję, że wykona jakiś gest, da mi znać, żebym poczekała, ale tylko spojrzał mi przelotnie w oczy, a potem odwrócił się do osoby, z którą rozmawiał. Do tej głośnej tlenionej blondynki, która wygląda na tyle lat, jakby sama miała dzieci na uniwersytecie.

Muszę spojrzeć prawdzie w oczy. Zach próbuje zdystansować się ode mnie, po tym jak podwiózł mnie do domu tamtego wieczoru. Teraz tego żałuje. Ale w takim razie co to była za gadka o przyjaźni? Powiedział, że łączy nas jakaś więź.

Pieprzyć go. Nie potrzebuję tego gówna w moim życiu. Radziłam sobie bez tak zwanych przyjaciół, od kiedy przyjechałam do Londynu, więc nie potrzebuję też jego. Znacznie łatwiej jest nie przejmować się ludźmi.

Właśnie dlatego siedzę teraz w barze i zalewam się w trupa; otaczają mnie Vanessa i grupa jej przyjaciół, a ja mam gdzieś to, o czym rozmawiają. Jeden z jej kumpli – chyba Harry, w każdym razie coś na „H" – siedzi tak blisko, że ciągle się o mnie ociera. Udaje, że to przypadkiem, bo tłoczymy się w sześcioro w małym boksie, ale chociaż jestem pijana, widzę, że po jego drugiej stronie jest sporo miejsca.

Odpycham go i wpijam mu paznokcie w udo, żeby dotarło do niego, że nie jestem zainteresowana, ale za bardzo odpłynął, żeby odczuwać jakikolwiek ból. A przecież nie ma jeszcze nawet dziewiątej wieczorem. Z drugiej strony... przyganiał kocioł garnkowi.

Niemal mam ochotę go sprowokować, żeby posunął się dalej, bo jestem w tak podłym nastroju, że z przyjemnością bym się na nim wyładowała.

Vanessa siedzi naprzeciwko mnie i wrzeszczy coś, śmiejąc się jednocześnie. Nie mam pojęcia, co mówi, bo słyszę tylko hałas – muzyka dudni, a głosy wszystkich wokół zlewają się i żadna wypowiedź nie ma sensu.

Harry pochyla się ku mnie i krzyczy mi do ucha:

– A więc skąd znasz Nessie?

– Kogo?

– Nessie. – Wskazuje na Vanessę, która gestykuluje dziko, opowiadając o czymś jakiejś dziewczynie, której nigdy wcześniej nie widziałam.

– Nie mam pojęcia – odpowiadam. – Po prostu się znamy.

Nie chce mi się wyjaśniać, w jakich okolicznościach poznałam Vanessę drugiego dnia pobytu w Londynie. Piłam samotnie w studenckim barze, a ona mnie zagadnęła, gdy czekałyśmy, aż barman nas obsłuży. Nie chciałam, żeby pomyślała, że piję do lustra, więc skłamałam, że wystawił mnie facet.

– Tak, ja też – mówi Harry i wychyla kolejnego szota tequili.

W każdym razie wydaje mi się, że właśnie tak powiedział, chociaż nie miało to sensu.

Pochyla się ku mnie, a ja się odsuwam.

– Posłuchaj, Harry, ja...

– Nazywam się Hugh.

– Okej, Hugh. Słuchaj, nie mam nastroju dziś wieczorem, więc może się odczepisz? Po prostu chcę tutaj posiedzieć, dokończyć drinka, a potem iść w cholerę. Okej?

Waha się przez chwilę, prawdopodobnie zszokowany tym, że walę prosto z mostu.

– Jak sobie chcesz – mówi w końcu, odwracając się ode mnie, a pod nosem mamrocze: – Nessie musi staranniej dobierać przyjaciół.

Jakimś cudem słyszę wyraźnie każde jego słowo, ale to nic. Nie obchodzi mnie, co Harry, Hugh – czy jak on się, do cholery, nazywa – o mnie myśli.

Ktoś kupuje następną kolejkę, zanim skończę swojego drinka, więc ostatecznie zostaję na jeszcze jednego. Na szczęście Hugh dał mi spokój i teraz zawraca głowę ładnej chińskiej przyjaciółce Vanessy, która w przeciwieństwie do mnie jest na tyle uprzejma albo pijana, by z nim rozmawiać.

Co ja tu robię? To do mnie niepodobne. A w każdym razie nie powinno być podobne. To nie takiego życia chcę i nie jestem taka jak ci ludzie. Są młodsi ode mnie, nie muszą się niczym przejmować. Chcą się dobrze bawić, podczas gdy ja jestem tu po to, żeby uciec.

Muszę się stąd wydostać.

Nikt nie zauważa, jak się wymykam. W każdym razie czuję, jakbym się wymykała, podczas gdy w rzeczywistości chwieję się i zataczam.

Gdy wychodzę na zewnątrz, lodowate powietrze otrzeźwia mnie na tyle, że udaje mi się zorientować, gdzie jestem. Wylądowałam w Chiswick i muszę wrócić autobusem do Ealing. Ale którym? Przystanek po drugiej stronie ulicy wygląda znajomo, więc postanawiam zaryzykować i ruszam w jego stronę.

Jakimś cudem ląduję we właściwym autobusie i siadam blisko kierowcy, który zlitował się nade mną i powiedział, że da mi znać, gdy dojedzie do mojego przystanku.

– Na wypadek gdybyś zasnęła – wyjaśnił.

Ale nie ma mowy, żebym usnęła. Z każdą sekundą trzeźwieję coraz bardziej. Zastanawiam się, czy natrafię na Alison i czy znowu dojdzie między nami do konfrontacji. Wiem, że gdy położę się do łóżka, znowu zacznę myśleć o Zachu, chociaż przysięgałam sobie, że przestanę to robić. Martwię się tamtą cholerną pracą, którą musiałam napisać od nowa, a której wciąż nie dostałam z powrotem.

Gdy mój telefon brzęczy i pojawia się informacja o nadejściu nowego e-maila, niemal nie chce mi się go sprawdzać, ale siła nawyku zwycięża. A gdy widzę, że to wiadomość od Zacha, o temacie *Praca domowa*, serce podchodzi mi do gardła. Nigdy wcześniej do mnie nie pisał, więc to musi być coś złego. Bardzo złego. W ciągu tych kilku godzin, które miałam, po tym jak Alison wykasowała moje opowiadanie, zrobiłam co w mojej mocy, by je odtworzyć. A teraz będę musiała się zmierzyć nie tylko z fatalną oceną, lecz także z rozczarowaniem Zacha.

Nabieram powietrza w płuca i otwieram wiadomość. Jest krótka.

„95%. Ty gwiazdo!"

Tylko tyle. Krótkie, ale potężne słowa, które dodają mi skrzydeł. Zrywam się, przytrzymuję słupka przy kierowcy i naciskam przycisk „stop". Uśmiecham się tak szeroko, że muszę wyglądać jak wariatka, ale z drugiej strony jestem pijana, więc nikt nie będzie tym zaskoczony.

– To nie twój przystanek – mówi kierowca.

Ignoruję go. Wiem, gdzie jestem, a od domu dzielą mnie tylko dwa przystanki. Spacer dobrze mi zrobi. Kierowca zatrzymuje autobus, a ja wyskakuję na zewnątrz.

Teraz, gdy działanie alkoholu słabnie, zaczynam odczuwać zimno. Wokół panuje cisza i moje kroki odbijają się echem po pustej ulicy. Jestem już niemal przy swoim budynku, gdy ktoś łapie mnie od tyłu, a szorstka, duża dłoń zasłania mi usta. Zostaję zawleczona na tylne siedzenie samochodu, zanim nawet zdążę wpaść w panikę.

Po kilku sekundach ogarnia mnie strach. Ale nie będę krzyczeć. Muszę zachować spokój.

Przekręcam głowę, żeby spojrzeć na napastnika, który przyszpilił mnie do kanapy, tak że nie mogę się ruszać. To duży mężczyzna i chociaż nie rozpoznaję jego twarzy – wąskich oczu osadzonych zbyt blisko siebie, cofniętej linii włosów, które w ciemnościach wyglądają na brązowe – wiem, że to nie jest przypadkowy atak.

Ten człowiek na mnie czekał.

– Josie – mówi głębokim głosem, który brzmi dziwnie znajomo. Odrobinę przypomina głos Johnny'ego. Zalewa mnie fala wspomnień. – W końcu się spotykamy. Myślę, że musimy sobie uciąć pogawędkę, nie sądzisz?

Szarpię się pod jego ciężarem.

– Nie. Wypuść mnie z tego pieprzonego samochodu!

– Albo co? Zaczniesz krzyczeć? W pobliżu nie ma nikogo, Josie. Poza tym za moment wybierzemy się na małą przejażdżkę. Gdy już się upewnię, że nie będziesz próbowała uciekać.

Pochyla się i podnosi z podłogi rolkę taśmy. Owija ją wokół moich nadgarstków i kostek tak mocno, że skóra mi płonie. Potem sięga do mojej kieszeni i zabiera komórkę. Co do jednego ma rację: nie ucieknę.

Nie zamierzam okazywać strachu, chociaż jestem nim sparaliżowana.

– Czego chcesz? Jesteś kumplem Johnny'ego, prawda? A może Liv? Po prostu skończmy z tym i powiedz, czego, do cholery, chcesz.

Mężczyzna się śmieje.

– Johnny miał co do ciebie rację. Powiedział, że masz jaja. Ale mnie to nie obchodzi.

Zatrzaskuje tylne drzwi i wskakuje za kierownicę. Gdy rusza, szarpie mną do tyłu.

– Jesteś jednym z jego kuzynów, prawda? – pytam.

Myślę, że wiedziałam o tym od chwili, gdy go ujrzałam. Ma taką samą twarz zwyrodnialca i podobną arogancję w głosie, jakby dorastali razem i uczyli się od siebie nawzajem.

– To, kim jestem, nie ma znaczenia. A teraz słuchaj. Będziesz trzymała gębę na kłódkę, dopóki nie dotrzemy do celu. A potem wysłuchasz, co mam ci do powiedzenia, i zrobisz dokładnie to, co ci każę. Łapiesz?

Śmieję się głośno, zbyt głośno. Tylko tyle mogę zrobić, by nie zwymiotować.

– Ktoś się tu chyba naoglądał za dużo filmów gangsterskich.

119

Ale zamiast okazać gniew i jakoś mnie nastraszyć, on się nie odzywa i nie spuszcza wzroku z drogi. Jego milczenie wydaje mi się bardziej złowieszcze niż cokolwiek, co mógłby powiedzieć.

Podczas gdy jedziemy w ciszy, staram się zachować spokój. Ten człowiek mnie nie skrzywdzi, jestem tego pewna, w przeciwnym razie już by to zrobił. Biorąc pod uwagę, że jego kuzyn już siedzi w więzieniu, jest mało prawdopodobne, żeby próbował zabić dziewczynę, która go tam wsadziła. Ale im dłużej trwa podróż, tym bardziej zaczynam się niepokoić. Zerkam przez okno i po znakach rozpoznaję, że zmierzamy w stronę północnego Londynu. Dlaczego wywozi mnie tak daleko?

Żeby przestać o tym myśleć, skupiam się na pozytywach w moim życiu. Jest Kieren, oczywiście. Są studia. Muszę zrobić karierę, żeby móc zabrać brata od Liv i się nim zaopiekować. Nie powinno być na świecie ani jednego sądu, który pozwoliłby mu z nią zostać, jeśli ja będę miała wystarczająco silną pozycję, żeby się temu sprzeciwić.

I jest jeszcze Zach. Odtwarzam w myślach rozmowę, którą odbyliśmy w jego samochodzie, i znowu zaczynam wierzyć w jego słowa. Nie unikał mnie, jest po prostu zajęty, zachowuje się profesjonalnie, robiąc co w jego mocy dla swoich studentów. Nie jestem dziewczyną, która wyobraża sobie nie wiadomo co i zadurza się w wykładowcy. Wcale tak nie jest. Ale cokolwiek czuję, nie da się tego łatwo wytłumaczyć.

Ludzka niedoskonałość. Tylko tak mogę to opisać.

Chociaż nie znam budynków ani ulic, które mijamy, znaki informują mnie, że znaleźliśmy się w Enfield. Mieszkam w Londynie na tyle krótko, że nie byłam dalej niż na West Endzie, i czuję się nieswojo, bo nie wiem, gdzie jestem.

W końcu samochód wjeżdża w wąską uliczkę, tuż obok dużego bloku mieszkalnego. Może ten mężczyzna tu mieszka. Gdy Liv była z Johnnym, spędzałam z nim tak mało czasu, że nie wiem prawie nic o jego rodzinie. Wiem tylko, że ma trzy siostry i mnóstwo kuzynów, ale żadne z nich nigdy go nie odwiedziło. Staram się zapamiętać okolicę, na wypadek gdybym wyszła z tego żywa.

Mężczyzna gasi silnik i odwraca się w moją stronę.

– Dobra. To proste, Josie. Musisz zrobić tylko jedną rzecz. To wszystko. Jedną prostą, małą rzecz, a potem możesz wrócić do przytulnego życia, które ułożyłaś sobie w Londynie.

Już wiem, czego chce, jeszcze zanim to powie.

– Nie wycofam zeznań. Nigdy. Więc możesz mnie od razu zabić, jeśli tego chcesz, ale to nie zrobi żadnej różnicy. Ten drań będzie gnić w więzieniu.

Pięść trafia mnie w twarz i przewracam się na siedzenie. Odruchowo próbuję docisnąć ręce do źródła bólu, ale są mocno związane.

– Nawet nie myśl o zgłaszaniu tego na policję – mówi mężczyzna drwiąco. – Mam niepodważalne alibi i dziś wieczorem nawet nie zbliżałem się do Londynu.

– Szkoda, że Johnny nie miał takiego alibi na czas, gdy mnie zaatakował, prawda?

„Zaatakował" to nie jest właściwe słowo. To sugeruje napaść w gniewie, pod wpływem chwili. Ale nie, to, co mi zrobił, było znacznie gorsze.

– Właśnie na tym polega problem, prawda, Josie? To nie był Johnny. Nigdy nie zrobiłby czegoś takiego, zwłaszcza córce

swojej kobiety, więc dlaczego chociaż raz w tym swoim żałos-
nym życiu nie zachowasz się jak grzeczna mała dziewczynka
i nie przyznasz, że kłamałaś?

– Dlaczego miałabym kłamać? Jaki powód mogłabym
mieć?

– Bo nienawidziłaś Johnny'ego, prawda? Byłaś zazdrosna,
co nie? Pewnie chciałaś go dla siebie i nie mogłaś znieść myśli,
że zdobyła go twoja mama. Ty mała dziwko! Ile ty miałaś
lat... siedemnaście, osiemnaście? Byłaś cholernym dzieckiem.

Liv broniła go i nie chciała uwierzyć, że mnie skrzywdził.
A ja nawet nie byłam wtedy dorosła.

Niemal się śmieję. Czy ten człowiek naprawdę w to wierzy?

– Powiedziałam prawdę i nie będę kłamać, żeby uratować
tego potwora. Możesz mi grozić, ile chcesz, nic nie będzie gorsze niż to, co już mi zrobił. – Staram się, aby mój głos brzmiał
pewnie, mimo że cała się trzęsę.

Mężczyzna uderza pięścią w kierownicę, a potem odwraca
się i łapie mnie za kark.

– Słuchaj, ty mała suko. Jeśli myślisz, że to, co on zrobił,
było najgorszym, co mogło cię spotkać, zastanów się dwa
razy, bo będzie ci się wydawało, że to była wycieczka do Di-
sneylandu w porównaniu z tym, co się wydarzy, jeśli tego nie
naprawisz. Zrozumiałaś? – Nie czeka na moją odpowiedź. –
To proste. Wszystko, co musisz zrobić, to powiedzieć policji,
że skłamałaś. Może narobisz sobie przez to trochę kłopotów,
ale uwierz mi, to i tak będzie dla ciebie lepsze.

– Oni nigdy w to nie uwierzą. Są zdjęcia, dowody na to, co
zrobił Johnny.

– Powiedz im, że to się zdarzyło, gdy wracałaś do domu,
i że zrobił to ktoś obcy. Proste. – Bez ostrzeżenia wyciąga nóż

ze schowka i podczas gdy ja zaczynam się modlić, żeby to było tak bezbolesne, jak to możliwe, on przecina taśmę, którą jestem skrępowana.

– A teraz wynoś się z mojego wozu. Zegar tyka, Josie. Tik tak, tik tak.

Nie reaguję dobrze na groźby. Jest we mnie za dużo woli walki, za dużo upartości, która może stanowić zaletę, ale często wpędza mnie w kłopoty. Owszem, jestem roztrzęsiona, gdy oddalam się od samochodu tego mężczyzny – wciąż nie znam jego imienia – ale jestem też zdeterminowana bardziej niż kiedykolwiek. Nie będę ofiarą. Nie miałam wyboru, gdy Johnny dopadł mnie tamtego wieczoru, ale nigdy więcej nie pozwolę, by się to wydarzyło.

Liv, moja tak zwana matka. Johnny. Jego kuzyn. Nawet Alison.

– No dalej! – krzyczę w noc. – Jestem gotowa na was wszystkich.

11

Mia

– Cześć. Mia, prawda? – Dominic wyciąga do mnie dłoń, a ja tylko gapię się na niego z otwartymi ustami. Nie mogę wydusić z siebie ani słowa, a tym bardziej odwzajemnić powitania. – Przepraszam, że przychodzę bez zapowiedzi, ale pomyślałem, że będzie lepiej, jeśli porozmawiamy osobiście. Nie masz nic przeciwko? – Dalej milczę, więc opuszcza dłoń i kontynuuje: – Prawdopodobnie mnie nie pamiętasz, ale byłem kolegą Zacha. Rozmawialiśmy na pogrzebie.

Wiem, dlaczego tu jest. Alison musiała mu powiedzieć, że go śledziłam, a on zaraz każe mi się odczepić. W końcu odzyskuję głos:

– Tak, pamiętam. Eee...

– Widzę, że jesteś zdezorientowana, i nic dziwnego, ale czy moglibyśmy chwilę porozmawiać? Nie zajmę ci dużo czasu, wiem, jaka musisz być zajęta. Jak się miewa twoja córeczka? Pamiętam, że miała wtedy mniej więcej dwa latka, więc teraz musi mieć już siedem?

Dziwne. To się nie trzyma kupy. Dominic brzmi przepraszająco – nawet życzliwie – podczas gdy powinien być rozgniewany.

Mówię mu, że owszem, Freya ma teraz siedem lat, ale nie robię żadnego gestu, by zaprosić go do środka.

– O co chodzi, Dominicu?

Wzdycha ciężko.

– Wiem, że Alison była u ciebie w środę, i po prostu pomyślałem, że będzie lepiej, jeśli wyjaśnię ci kilka spraw.

A więc jest tutaj, żeby mi wytłumaczyć, co miała na myśli Alison, gdy mówiła o Zachu. Żołądek wywraca mi się do góry nogami. Jest gorzej, niż myślałam.

– W porządku, ale przejdźmy na drugą stronę ulicy, do parku. – Nie ma mowy, żebym wpuściła tego człowieka do domu.

Chociaż Dominic wydaje się zaskoczony tą sugestią, szybko się zgadza i po chwili siedzimy już na ławce, którą zazwyczaj dzielę z Freyą, podczas gdy dzieciaki przebiegają koło nas z krzykiem, a ich wrzaski mieszają się w powietrzu. Przynajmniej jesteśmy w miejscu publicznym.

– Zanim zaczniesz – uprzedzam – muszę cię ostrzec, że nie mogę z tobą omawiać niczego, co Alison powiedziała w trakcie naszej sesji, nawet jeśli nie zamierza przyjść do mnie znowu. Musisz to zrozumieć.

Kiwa głową.

– Tak, podejrzewałem, że tak będzie. Ale ja mogę opowiedzieć ci coś o niej, prawda? Nie musisz powtarzać niczego, co mówiła. Właściwie to nie jestem nawet pewien, czy chcę wiedzieć, co wygadywała, chociaż mógłbym próbować zgadnąć.

Czy ja w ogóle powinnam rozmawiać z tym mężczyzną? Poruszam się po niepewnym gruncie, to szara strefa, o której nigdy wcześniej nie musiałam myśleć, ale jeśli będę postępować ostrożnie, nie powinnam się wpakować w żadne kłopoty.

– O co chodzi, Dominicu? – Znam odpowiedź, ale sama nie mogę poruszyć tego tematu.

Przebiega obok nas pies, który goni za piłeczką tenisową i szczeka podekscytowany.

– Myślę, że wiem, co powiedziała ci Alison, i jest mi ogromnie przykro, ale cóż, ona jest trochę niezrównoważona emocjonalnie. A jeśli mam rację, nie powinna była wspominać o Zachu w taki sposób. – Patrzy na mnie, a ja kiwam nieznacznie głową, chociaż prawdopodobnie nie powinnam. Dominic traktuje to jako zachętę i kontynuuje: – To, że powiedziała ci, iż on się nie zabił, jest po prostu okropne. Nie mam pojęcia, dlaczego to zrobiła, i wiem, że prawdopodobnie potrzebujesz jakiegoś wyjaśnienia, ale najlepsze, jakie mogę ci zaoferować, jest takie, że ona sama nie wie, co mówi.

Spinam się, gdy słyszę słowa Dominica. Poczułam się już wystarczająco źle, gdy Alison mi to powiedziała, ale teraz znowu słyszę te rewelacje od innej osoby, której nie znam i której nie ufam. Ale jeśli ten człowiek stosuje przemoc wobec Alison, to dlaczego miałaby rozmawiać z nim o Zachu. To nie ma sensu.

– Skąd wiesz, co mi powiedziała albo czego nie powiedziała? Rozmawiałeś z nią o tym?

Potrząsa głową.

– Nie, ale ona czasami mamrocze do siebie i nie sądzę, by zdawała sobie sprawę, co wtedy mówi. Po prostu wczoraj wyrzuciła to z siebie. Chyba nawet nie wiedziała, że ją słyszę.

Im dłużej rozmawiamy, tym trudniej jest mi uwierzyć w jego słowa.

– Ale dlaczego miałaby to powiedzieć? – pytam. – Ona nawet nie znała Zacha. To nie ma sensu.

126

– Masz rację. Nie znała Zacha... Słuchaj, naprawdę trudno mi o tym mówić, biorąc pod uwagę, w jakich okolicznościach straciłaś męża, ale, cóż, Alison ma problemy. Od lat przyjmuje leki na depresję i stany lękowe i... Boże, czuję się okropnie, mówiąc tak o niej, ale potrafi zmyślać różne historie.

Dopiero po chwili dociera do mnie, co on próbuje mi powiedzieć. Jednak nawet gdy już to rozumiem, tyle rzeczy wciąż nie trzyma się kupy.

– Ale to nie wyjaśnia, dlaczego mnie odnalazła.

Dominic podnosi wzrok.

– Cholera, prawdopodobnie nie powinienem o tym wspominać, ale nie wiem, co innego mógłbym zrobić. No więc gdy Alison była na trzecim roku studiów, mieszkała z Josie Carpenter. W tym mieszkaniu, w którym znaleziono Zacha.

Tracę grunt pod nogami. Dźwięk tego nazwiska wciąż rani jak ostrze, nawet teraz. Ale to kolejna informacja, która nie ma sensu.

– Nie, mylisz się. Nie mogła tam mieszkać. Policja powiedziała, że Josie mieszkała sama. Nie miała współlokatorki.

Kiwa głową.

– W tamtym czasie mieszkała sama. Alison wyprowadziła się od niej ze dwa miesiące wcześniej. Chyba policja nie uznała tego faktu za istotny.

Każde wypowiadane przez niego słowo sprawia, że ból przeszywa moje wnętrzności, ale muszę wiedzieć wszystko.

– Więc nigdy jej nie przesłuchano?

– Nie. Ale dlaczego mieliby to zrobić? Nie przyjaźniła się z Josie, nie widziała jej od czasu przeprowadzki. W niczym by im nie pomogła.

Nie dlatego pytam. To nie o Josie Carpenter mi chodzi, tylko o Zacha.

- Więc mówisz, że nie mogę wierzyć w ani jedno słowo Alison?

Dominic obraca się ku mnie i po raz pierwszy zauważam ślady siwizny w jego czarnych włosach.

- Tak, właśnie to mówię. Tak mi przykro, Mio. Po wszystkim, przez co przeszłaś, to musiało być ostatnim, co chciałaś usłyszeć. Mogę tylko przeprosić za to, co ona zrobiła.

Kręcę głową, bo coś wciąż nie daje mi spokoju.

- Ale dlaczego to powiedziała? To nie ma sensu.

- Właśnie na tym polega problem z Alison. To, co mówi, rzadko ma sens. Coś o tym wiem, jestem z nią od dawna, a ona rzadko czuje się dobrze. Były przebłyski nadziei, gdy myślałem, że ona po prostu... że już będzie się czuła dobrze, ale zawsze trwało to krótko.

- Od jak dawna jesteście razem?

- Od trzech lat - mówi. - Ale znałem ją wcześniej. Studiowała na uniwersytecie, gdy Zach i ja tam wykładaliśmy. Nie uczyłem jej, Zach też nie. Była na ochronie środowiska. Ale widywałem ją. Trudno jej było nie zauważyć z tymi rudymi falistymi włosami. Teraz je prostuje i wygląda zupełnie inaczej niż wtedy. Była młoda, w tym samym wieku co Josie Carpenter. - Unosi dłoń do ust, ale ten gest wydaje się fałszywy. - Przepraszam, nie powinienem o niej wciąż wspominać.

Gdy się nie odzywam, Dominic postanawia wypełnić ciszę.

- Nie zrozum mnie źle... Nie związałem się z nią, gdy była studentką. Byłem wtedy żonaty, ale kilka lat później, po rozwodzie, spotkałem Alison w szpitalnej poczekalni. - Przerywa i spogląda w niebo. - O rany, fatalnie to zabrzmiało, prawda? Ale oboje siedzieliśmy na oddziale ratunkowym i gdy zdaliśmy sobie sprawę, że ona była studentką na uczelni, na której ja pracowałem, spędziliśmy kilka godzin na rozmowie. – Unosi nadgarstek. – Okazuje się, że go złamałem.

– A dlaczego... dlaczego Alison tam była? – Wydaje mi się, że to duży zbieg okoliczności.

– Ona... Cóż, później okazało się, że czuła się trochę zdołowana i pomyślała, że pójdzie się przebadać. Najwyraźniej myślała o tym, żeby... zrobić sobie krzywdę. Przepraszam, Mio, musi być ci ciężko tego słuchać po tym, co się stało z Zachem.

– W porządku – mówię tylko.

– W każdym razie – ciągnie dalej Dominic – wtedy powiedziała mi, że zgłosiła się z bólem brzucha i podejrzewała, że to może być wyrostek robaczkowy. Rozzłościłem się nawet na lekarzy, że kazali jej czekać tak długo. Więc właściwie okłamywała mnie od samego początku. Ale mówią, że miłość jest ślepa, czyż nie? I to nie jest jej wina. Ona po prostu potrzebuje pomocy.

Historia Dominica brzmi przekonująco. Niemal za bardzo. Skąd mam wiedzieć, że mówi prawdę, a to Alison kłamała? Jak mogę wierzyć w cokolwiek, co twierdzi którekolwiek z nich?

– Przepraszam, że plotę trzy po trzy. – Dominic kręci głową. – Rzecz w tym... powiedziałem ci to już na pogrzebie, ale wciąż nie wierzę, by Zach miał cokolwiek wspólnego z tym, co przytrafiło się Josie. Naprawdę nie wierzę. Nie wiem, czy Alison powiedziała ci cokolwiek na ten temat... ale mam nadzieję, że nigdy nie uwierzyłaś w jego winę.

Mam ochotę na niego nawrzeszczeć: „Skąd możesz o tym wiedzieć, skoro ledwie go znałeś? Byliście tylko współpracownikami, mijaliście się na korytarzu i być może pozdrawialiście. Nie byliście przyjaciółmi, a on nie wspomniał o tobie ani razu". Ale gryzę się w język. Jeśli mam wydobyć z Dominica jakieś informacje, muszę zachować spokój.

– Ale nie byliście bliskimi przyjaciółmi, prawda?

Potrząsa głową.

– Rozmawialiśmy całkiem sporo, ale byliśmy na innych wydziałach, więc zawsze było mało czasu, żeby się spotkać. Ale parę razy planowaliśmy wspólnego drinka.

A jednak na pogrzebie Dominic zapewniał, że Zach był dobrym człowiekiem. Jakby miał na to dowody. Ale tego rodzaju zachowanie jest typowe dla niektórych osób, gdy umiera ktoś, kogo znali. Zachowują się, jakby sami przeżyli stratę.

– Dlaczego się rozwiodłeś? – Czuję, jakbym go przesłuchiwała, jakbym prowadziła śledztwo w sprawie śmierci Zacha. Ale po prostu chcę odpowiedzi.

Spuszcza wzrok i patrzy na swoją lewą dłoń, pobawioną obrączki.

– Taa. To udało mi się schrzanić. Rozwiedliśmy się niedługo po... no wiesz.

– Nazywała się Elaine, prawda?

Robi wielkie oczy.

– Tak. Znasz ją?

Przywołuję w pamięci link do strony internetowej, który rzucił mi się w oczy, gdy jej szukałam.

– Jest agentką nieruchomości, prawda? Prowadzi własny biznes? – Nie mam pojęcia, czy mówię o właściwej kobiecie, ale warto zaryzykować.

Ku mojej uldze on kiwa głową. Najwyraźniej nie zauważył, że uniknęłam odpowiedzi na jego pytanie.

– Tak. Pomogłem jej rozkręcić firmę, a kilka lat później to ona zmusiła mnie do podpisania papierów rozwodowych. Ale patrząc wstecz, wyświadczyła mi przysługę, bo teraz jestem z Alison. Wiem, że ma problemy, ale ją kocham.

Jego twarz rozjaśnia się, gdy to mówi, i nie potrafię sobie wyobrazić, że jest człowiekiem, którego opisała Alison, ale z drugiej strony nie mogę wierzyć w każde jego słowo. Chociaż gdy przypominam sobie dziwaczne zachowanie Alison w gabinecie tamtego dnia, nie mogę nic poradzić na to, że skłaniam się ku jego wersji zdarzeń.

– A więc nie masz pojęcia, dlaczego powiedziała mi o Zachu coś takiego?

– Chciałbym wiedzieć, Mio, naprawdę. I raz jeszcze ogromnie cię przepraszam za to, że rozdrapała twoje rany. Słuchaj, porozmawiam z nią i zmuszę, by obiecała, że zostawi cię w spokoju, ale po prostu musiałem przyjść i wyjaśnić ci to osobiście. W pewnym sensie czuję się za to odpowiedzialny. Powiedziałem jej, żeby odstawiła leki, wbrew zaleceniom lekarza, bo po prostu fatalnie się po nich czuła. Ale teraz chyba jest jeszcze gorzej.

Nic nie mówię. Wciąż trawię to wszystko i próbuję dopasować do siebie elementy układanki.

Dominic pochyla się do przodu.

– Słuchaj, będę się zbierał. Alison była dość wzburzona dziś po południu, więc nie chcę jej zostawiać samej na długo. – Sięga do kieszeni i wyciąga wizytówkę. – Ale tu masz numer mojej komórki. Dzwoń o każdej porze, jeśli tylko będę mógł w czymś pomóc.

Gdy ją od niego biorę, myślę, że to nietypowe, by wykładowca uniwersytecki miał wizytówkę. Zach nie miał – w każdym razie nic mi o tym nie wiadomo. Ale jest wiele rzeczy, których o tobie nie wiedziałam, Zach, czyż nie?

Dominic wyciąga do mnie dłoń na pożegnanie i tym razem ją ściskam. Zaskakuje mnie jego mocny chwyt. Gdy patrzę, jak odchodzi, myślę, że nie mogę dać się nabrać, niezależnie od tego, jak szczery się wydaje. Ludzie, kiedy muszą, potrafią się świetnie maskować.

* * *

Zbliża się wieczór, a do mnie dociera, że wcale nie czuję się lepiej po wizycie Dominica. Chociaż wiele z tego, co mi powiedział, wyjaśniałoby zachowanie Alison, nie umiał podać powodu, dla którego mnie odwiedziła, więc teraz dręczą mnie zupełnie nowe pytania. Ale chociaż Dominic nie zdawał sobie z tego sprawy, wskazał, gdzie szukać jego byłej żony. Być może rozmowa z nią podpowie mi, czy mogę ufać temu człowiekowi. Nie odpuszczę, dopóki się nie upewnię, że Alison jest bezpieczna, i nie odkryję, co wie na temat śmierci Zacha. Zbyt szybko wyparła się swoich słów. Zachowała się tak, jakby się czegoś bała. Ale czego? I z jakiego powodu?

Oto pytania, na które muszę znaleźć odpowiedzi. A zacznę od ustalenia, kto z tych dwojga ma coś do ukrycia: Alison czy jednak Dominic.

Jest już za późno, żeby jeszcze dziś odwiedzić Elaine Bradford, a większość agencji nieruchomości nie pracuje w niedzielę. Muszę zaczekać do poniedziałku. Chociaż zbliża się ósma, na zewnątrz wciąż jest ciepło, więc siadam w ogrodzie i próbuję sporządzić notatki na temat pacjentów. Sąsiedzi po prawej urządzają barbecue, a ich goście są tak hałaśliwi, że w końcu się poddaję i porzucam pracę.

Will dzwoni akurat w chwili, gdy mam wrócić do środka, i pyta, czy dobrze się czuję.

– Żadnych kolejnych omdleń, mam nadzieję?

Zapewniam go, że wszystko w porządku. Aby odwrócić jego uwagę, pytam, jakie ma plany na wieczór.

Waha się przez moment, zanim odpowie:

– Muszę się spotkać z klientką. Ma poważne problemy ze swoim zeznaniem podatkowym, a jej biznes jest w opłakanym stanie. To jedyny termin, który jej pasował, więc nie miałem wyjścia.

Gula rośnie mi w gardle, ale nie ulegnę strachowi. Nie zapytam, gdzie się spotykają ani jaka ona jest, bo Will nie jest Zachem i nie zamierzam go o nic podejrzewać, o ile nie da mi powodu, bym straciła do niego zaufanie. Mimo wszystko czuję ukłucie strachu, że to wszystko mogłoby się powtórzyć.

– Nie masz nic przeciwko, prawda? – pyta.

– Nie, oczywiście, że nie. Wygląda na to, że ta kobieta bardzo potrzebuje pomocy. Ja położę się wcześniej spać.

– Wypoczywaj – prosi. – Wciąż się o ciebie martwię. Zobaczymy się w poniedziałek. I jeszcze jedno. Nie zapominaj, że cię kocham.

* * *

Kładę się do łóżka, pocieszona słowami Willa. Gdy przytulam głowę do poduszki, rozmyślam o naszej wspólnej przyszłości. Ale gdy budzę się nagle w środku nocy, zlana zimnym potem, ze łzami spływającymi po policzkach, zdaję sobie sprawę, że nie śniłam o Willu, lecz o Zachu.

12

Josie

Wycofanie zeznań to ostatnie, co zrobię, więc kuzyn Johnny'ego – czy kimkolwiek jest ten facet – może iść do diabła. Ale od tygodni nieustannie oglądam się za siebie, a żołądek przewraca mi się do góry nogami za każdym razem, gdy nowy klient wchodzi do kawiarni. I nigdy nie wychodzę sama po zmroku.

Uniwerek to jedyne miejsce, w którym czuję się w miarę bezpieczna. Po kampusie zawsze kręci się mnóstwo ludzi, więc ten człowiek byłby głupi, gdyby spróbował zaczepić mnie właśnie tutaj, w każdym razie w trakcie dnia. Ale jedno wiem na pewno: nie mogę tak żyć, nieustannie czekać, aż coś się wydarzy... A na pewno się wydarzy. Nie mam wątpliwości, że ten człowiek zamierza spełnić swoją groźbę.

To dlatego w porze lunchu stoję przed gabinetem Zacha. Nie ma nikogo innego, do kogo mogłabym się z tym zwrócić. Nie pukam, tylko obserwuję go przez wąską szybę w drzwiach. Pochyla głowę i przegląda jakieś papiery, więc mnie nie zauważa. Wygląda tak spokojnie, że zaczynam się wahać. Jak mogłabym go obarczyć wszystkimi swoimi problemami. Powinnam udźwignąć to brzemię sama.

Już mam odejść, gdy podnosi głowę i mnie zauważa. Na jego twarzy pojawia się uśmiech i przywołuje mnie gestem, żebym weszła do środka.

– Właściwie to nieważne – mówię, wtykając głowę przez szparę w drzwiach. – To nic takiego, nie przejmuj się.

– Wejdź, Josie. Chciałem zapytać, co u ciebie. Przykro mi, że nie rozmawialiśmy ostatnio. Mogłabyś zamknąć za sobą drzwi?

Jest już za późno, żeby się wycofać, więc podchodzę i siadam naprzeciwko niego.

– Moja powieść – wyjaśnia, przerzucając papiery, które czytał. Chowa je do szuflady. – Zmagam się z rozdziałem jedenastym, więc wydrukowałem go, żeby przeczytać na papierze i zobaczyć, czy to coś zmieni. Czasami to pomaga, ale nie dziś. Po prostu nie mogę się na nim skupić.

– Musisz odłożyć go na jakiś czas, a potem do niego wrócić.

Radzę, jakbym była ekspertem, podczas gdy prawda jest taka, że nie mam pojęcia, o czym mówię. Nie potrafię sobie nawet wyobrazić napisania czegokolwiek dłuższego niż opowiadanie. Chyba że pisałabym o niej – wtedy miałabym mnóstwo do powiedzenia.

– Masz rację – przytakuje. – Zdaję sobie z tego sprawę, ale... sam nie wiem. Czasami ogarnia mnie panika, że czas ucieka, i czuję, że muszę zrobić wszystko już teraz, zanim będzie za późno. Niekiedy mam wrażenie, jakby miało nie być jutra. Jakbym brał udział w wyścigu i nie widział nawet linii mety, ale po prostu wiedział, że muszę tam dotrzeć.

To mnie zaskakuje. Zach zawsze wydawał się taki wyluzowany.

– Co masz na myśli, mówiąc „za późno"?

– Och, nie chciałem, żeby to zabrzmiało dramatycznie. Po prostu czuję, że powinienem się spieszyć. Zresztą nie zwracaj na mnie uwagi. Co u ciebie?

Nie chcę rozmawiać o sobie. Chcę poznać wszystkie jego myśli, chłonąć go, póki mam możliwość. Nie ma jednak mowy, żebym mu to powiedziała, więc przyznaję:

– Właściwie to sprawy nie wyglądają za dobrze. To dlatego tutaj jestem. Zastanawiałam się, czy twoja oferta wysłuchania mnie, gdybym kiedykolwiek potrzebowała rozmowy, jest aktualna.

Uśmiecha się.

– Oczywiście, mówiłem poważnie. Ale wiesz co, może stąd wyjdziemy? Chętnie zaczerpnąłbym świeżego powietrza. Wprawdzie lodowatego, ale przynajmniej lepszego niż to tutaj.

– W porządku.

– Świetnie. Tylko daj mi chwilę... Muszę z kimś szybko porozmawiać... Może spotkamy się w parku za dziesięć minut? Znajdę cię tam.

* * *

Zach miał rację co do lodowatego powietrza, a moja krótka motocyklowa kurtka ani trochę nie chroni mnie przed wiatrem. Rozpaczliwie potrzebuję zimowego płaszcza, ale w tej chwili muszę oszczędzać każdy grosz. Ledwie udaje mi się płacić czynsz i utrzymywać samochód na chodzie, a przecież muszę być gotowa na wzięcie do siebie Kierena, gdyby cokolwiek się stało, zanim skończę studia. Nigdy nie uwierzę, że Liv się zmieniła i opiekuje się moim bratem, jak trzeba, więc muszę być przygotowana na każdą ewentualność. To, co wydarzyło się tamtej nocy, gdy ten mężczyzna mi groził, sprawiło, że uświadomiłam to sobie jeszcze dobitniej.

Czekam na Zacha na ławce nad jeziorem, obserwując przechodniów. Większość z nich to matki z dziećmi – nie wyobrażam sobie, bym kiedykolwiek mogła zostać jedną z nich – i zastanawiam się, co kryje się za ich uśmiechami, bo nigdy nie jesteśmy tylko tym, co pokazujemy na zewnątrz. Każdy, kto mnie mija, pomyślałby, że jestem typową studentką. Gdyby ci ludzie tylko wiedzieli...

Ktoś stuka mnie w ramię, a ja się wzdrygam.

– O rety, wybacz! – woła Zach i unosi ręce w przepraszającym geście. – Nie chciałem cię wystraszyć. – Jego uśmiech blednie. – Josie, co się stało?

Potrząsam głową.

– Nie czuję się dobrze, Zach. I nie wiem, co robić.

I to wtedy mu o wszystkim opowiadam. Unikam przy tym jego wzroku, bo nie chcę widzieć, jak zareaguje.

* * *

Gdy miałam osiemnaście lat, chłopak mojej tak zwanej matki napadł na mnie i skatował niemal na śmierć. Pięściami. Nożem. Wszystkim, co wpadło mu w ręce. Nigdy mnie nie lubił. Mówił, że jestem pyskata i nie wiem, gdzie moje miejsce. Powiedział też, że nigdy nie powinnam się była urodzić, czyli mniej więcej to samo, co matka powtarzała mi przez całe życie.

Liv prawdopodobnie ma co do tego rację. Nigdy nie powinna mieć dzieci. Miała wtedy szesnaście lat, sama była dzieckiem, ale to niczego nie usprawiedliwia. Moja babcia – prawdziwy anioł – pomagała jej, jak mogła, póki żyła. Wiele nastolatek nie ma takiego wsparcia, mimo to dobrze sobie radzą w roli matki. Ale nie Liv Carpenter. Nie, ona wydała mnie na świat, a potem traktowała, jakbym zniszczyła jej życie samym swoim istnieniem. Powstrzymywałam ją przed robieniem tego, co chciała, poznaniem faceta, pójściem do pracy. Imprezowaniem. Więc postanowiła, że będę za to cierpieć.

Gdy byłam mała, często chodziłam głodna. Ona zjadała posiłki na moich oczach, a mnie nie dawała nic. Jeśli ktokolwiek pytał, dlaczego jestem taka chuda, mówiła, że to ja kapryszę, że robiła wszystko, co mogła, żeby mi pomóc, ale po prostu nie chcę otwierać buzi. I wszyscy jej wierzyli. Bo co za osoba głodziłaby własne dziecko? Takie rzeczy dzieją się tylko w telewizji, prawda?

Nie kąpała mnie całymi dniami i cuchnęłam tak bardzo, że mnie samej robiło się od tego niedobrze. Raz zakradłam się do łazienki i sama spróbowałam napuścić sobie wody do wanny, ale nie miałam pojęcia, że muszę włożyć korek w odpływ i woda wciąż uciekała. W końcu mnie na tym nakryła. „Szkoda, że się nie utopiłaś" – powiedziała. Musiałam mieć wtedy ze trzy czy cztery lata.

W oczach mam łzy, gdy wspominam te czasy. Zerkam na Zacha. Widzę szok i niedowierzanie malujące się na jego twarzy. Sam jest ojcem, więc pewnie nie potrafi sobie wyobrazić okropieństw, które opisuję, nie może uwierzyć, że ktoś mógłby tak traktować własne dziecko. Jakiekolwiek dziecko.

Widzę, że chciałby mi zadać tysiące pytań, ale nie wie, od czego zacząć.

– A gdzie był twój…

– Mój tata? Ha! Ona nawet nie wie, kto jest moim ojcem! Miała szesnaście lat i sypiała z wieloma mężczyznami.

Gdy trochę podrosłam, próbowałam pytać ją o ojca, ale zawsze mówiła tylko: „A kogo to obchodzi?" i śmiała mi się w twarz.

Zach kręci głową.

– Mój Boże, Josie. Nie wiem, co powiedzieć.

Przynajmniej nie patrzy na mnie z litością. Tego bym nie zniosła. Zaszłam tak daleko mimo swojego dzieciństwa, mimo wszystkiego, co mi się przytrafiło, więc nie potrzebuję współczucia.

Zachęca mnie, bym mówiła dalej, ale ostrzegam go, że będzie tylko gorzej.

Wyjaśniam, że Liv poznała Johnny'ego, gdy miałam mniej więcej szesnaście lat, i moja sytuacja znacznie się wtedy pogorszyła. Miewała wcześniej chłopaków i niektórzy z nich nawet z nami mieszkali, ale żaden nie zwracał na mnie uwagi. Schodziłam im z drogi, a oni schodzili z drogi mnie, więc nie miałam za wiele problemów. Już dawno przestałam potrzebować matki i w zasadzie nauczyłam się wszystkiego, co potrzebne do przeżycia. A Liv nienawidziła mnie za to jeszcze bardziej. Nie chciała, żebym się uniezależniła, bo wtedy nie mogłaby mnie psychicznie torturować.

Johnny był inny niż jej poprzedni partnerzy. Nie wiem dlaczego, ale gardził mną od chwili, gdy mnie zobaczył. Nie chodziło o to, że Liv ma dzieci. Kieren był wtedy malutki, więc gdyby Johnny nienawidził dzieci, żywiłby urazę również do niego. Pewnie nawet większą, bo Kieren wciąż wymagał opieki i uwagi, podczas gdy ja schodziłam wszystkim z drogi. A w każdym razie próbowałam. Pewnie to Liv opowiedziała mu, jak zniszczyłam jej życie, że miała wielkie plany, zanim zaszła w ciążę, i teraz musi żyć z zasiłku.

Johnny uprzykrzał mi życie na każdym kroku. Myślę, że widział, jak ona mnie traktuje, i czuł, że może robić to samo. A najgorsze, że jej wręcz podobało się jego zachowanie. Kłóciliśmy się dużo, bo nie potrafiłam po prostu siedzieć i puszczać jego obelg mimo uszu. Musiałam się bronić.

Któregoś dnia latem Liv zaprosiła do domu grupę przyjaciół i wszyscy siedzieli w ogrodzie za domem. Niedawno skończyłam osiemnaście lat. Nie wiem, jak to możliwe, że pozwoliła mi brać udział w tej imprezie, ani nawet dlaczego sama tego chciałam, ale jakoś się tam znalazłam. Nie pamiętam już, o co poszło, ale między mną a Johnnym doszło do okropnej awantury, która skończyła się tym, że naplułam mu w twarz. Wszyscy to widzieli i nagle w ogrodzie zapadła cisza. Najdziwniejsze było to, że Johnny nie powiedział ani słowa. Po prostu spokojnie otarł ślinę i wrócił do picia piwa. Skorzystałam z okazji i uciekłam.

Mrugam, by powstrzymać łzy, i muszę przerwać, żeby złapać oddech. Opowiedzenie Zachowi tego, co wydarzyło się potem, będzie jak przeżywanie tego koszmaru na nowo. Od kiedy złożyłam zeznania na policji, nie powtórzyłam tej historii nikomu. Pogrzebałam ją w miejscu, z którego nie mogłaby się wydostać.

Gdy tylko zaczynam mówić, wspomnienie uderza mnie jak cios w brzuch. Właśnie zdałam ostatni egzamin końcowy i byłam w euforii. Wiedziałam, że nie poszło mi świetnie, ale miałam nadzieję, że na tyle dobrze, abym dostała się na studia. Zdołałam przekonać przyjaciółkę, by pozwoliła mi zatrzymać się u siebie na kilka tygodni, podczas gdy będę szukać pracy i własnego mieszkania, więc nie mogłam się doczekać, aż wrócę do Liv i spakuję wszystkie swoje rzeczy.

Gdy dotarłam na miejsce, dom był pusty. Poczułam ulgę. Jakaś część mnie bała się, że ona spróbuje mnie powstrzymać, mimo że chciała się mnie pozbyć, odkąd się urodziłam. Dla Liv moje odejście z domu oznaczałoby, że będę miała życie, którego ona nigdy nie miała, i martwiłam się, że zrobi wszystko, by mi w tym przeszkodzić.

Byłam tak pochłonięta wpychaniem swoich rzeczy do torby – nie miałam za wiele ciuchów i żadnych pamiątek z dzieciństwa – że nie usłyszałam, jak wszedł do mojego pokoju. Ale nagle zobaczyłam, jak tam stoi, z ustami wykrzywionymi w złowieszczym grymasie.

Jeszcze nigdy w życiu tak się nie bałam. I już nigdy nie poczuję takiego strachu. Bo kiedy raz się go pozna – i przeżyje – można znieść wszystko.

Pewność, że Johnny mnie zabije, przyszła, jeszcze zanim jego pięść wylądowała na mojej twarzy, zwalając mnie z nóg z taką siłą, że wylądowałam na ścianie i uderzyłam o nią tyłem głowy. Byłam przekonana, że roztrzaskał mi czaszkę. Zobaczyłam kałużę krwi, ale poczułam się dziwnie oderwana od rzeczywistości. Nie miałam wrażenia, że ta krew należy do mnie.

Pomyślałam, że to koniec, że Johnny dał mi nauczkę i tyle, ale nie mogłam się bardziej mylić. On dopiero się rozgrzewał.

Zach łapie mnie za rękę. Jego dłoń jest gładka i ciepła.

– Josie, nie musisz mówić nic więcej … jeśli to dla ciebie za trudne.

Ale teraz, gdy zaczęłam, nagle nie potrafię przestać. Może to działa jak terapia. Obnażę duszę, żeby trucizna wreszcie opuściła moje ciało. Wiem, co myśli Zach: że Johnny mnie zgwałcił. I mógłby się czuć nieswojo, gdybym wyjawiła szczegóły. Ale nie to się wydarzyło. Johnny nigdy tego nie chciał.

Bywały chwile, gdy myślałam, że owszem, ale nigdy do tego nie doszło. Zamiast tego zaczął okładać mnie pięściami, dopóki na moim ciele nie został ani jeden kawałek nieposiniaczonej skóry, a potem roztrzaskał na mnie meble, które znalazły się w zasięgu jego rąk. Ale to mu nie wystarczyło. Na koniec zostawił sobie nóż. Ciął mnie tak długo, aż leżałam w kałuży krwi.

„Sprawiło mi to przyjemność" – oznajmił.

A potem wyszedł.

Teraz, gdy już wszystko wyznałam, znów mogę spojrzeć Zachowi w twarz.

– Ale to nie jest najgorsze – dodaję i patrzę, jak szczęka mu opada. – Gdy wychodził z mojego pokoju, zobaczyłam cień w korytarzu. Liv tam była, Zach. Kobieta, która powinna być moją matką, która powinna mnie chronić. Może nawet wybaczyłabym jej wszystko, co mi zrobiła, gdyby w tamtej chwili spróbowała powstrzymać Johnny'ego, a przynajmniej pomogła mi już po wszystkim. Ale ona tylko tam stała, z drwiącym uśmieszkiem na ustach. Musiała wszystko widzieć.

Zach przyciąga mnie do siebie i przytula. Przywiera do mnie całym ciałem, chociaż jestem pewna, że nie miał takiego zamiaru.

– Wiem, że to może wyglądać niestosownie, ale w tej chwili gówno mnie to obchodzi – mówi. – Potrzebujesz cholernego przytulenia i właśnie to dostaniesz.

Nie protestuję, tylko wdycham jego kojący zapach. Naturalny zapach. Nie czuję wody po goleniu czy perfum. Tylko Zacha.

Trwamy tak zbyt długo, a jednak za krótko, aż w końcu on się odsuwa.

– Co się stało później? Poszłaś na policję?

Kiwam głową.

– Obudziłam się w szpitalu. Nie wiedziałam, jak tam trafiłam, dopóki policja mi nie powiedziała. Moja przyjaciółka, Alexa, zaczęła mnie szukać. To do niej miałam się wprowadzić i zaniepokoiła się, gdy się nie pojawiłam. Jakimś cudem Liv i Johnny, którzy wyszli, żeby się upić w pubie, zostawili otwarte tylne drzwi i Alexa na szczęście mnie znalazła. W przeciwnym razie...

– Kurwa! – wyrywa się Zachowi. – Przepraszam – mówi po chwili – normalnie nie przeklinam, ale sytuacja tego wymaga.

Mam ochotę znowu go uściskać, tylko za to, że nawet w tym bolesnym momencie potrafi wywołać uśmiech na mojej twarzy.

– Złożyłam zeznania. On siedzi w więzieniu.

– Dobrze. To dobrze, Josie. – Kręci głową. – Nie mogę uwierzyć, że przeszłaś przez to wszystko i wciąż jesteś, cóż, sobą. Wciąż jesteś silna.

– Nie wygrają ze mną, Zach. Nie stanę się ofiarą. Chcieli zniszczyć mi życie, ale im na to nie pozwolę. Bywa mi cholernie ciężko, ale muszę myśleć o moim braciszku. – Opowiadam mu o wizycie w Brighton i o tym, że chociaż Kieren nie wygląda na zaniedbywanego, nie mogę ryzykować. – Chcę, żeby zamieszkał ze mną. Gdy tylko skończę studia i, miejmy nadzieję, dostanę dobrą pracę. Nie mogę pozwolić, by przebywał w pobliżu tej kobiety.

– Czy opieka społeczna nie ingerowała? Nie wiem za bardzo, jak działa ten system, ale z pewnością po tym, co zrobił chłopak twojej mamy, powinni się zaniepokoić o twojego brata?

143

– Och, Liv potrafi kłamać. Nabrała wszystkich. Powiedziała im, że nie ma nic wspólnego z Johnnym. Nakłamała, że to ja byłam z nim w związku. A ponieważ miałam osiemnaście lat i nie była już za mnie odpowiedzialna, nie zabrali jej Kierena. Ale wszyscy, którzy ją znają – a zna ją dużo ludzi w Brighton – wiedzą, że nie potrafi wytrzymać ani chwili bez faceta.

Teraz, gdy już wtajemniczyłam Zacha w moją przeszłość, opowiadam mu o wydarzeniach sprzed kilku tygodni i groźbach kuzyna Johnny'ego.

Kręci głową i wzdycha ciężko.

– Musisz powiedzieć policji, że ci groził, Josie. Dlaczego tego nie zrobiłaś?

– Bo tak naprawdę nie wiem, kto to jest. Tylko zakładam, że to kuzyn Johnny'ego, ale nigdy wcześniej go nie widziałam i byłam za bardzo zszokowana, by zapamiętać numer rejestracyjny jego auta czy coś w tym stylu. Powiedział, że ma zapewnione alibi na ten wieczór, więc to i tak nie miałoby sensu. A przede wszystkim chcę się odciąć od przeszłości.

– Ale przeszłość wciąż do ciebie wraca, Josie. A co jeśli ten człowiek spełni swoją groźbę?

– Właśnie dlatego chciałam się z tobą spotkać. Wysłuchać twojej opinii. Wiem, że głupio to zabrzmi, ale naprawdę nie mam nikogo, z kim mogłabym porozmawiać. Po tym, co mi się przytrafiło, nikt na moim osiedlu nie chciał mieć ze mną nic wspólnego. Chyba wszyscy uznali, że jestem naznaczona. Ludzie boją się Johnny'ego. Wiedzieli, do czego jest zdolny, jeszcze zanim mnie zaatakował. A Liv... Nikt nie chce nadepnąć jej na odcisk. Więc naprawdę nie miałam nikogo. Nie mogłam się doczekać, aż wyjadę i zacznę nowe życie w Londynie.

– A co z twoją przyjaciółką Alexą? Co się z nią stało?

144

– Ona była jedyną osobą, która mnie wspierała, ale niedługo potem wyjechała na studia do Edynburga i straciłyśmy kontakt. Nawet bym teraz nie wiedziała, jak ją odnaleźć. Sprawdzałam, ale tak jak ja nie ma konta na Facebooku czy Twitterze.

Zach ściska moją rękę i nie puszcza.

– Cóż, cieszę się, że nasze drogi się skrzyżowały.

Odwzajemniam ten uścisk mocniej, niż powinnam, ale w tej chwili już nic mnie to nie obchodzi. Przez krótką chwilę czuję, jakbyśmy istnieli na świecie tylko my dwoje. Nikt inny.

13

Mia

Dom bez Frei był w ten weekend taki cichy, taki zimny. Tęskniłam za jej nieustanną paplaniną. Tylko ona potrafi odwrócić moją uwagę od zmartwień. Gdy jestem z nią, nic innego zdaje się nie mieć znaczenia. Pod jej nieobecność miałam aż za dużo czasu na rozmyślania na temat Alison i Dominica. Oraz tego, co przytrafiło się Zachowi.

Teraz jest już poniedziałek rano i niedługo odbiorę ją od dziadków. Zanim jednak to zrobię, odwiedzę Elaine Bradford. Mam nadzieję, że uzyskam odpowiedzi na nurtujące mnie pytania. Muszę wiedzieć, czy Dominic jest godzien zaufania.

Jej biuro znajduje się w Muswell Hill, części Londynu, której nie znam, ale nawigacja satelitarna doprowadza mnie tam w mniej niż godzinę. Zmierzam w kierunku przeciwnym do Reading, ale i tak powinnam bez problemu dotrzeć do Pam i Grahama po lunchu.

Bradford Estate Agents to duże biuro mieszczące się w szeregu ekskluzywnych sklepów. Powinnam wcześniej zadzwonić i sprawdzić, czy Elaine jest w ogóle w pracy, ale nie umiałam wymyślić powodu, dla którego musiałabym o to zapytać.

Mimo wszystko jestem zadowolona. Nie mam dziś żadnych pacjentów i przynajmniej czuję, że coś robię.

Zanim wejdę do środka, przyglądam się twarzom osób siedzących za biurkami, ale nie widzę wśród nich Elaine. Dzięki zdjęciu na jej stronie internetowej wiem, że ma ciemne włosy, niemal tego samego koloru co Dominic, przycięte na schludnego boba.

Wchodzę do środka. Możliwe, że jest akurat w terenie; pokazuje komuś dom albo załatwia inne sprawy związane z pracą.

Niemal natychmiast podchodzi do mnie wysoki młody mężczyzna, ubrany w elegancki garnitur. Pobrzękuje kluczami trzymanymi w dłoni.

– Dzień dobry, czy mogę pani w czymś pomóc?

– Hmm, szukam Elaine, jeśli jest gdzieś w pobliżu.

Jego uśmiech odrobinę blednie. Musiał liczyć na prowizję.

– Jest w swoim gabinecie. Nie zdążę pani zaprowadzić, bo klienci na mnie czekają, ale jej biuro znajduje się tam. – Wskazuje na szklane drzwi na tyłach sali.

– Dzięki – mówię, ale już go nie ma.

Gdy zmierzam w stronę drzwi, widzę za nimi Elaine. Uderza mnie, jak bardzo różni się od Alison. Nie każdy ma swój typ – Zach i Will nie mogliby bardziej różnić się od siebie wyglądem – ale kobieta przede mną jest o niebo pewniejsza siebie niż Alison. Widać to na pierwszy rzut oka.

Uśmiecha się do mnie.

– Dzień dobry, w czym mogę pomóc? – mówi, po czym marszczy czoło. – Czy my się przypadkiem nie znamy?

To niemożliwe. Nigdy wcześniej jej nie widziałam, a ona nie była z Dominikiem na pogrzebie, więc nie ma mowy, chyba że, oczywiście...

– Nie, już wiem... pani jest żoną Zacha Hamiltona. Przepraszam, widziałam panią na zdjęciach w sieci. – Posyła mi półuśmiech. – Och, wiem, jak okropnie to musi brzmieć, ale cóż, nie ma sensu udawać, że jest inaczej. – Uśmiecha się jeszcze szerzej i wyciąga do mnie rękę. – W każdym razie miło panią poznać. Świat jest mały, czyż nie?

Ściskam jej dłoń, zdziwiona, że rozpoznała mnie tak szybko. Wyglądam teraz inaczej, zadbałam o to. Musiałam odciąć się od przeszłości, więc moje włosy są krótsze i kasztanowe, a nie prawie czarne jak kiedyś, i używam prostownicy, żeby zlikwidować naturalne fale. Skoro Elaine nie dała się nabrać, inni pewnie też nie.

– Owszem. I tak, jestem Mia. Proszę mi mówić po imieniu.

Posyła mi ciepły uśmiech.

– Cóż, jeśli ma to jakieś znaczenie, zawsze uważałam, że nic z tego nie było twoją winą. Słyszałam, że ludzie sprawiali ci kłopoty. Chciałabym, żeby wszyscy po prostu pilnowali swojego nosa.

Chociaż trudno mi słuchać, jak ta kobieta wspomina o prześladowaniach, których padłam ofiarą, to jednak jeśli pozwolę jej o tym mówić, być może łatwiej będzie poruszyć temat Dominica.

– Było mi ciężko – przyznaję. – Nie mogłam nawet wyjść z domu, żeby ktoś mnie nie zaatakował. Zazwyczaj tylko wrzeszczeli mi prosto w twarz, ale czasami dochodziło do gorszych incydentów.

Zalewają mnie wspomnienia rozbitych szyb samochodu, obraźliwych słów wymalowanych sprayem na drzwiach. W pewnym momencie zrobiło się tak źle, że miesiącami niemal nie wychodziłam z domu.

Elaine kręci głową.

– Nie mogę uwierzyć, jacy ludzie są bezczelni. To oburzające, że musiałaś przez to przejść. Twierdzili, że są przyjaciółmi tej studentki, czyż nie? Chociaż wedle wszelkich doniesień ona nie miała żadnych bliskich przyjaciół. Nic dziwnego, biorąc pod uwagę, jak się prowadzała.

– Żadnych bliskich przyjaciół poza moim mężem – kwituję.

Elaine wybałusza oczy i obserwuje mnie przez chwilę, prawdopodobnie zastanawiając się, na ile może sobie pozwolić.

– Tak, cóż, nie zawsze wybieramy dobrze za pierwszym razem, czyż nie? – Zerka na moją lewą dłoń. – Ja z pewnością popełniłam błąd. Pewnie znasz mojego byłego męża, Dominica? Pracował z Zachem.

– Tak, poznaliśmy się na pogrzebie...

– Och, tak mi przykro, że nie przyszłam, ale mieliśmy wtedy z Dominikiem tyle problemów i właściwie to zdążyłam go już do tego czasu zostawić. Dzięki Bogu!

– Nie przejmuj się. Nawet nie znałaś Zacha, więc nie spodziewałabym się twojej obecności.

– Właściwie to raz go spotkałam. Cóż, „spotkałam" to prawdopodobnie nieodpowiednie słowo, ale widziałam go na uniwersytecie, gdy przyszłam odwiedzić Dominica. On był... Przykro mi to mówić, ale on był akurat z tamtą dziewczyną. Szli korytarzem i pamiętam, że przytrzymał mi drzwi. Bardzo uprzejmy człowiek. Nic sobie wtedy nie pomyślałam, ale po tym, co się wydarzyło, przypomniałam sobie tamtą sytuację... – Przerywa monolog, żeby złapać oddech.

Elaine ma rację co do jednego. Przez wszystkie te lata, które spędziłam z Zachem, nigdy nie słyszałam, by powiedział o kimś złe słowo, by się na kogokolwiek rozgniewał. Zawsze był taki uprzejmy, potrafił zachować spokój w każdej sytuacji. Trudno mi pojąć, jak tamtej nocy mógł stracić panowanie nad sobą.

Na moment zapada między nami krępujące milczenie, ale ku mojej uldze Elaine próbuje podtrzymać rozmowę.

– W każdym razie jak się teraz miewasz? – pyta, jakbyśmy były przyjaciółkami.

– Czas leczy rany, czyż nie? – mówię, by wykręcić się od odpowiedzi.

Elaine przygląda się mojej twarzy odrobinę za długo.

– Tak, ale to musiało cię odmienić. Tak okropne doświadczenie musiało cię jakoś okaleczyć, biedactwo.

Nie mam ochoty rozmawiać o tym wszystkim, mimo że kierują nią dobre intencje, a jej troska wydaje się prawdziwa. Ale jeśli chcę, żeby się przede mną otworzyła, muszę zrobić to samo. Więc mówię, że ma rację. Że kiedyś byłam towarzyska, spędzałam mnóstwo czasu z przyjaciółmi, ale po tym wszystkim trudno mi było spojrzeć w oczy komukolwiek, nawet tym ludziom, co do których miałam pewność, że nie będą mnie osądzać. W końcu odcięłam się od świata i samotność pewnie by mnie wykończyła, gdyby nie Freya. Dopiero trzy lata później dobroć i ciepło Willa pomogły mi się pozbierać.

Elaine kiwa głową, jakby wiedziała, o czym mówię, jakby sama przeszła przez coś podobnego, a nie była tylko przypadkowym świadkiem oglądającym widowisko, jakim stało się moje życie pięć lat temu.

– Tak się cieszę, że poznałaś kogoś wyjątkowego. Co teraz porabiasz? Nie pracowałaś w tamtym czasie, prawda?

Zaczynam się irytować. Ta kobieta wie o mnie za dużo, a ja z kolei nie dowiedziałam się o niej nic. Ma nade mną przewagę, a to nigdy nie jest dobre.

– Nie, zrobiłam sobie przerwę, żeby zaopiekować się córką, a potem, gdy zaczęła szkołę, ukończyłam szkolenie terapeutyczne i teraz prowadzę własny biznes. Tak jak ty.

– Cóż, to fantastycznie! Bardzo się cieszę! Wiem, że to nie jest łatwe. A zatem co cię do mnie sprowadza? – Nagle zmienia temat. – Mówiłaś, że szukasz nieruchomości?

Musi doskonale wiedzieć, że nie miałam nawet okazji wyjaśnić powodu mojej wizyty.

– Możliwe. Mój partner i ja rozważamy zamieszkanie razem i, szczerze mówiąc, wyprowadzka z Ealing mogłaby mi dobrze zrobić.

– Wciąż tam mieszkasz? W tym samym domu?

Nie wstydzę się do tego przyznać. To był również mój dom i nie zamierzałam pozwolić, by to, co zrobił Zach, splamiło wspomnienia związane z tym miejscem. Mówię jej o tym.

– Chyba to rozumiem. Ale ja po rozwodzie nie mogłam się doczekać, aż sprzedam mieszkanie i się wyprowadzę. I nawet przenosiny na drugi kraniec Londynu nie oddaliły mnie wystarczająco od tamtej części mojego życia.

Idealnie. Sama nawiązała do tematu swojego rozwodu.

– Przykro mi to słyszeć.

Nagle wyraz jej twarzy się zmienia, a oczy ciemnieją.

– To okres mojego życia, o którym wolałabym zapomnieć. Ale z drugiej strony rozwód to nic w porównaniu z tym, przez co ty przeszłaś.

– Co nie znaczy, że nie cierpiałaś. Czy wasze rozstanie naprawdę było pełne jadu? To dziwne, Zach zawsze wyrażał się dobrze o Dominicu.

Elaine i tak się nie dowie, że aż do pogrzebu nie miałam pojęcia o istnieniu jej byłego męża.

– Cóż, na tym właśnie polega problem, gdy ktoś ma dwie twarze. Współpracownicy dostrzegają tylko życzliwego, pomocnego człowieka, który zrobi wszystko, by ich wesprzeć. Ale w domu żona widzi całą tę zgorzkniałą, pokręconą i pełną urazy część jego natury. Może po tylu godzinach uprzejmości tacy ludzie muszą jakoś odreagować. – Śmieje się, ale z przymusem i widzę, że ciężko jej o tym mówić.

Przypominam sobie rozmowę z Dominikiem w parku. Naprawdę trudno mi sobie wyobrazić, że to ten sam mężczyzna, którego opisuje – i którego odmalowała mi Alison – ale może Elaine ma rację co do ludzi ukrywających przed światem część swojej natury.

– To było małżeństwo pozbawione miłości – kontynuuje. Najwyraźniej nie zauważyła, że nie zareagowałam. – Właściwie od samego początku. Zmarnowane lata. Bardzo chciałabym mieć dzieci, ale teraz jest na to za późno, bo spędziłam z nim tyle czasu… – Rozgląda się po pokoju. – Inna sprawa, że pewnie nie osiągnęłabym tego wszystkiego, gdybym miała dzieci, więc może tak właśnie miało być. W każdym razie nie widziałam tego człowieka od lat i nawet nie wiem, co robi ani czy ponownie się ożenił. Tak jest łatwiej. Udawać, że on nie istnieje.

– Może się zmienił? – sugeruję. – Stał się lepszym człowiekiem?

Kręci głową.

– Nie wierzę w to, że ludzie się zmieniają. Nie naprawdę. W głębi wciąż pozostajemy sobą, niezależnie od tego, co próbujemy pokazać światu. Nie sądzisz?

– Być może… – Myślę o Zachu. Czy od zawsze był zdolny do zdrady? Jak mogłam tego nie zauważyć?

Elaine znowu posyła mi uśmiech pełen współczucia.

– Za nic się nie obwiniaj. Spędziłam dużo czasu, zastanawiając się, czy to ja odepchnęłam Dominica, czy to ja sprawiłam, że stał się nieczuły. Minęły wieki, zanim się obudziłam i zdałam sobie sprawę, że nic z tego nie było moją winą. Włożyłam w to małżeństwo wszystko, co mogłam, i jestem pewna, że ty też.

Chociaż Elaine jest bardziej otwarta, niż na to liczyłam, wciąż nie dowiedziałam się, czy Dominic Bradford stosował wobec niej przemoc fizyczną. Podejmuję ostatnią próbę.

– Mimo wszystko rozwód to jedno z najbardziej stresujących doświadczeń, przez jakie można przejść. Ludzie rozwodzą się z tak wielu przyczyn... niewierności, przemocy...

Elaine już chce coś powiedzieć, ale przerywa nam pukanie do drzwi. Przez szybę widzę parę młodych ludzi. Stoją objęci, a Elaine uśmiecha się do nich i unosi dłoń, dając im sygnał, żeby chwilę poczekali.

– Och, to moi klienci. Jestem z nimi umówiona na obejrzenie nieruchomości. – Zniża głos. – Między nami mówiąc, tylko marnują mój czas. To chyba ze trzydziesty dom, jaki oglądają, i żaden nie jest dla nich wystarczająco dobry. – Wstaje i wyciąga do mnie dłoń. – W każdym razie było mi ogromnie miło cię poznać, Mio. Jeśli zostawisz namiary u Tiny, kobiety siedzącej najbliżej wejścia, zadzwonię do ciebie i będziemy mogły zacząć poszukiwania.

Dziękuję jej i opuszczam biuro. Ruszam do wyjścia i zauważam kobietę, która musi być Tiną. Zastanawiam się nawet, czy się nie zatrzymać i naprawdę nie zostawić danych kontaktowych, żeby zachować pozory i może wydobyć od Elaine więcej informacji na temat Dominica przy następnej okazji, ale uznaję, że byłoby nie fair zwodzić ją w ten sposób.

Poza tym ona nic nie wie o jego obecnym życiu i nie powie mi ani słowa o Alison. Muszę zmienić taktykę.

Zerkam przez ramię i widzę, że Elaine zagaduje na śmierć zakochaną parę, więc uśmiecham się do Tiny i wychodzę, by stawić czoła nieznośnemu upałowi.

* * *

Freya była milcząca, gdy odbierałam ją od dziadków, a gdy pytałam o weekend, odpowiadała zdawkowo. Nie chciałam jej zmuszać do rozmowy, ale jesteśmy już w domu, a ona wciąż nie za wiele mówi. To do niej niepodobne.

– Skarbie, wszystko w porządku?

Wzrusza ramionami.

– Tak.

Bez przekonania bawi się układanką rozłożoną na podłodze w salonie, więc siadam obok niej.

– Nie wyglądasz, jakby wszystko było dobrze. Możesz mi powiedzieć, co się stało?

Znowu wzrusza ramionami, ale natychmiast zaczyna mówić:

– Mój tatuś był okropnym człowiekiem, prawda?

Przez chwilę jestem przekonana, że musiałam się przesłyszeć. Nigdy wcześniej nie powiedziała niczego podobnego. Ale wtedy ona powtarza pytanie.

Ściskam jej rączkę.

– Nie, skarbie, oczywiście, że nie. Dlaczego tak mówisz?

Freya mi się wyrywa.

– Mamusiu, ty kłamiesz. Wiem, że był okropny. Był złym człowiekiem.

Próbuje zgnieść w dłoni element układanki, ale jest zbyt sztywny, więc rezygnuje i ciska nim o podłogę. Moja córka nigdy się tak nie zachowuje, w każdym razie nie zdarzyło się jej to, od kiedy przestała być małym dzieckiem i nauczyła się wyrażać swoją frustrację inaczej niż napadami złości.

– Freyo, musisz mi powiedzieć, dlaczego tak myślisz, a potem będziemy mogły o tym porozmawiać, okej? – Sięgam po odrzucony element i kładę go wraz z pozostałymi.

Po kilku sekundach w końcu kiwa głową.

– Przeczytałam to. Na iPadzie dziadka.

Ściska mnie w piersi.

– Co takiego przeczytałaś, Freyo?

W jej oczach lśnią teraz łzy, więc przyciągam ją do siebie i obejmuję.

– Już dobrze, skarbie, po prostu opowiedz mi wszystko. Co takiego przeczytałaś?

Płacze, pociągając nosem, i muszę nadstawić uszu, by wyłapać wszystkie jej słowa.

– Megan pokazała mi, jak googlować różne rzeczy na jej iPadzie, więc użyłam iPada dziadka, żeby poszukać informacji o tacie.

Wiedziałam, że ten moment kiedyś nadejdzie, ale nie sądziłam, że stanie się to tak szybko. Freya ma zaledwie siedem lat. Jest za mała, by zrozumieć, co się wydarzyło, więc jedyne, co mogę zrobić, to zminimalizować straty. Zachęcam ją, żeby mówiła dalej.

– Tam pisali, że zrobił coś złego dziewczynie, którą uczył. Mamusiu, co on zrobił? Nie zrozumiałam wszystkiego. Ale powiedzieli, że ona musi być martwa i że to dlatego on… zabrał sobie życie.

Płacze coraz bardziej rozpaczliwie, więc przytulam ją jeszcze mocniej. Od początku byłam z nią szczera i wyznałam, że

155

Zach popełnił samobójstwo. Nie zamierzałam jej okłamywać tylko po to, by kilka lat później odkryła prawdę i zaczęła kwestionować wszystko, co wie o naszej rodzinie. Ale nigdy nie wspomniałam o okolicznościach towarzyszących jego śmierci, powiedziałam tylko, że był bardzo smutny.

– Posłuchaj mnie, skarbie. Tatuś bardzo cię kochał. Nade wszystko. I nigdy o tym nie zapominaj.

Freya zastanawia się nad tym przez chwilę, wpatrując się we mnie szklistymi oczami. Zagryza drżącą wargę.

– W porządku. Ale to okropne, mamusiu. Czy naprawdę był taki zły, jak piszą?

– Skarbie, musisz pamiętać przede wszystkim o tym, że cię kochał.

– I ciebie, mamusiu.

Czuję ucisk w piersi.

– Tak. I mnie. Kochał nas obie i tylko to ma znaczenie. Nie zwracaj uwagi na nic innego. Gdy będziesz starsza, pewnie usłyszysz więcej na jego temat, ale po prostu musisz to ignorować. I zawsze pamiętaj, co ci powiedziałam. On nas kochał i to jest najważniejsze. Czasami ludzie popełniają okropne błędy... To nie zawsze znaczy, że są źli.

Gdy wypowiadam te słowa, prawie się nimi dławię.

* * *

Will jest dziś w dobrym nastroju. Przekracza próg z pudełkiem czekoladek dla mnie w jednej dłoni i paczką naklejek z *Krainy lodu* dla Frei w drugiej.

Bez entuzjazmu przygotowuję nam kolację, podczas gdy oni oglądają telewizję, a w trakcie posiłku jestem milcząca. Na szczęście Freya ożywiła się po naszej rozmowie i zagaduje

156

Willa, więc nie miał okazji zacząć mnie wypytywać, co się dzieje.

Wciąż odtwarzam w pamięci rozmowę, którą odbyłam dziś z Elaine. Nie potwierdziła, że Dominic znęcał się nad nią fizycznie, ale wiem, że miała zamiar coś powiedzieć, gdy nam przerwano. Nie powinnam jednak snuć przypuszczeń, to zbyt niebezpieczne. Jedyne, czego mogę być pewna, to że albo Alison, albo Dominic mnie okłamuje. Czy Alison się go boi? Czy to dlatego tak szybko cofnęła swoje słowa i niemal uciekła z mojego gabinetu? A może to Dominic ma rację i ona cierpi na poważne zaburzenia? Nie mogę ignorować tego, że postanowiła skupić się na mnie: jest ku temu powód i muszę odkryć jaki.

Daj spokój, Mio. Walczyłaś ciężko, by uporać się z tym, co zrobił Zach, i zbudować nowe życie dla siebie i Frei, więc nie wracaj teraz do przeszłości. Ale jak mogę zapomnieć o słowach Alison, nieustannie odbijających się echem w mojej głowie?

* * *

Później, gdy położyliśmy się razem w łóżku, Will oczywiście pyta mnie, czemu zachowywałam się tak powściągliwie przy kolacji.

– Jesteś pewna, że wszystko w porządku? Znowu źle się czujesz?

Zazwyczaj nie lubię obarczać go swoimi problemami. Próbuję rozwiązywać je sama i do tej pory nie angażowałam go w nic związanego z Zachem, ale dziś wieczorem jestem wykończona i czuję, że będzie dobrze, jeśli podzielę się z nim częścią informacji.

– Och, Will, dziś po południu miałam problem z Freyą i, cóż, wytrąciło mnie to trochę z równowagi. Właściwie to nawet bardziej niż trochę.

Will siada na łóżku, marszcząc brwi.

– O co chodzi?

Powtarzam wszystko, co powiedziała Freya, próbując sobie przypomnieć, jakich dokładnie słów użyła, ale wiem, że nie uda mi się wiernie odtworzyć jej wypowiedzi. Byłam zbyt zszokowana, by ją zapamiętać.

– Jasna cholera. To niedobrze – mruczy Will, gdy kończę. Bardzo rzadko przeklina, więc wiem, że jego też to zszokowało. – I co jej powiedziałaś?

– Jedyne, co mogłam. Że Zach ją kochał i tylko to się liczy.

Will kiwa głową.

– Hmm. Domyślam się, że z trudem przeszło ci to przez gardło.

Gdy się poznaliśmy, nie potrafiłam się zmusić, by opowiedzieć mu, co dokładnie się wydarzyło. Nie okłamałam go, ale wyjaśniłam, że ciężko mi o tym rozmawiać i że będę wdzięczna, jeśli nie będzie naciskał. Nie wiedziałam, czy słyszał o tym od innych ludzi albo dowiedział się czegoś z mediów społecznościowych. Siostra Willa była nauczycielką w szkole Frei, a ja nie miałam wątpliwości, że ludzie plotkowali, gdy moja córka zaczęła tam naukę, mimo że od tamtych wydarzeń minęły już trzy lata. Z czasem zdałam sobie sprawę, że nie chcę, by w umyśle Willa zagnieździła się jakakolwiek inna wersja wydarzeń niż moja.

Oczywiście myślałam o przeprowadzce, zanim Freya zaczęła szkołę – to byłoby łatwiejsze rozwiązanie – ale nie chciałam pozwolić, by wypędzono mnie z własnego domu.

Byliśmy z Willem na pierwszej randce, gdy poruszyłam ten temat. Niechętnie umówiłam się z nim na kawę po tym, jak wcześniej zbyłam go kilka razy. Will nigdy się nie poddał i zaczął podwozić siostrę do szkoły, czego nie potrzebowała, tylko po to, by mieć okazję się ze mną spotkać. Podczas tej pierwszej rozmowy wziął mnie za rękę i powiedział, że nie słucha innych ludzi. „Nie było mnie tam, więc nie zamierzam osądzać" – uciął. Ale dodał, że gdy będę gotowa mówić, wysłucha mnie z otwartym umysłem.

I dotrzymał słowa. „Życie zadaje nam czasem potworne ciosy – powiedział – ale nie pozwól, by to cię definiowało, Mio. Cokolwiek zrobił Zach, nie miało to nic wspólnego z tobą".

Więc teraz, gdy znowu budzą się we mnie bolesne wspomnienia, uświadamiam sobie, jakie mam szczęście, że znalazłam Willa i dostałam od niego drugą szansę na życie.

– Wiesz, co sprawia, że to wszystko jest jeszcze trudniejsze? – mówię. – To, że nigdy nie znaleźli jej ciała. To jest jak znak zapytania wiecznie wiszący nade mną i Freyą, a ja po prostu chciałabym, żeby zniknął.

– Niestety, niektórzy ludzie nigdy nie zostają odnalezieni, chociaż wszystko wskazuje na to, że nie żyją. A nawet jeśli ją znajdą, może minąć wiele lat, zanim się to wydarzy. Może nie dojdzie do tego za naszego życia.

Nie wiem, czy odnalezienie ciała Josie Carpenter coś by zmieniło, ale przynajmniej jej duch przestałby mnie prześladować. Mogłabym na zawsze zamknąć tamten rozdział w swoim życiu.

Will chwyta moją dłoń.

– Posłuchaj, wiem, że to prawdopodobnie nie jest dobry moment... właściwie to jest najgorszy możliwy moment, ale muszę cię o coś zapytać... znowu... i chcę, żebyś przynajmniej to rozważyła. Kocham ciebie i Freyę, wiesz o tym, prawda?

Kiwam głową. Z góry wiem, do czego zmierza ta rozmowa.

– Obie tak bardzo mnie uszczęśliwiacie i nie mogę... właściwie to nie chcę żyć bez ciebie. – Musiał zauważyć panikę malującą się na mojej twarzy, bo uśmiecha się i ściska moje ramię. – Nie martw się, Mio, to nie są oświadczyny. Ale pytam cię raz jeszcze. Oficjalnie. Czy zastanowisz się nad zamieszkaniem ze mną?

Pytał mnie o to wiele razy, ale nigdy w taki sposób. I ma rację, to nie mógłby być gorszy moment, ale gdy patrzę na jego twarz, pełną nadziei, wiem, że mogę dać mu tylko jedną odpowiedź. Może los nie bez powodu kazał mu zadać to pytanie w tej chwili. Żeby mi pokazać, że wszystko będzie dobrze.

Unoszę jego dłoń do ust i całuję.

– Tak, zróbmy to. Ale nie sądzę, że powinniśmy mieszkać tutaj. Nie czułabym się z tym dobrze. Kupmy coś razem i zacznijmy od nowa. To będzie dobre również dla Frei, zwłaszcza po tym, co dziś powiedziała.

Will bierze mnie w ramiona i przyciąga do siebie.

– Czy wiesz, jak bardzo mnie właśnie uszczęśliwiłaś? Albo nie odpowiadaj. Pozwól, że ci po prostu pokażę...

Pozwalam, bo muszę oczyścić się z Zacha i skupić na Willu. Na naszej wspólnej przyszłości. I nikt mi jej nie zniszczy!

* * *

Później, gdy Will wymyka się do pokoju gościnnego, a ja zaczynam już przysypiać, słyszę dźwięk przychodzącego e-maila. Intuicja ostrzega mnie, żebym go nie otwierała, ale i tak sięgam po komórkę. Nie mogę popadać w paranoję; to pewnie spam, jak zawsze o tej porze. Mrużę oczy, wpatrując się w ekran, aż słowa nabierają ostrości.

„Muszę się z tobą umówić na następne spotkanie. To pilne. Proszę. Mogę przyjść jutro o dowolnej porze".

To wiadomość od Alison Cummings.

14

Josie

– Nie sądzę, że powinienem z tobą wchodzić, gdy dotrzemy na miejsce – mówi Zach. – Ale poczekam na ciebie na parkingu. I masz teraz mój numer telefonu, więc możesz po prostu wysłać mi esemes, jeśli będziesz mnie potrzebować.

Jesteśmy w drodze na posterunek. Minęło wiele dni, nim przekonał mnie, żebym zgłosiła się na policję. Pojechałabym sama, ale to miłe, że mi towarzyszy.

– A co jeśli spędzę tam wiele godzin? – pytam. To bardziej niż prawdopodobne; jest sporo do omówienia. – Lepiej wracaj, nic mi nie będzie. – I jest to prawda. Zawsze jakoś daję sobie radę. – Zresztą czy nie powinieneś być w domu? Jest sobota. Z pewnością to dzień dla rodziny?

Zach wzdycha ciężko.

– Niestety, moja praca i książka oznaczają, że tak naprawdę nie mamy rodzinnych dni. Zresztą Mia zabrała Freyę na spacer dziś rano, więc nie muszę tam być. Ma wszystko pod kontrolą, jak zawsze. – Wzdycha znowu. – Właściwie to nie wiem, jak ona to robi. Gdy ja zostaję z Freyą sam na pięć minut, rwę włosy z głowy, zastanawiając się, co powinienem zrobić i dlaczego ona ciągle płacze.

Chociaż przykro mi na myśl o tym, że Zacha coś dręczy, czuję cień ekscytacji, gdy słyszę, że jego rodzinnemu życiu daleko do ideału. Cholera, muszę być naprawdę okropna...

– Cóż, nie mam jeszcze własnego dziecka, ale to ja zajmowałam się Kierenem, gdy był malutki, więc wiem, jakie to trudne. W każdym razie wtedy, gdy starasz się być dobrym opiekunem.

Oczywiście Liv niczym się nie przejmowała. Kieren mógł płakać godzinami, a ona nawet nie mrugnęła i nie zamierzała sprawdzić, czego mały potrzebuje. Odpowiedzialność za opiekę nad nim zawsze spadała na mnie. Ale ja nigdy nie miałam nic przeciwko. Oddałabym życie za tego chłopczyka.

– Po prostu Mii przychodzi to z łatwością – kontynuuje Zach. – A ja... cóż, powiedzmy tylko, że trochę się z tym zmagam.

Chociaż jestem wdzięczna, że się przede mną otwiera, nie chcę myśleć, że się męczy.

– Jestem pewna, że ona docenia twoje starania – mówię.

– Och, owszem, docenia. Mia zawsze mi powtarza, że odwalam kawał dobrej roboty i nie poradziłaby sobie beze mnie, ale to nieprawda, bo świetnie dałaby sobie radę. Zresztą nigdy nie widzi, jak się męczę. Nie chcę, żeby się martwiła. – Zwraca się do mnie. – Przepraszam, nie powinienem gadać o swoich problemach, podczas gdy zaraz masz składać zeznania. Przepraszam, Josie.

Ignoruję jego przeprosiny.

– Pamiętasz, co powiedziałeś mi jakiś czas temu? Że jesteśmy tylko ludźmi i doskonałość nie leży w naszej naturze? Więc przestań być dla siebie taki surowy. Cokolwiek teraz czujesz, to minie. Zaufaj mi, ja to wiem.

Patrzy na mnie odrobinę za długo i czuję, jak żar rozlewa się po całym moim ciele. To bolesne uczucie, ale też przyjemne.

– Jesteś bardzo mądra jak na swój wiek – mówi w końcu. – Wiesz... właściwie to pod pewnymi względami ci zazdroszczę.

– Co? Chyba żartujesz? – Niemal mnie zatyka. – Ty zazdrościsz mnie?

– Ej, powiedziałem „pod pewnymi względami", pamiętasz? Zresztą może „zazdrość" to niewłaściwe słowo. Chodzi mi tylko o to, że masz wolność, o której ja mogę tylko pomarzyć. Miałem ją kiedyś, oczywiście, gdy byłem młodszy, ale wtedy jej nie doceniałem. Brałem ją za pewnik, jak większość ludzi. Nie zrozum mnie źle, wiem, przez co przeszłaś, i to było okropne, mówię tylko o wolności polegającej na tym, że możesz obudzić się rano i robić, co zechcesz. Udać się, gdzie zechcesz, kiedy tylko zechcesz. – Milknie. – Och, Josie, przepraszam. Nie powinienem tego mówić... to było niedelikatne z mojej strony. Wybacz.

– Nie przejmuj się tym. Zresztą może i mogę robić, co chcę, ale tak naprawdę nie jestem wolna, czyż nie? A właściwie nikt nie jest tak naprawdę wolny. Czy prawdziwa wolność nie jest równoznaczna z wyzbyciem się wszelkich pragnień? Odrzuceniem wszystkiego, co wykracza ponad rzeczy niezbędne do przeżycia?

– Masz rację, Josie – śmieje się Zach. – I właśnie dlatego musisz dalej pisać, tworzyć. Nie duś w sobie tego, co siedzi ci w głowie.

Policzki mi płoną i wiem, że musiałam się oblać rumieńcem, ale na szczęście docieramy na miejsce, więc próbuję się skupić na zadaniu, jakie mnie czeka.

Zach zajmuje jedyne wolne miejsce parkingowe i gasi silnik.

– Dobra, jesteś gotowa?

– Posłuchaj, musisz jechać, Zach. Do domu czy gdziekolwiek indziej. Dam sobie radę.

Odwraca się i wskazuje laptop leżący na tylnym siedzeniu.

– Jestem pewien, że dasz sobie radę, ale ja muszę pisać. A nasze rozmowy zawsze mnie inspirują. Idź już. Nie odwlekaj tego dłużej, Josie. I jeszcze jedno... po prostu zignoruj to, co powiedziałem. Nie mam prawa narzekać na swoje życie. Naprawdę mam szczęście.

Gdy oddalam się od auta, zapalając papierosa, zżera mnie poczucie winy. Ten dobry człowiek, do którego z każdym dniem przywiązuję się coraz bardziej, nie powinien tutaj być. Powinien siedzieć w domu z żoną i córką, poświęcając im każdą sekundę czasu, której nie spędza na pracy czy pisaniu.

Ale gdy się odwracam, gotowa, by wrócić, zastukać w okno i powiedzieć mu raz jeszcze, żeby odjechał, widzę, że już jest pogrążony w pracy, i nie chcę mu przeszkadzać. Być może potrzebuje tego czasu w samotności. Ostatecznie nie byłby tutaj, gdyby nie chciał.

Ale dlaczego woli spędzać czas z tobą – ze swoją studentką i to jeszcze taką popapraną – zamiast z rodziną? Zadaj sobie to pytanie, Josie.

Ignoruję głos w mojej głowie. Trudno mi myśleć o Zachu wyłącznie jak o wykładowcy; mam wrażenie, jakbyśmy przekroczyli jakąś granicę. Nie fizycznie, oczywiście, ale zrodziły się między nami duże emocje.

* * *

Przebywanie na posterunku jest dla mnie trudniejsze, niż myślałam. Chociaż poprzednie zeznania składałam w szpitalu, panująca tu atmosfera brutalnie przypomina mi o tym, co się wydarzyło. Ale przechodzę przez całą procedurę z wdzięcznością, że kobieta, która ze mną rozmawia, ma życzliwy głos i łagodne oczy, które zdają się uśmiechać, chociaż zaciska usta.

– Natychmiast przyjrzymy się tej sprawie – zapewnia mnie – ale nie mogę ci niczego obiecać przy braku dowodów czy śladów przemocy. Tym razem bardzo trudno będzie cokolwiek udowodnić, nawet gdybyś potrafiła zidentyfikować tego mężczyznę. Sprawdzimy nagrania z kamer przemysłowych w okolicy, ale wygląda na to, że on to wszystko starannie zaplanował, więc podejrzewam, że nic się nie nagrało.

– Jestem pewna, że to był kuzyn Johnny'ego – mówię. – Byli do siebie bardzo podobni.

– Niestety, nie możemy tak po prostu zacząć oskarżać wszystkich członków jego rodziny o to, że ci grozili. Możemy sprawdzić, czy niektórzy z nich są nam znani, ale z drugiej strony jak wielu kuzynów ma ten mężczyzna?

Przyznaję, że nie wiem, ale co najmniej kilku, jako że pochodzi z dużej rodziny. Wiem, że ma trzy siostry, chociaż nigdy nie poznałam żadnej z nich, a Liv wiecznie opowiadała o tym, jak rozległa jest jego rodzina. „Nikt z nimi nie zadziera, Josie, zapamiętaj to sobie".

Funkcjonariuszka ma rację: sprawa jest beznadziejna. Zaczynam myśleć, że przyjście tutaj było błędem.

– I tak już napytałam sobie biedy, bo nie wycofałam zeznania przeciwko Johnny'emu – mówię jej – ale gdy ten człowiek dowie się, że przyszłam na policję, żeby na niego donieść, to z pewnością pogorszy sprawę, prawda? Nie ma mowy, żeby blefował, gdy mówił, że spełni swoją groźbę.

– Uwierz mi, postąpiłaś właściwie. A teraz bądź po prostu ostrożna. Żadnego wychodzenia samotnie po zmroku, po prostu zachowuj się rozsądnie. I zadzwoń do nas, jeśli wydarzy się coś jeszcze. Ale następnym razem nie zwlekaj tak długo.

– Nie mam wyboru, jak tylko zachowywać ostrożność, prawda? Nie możecie mi zapewnić ochrony?

Kobieta kręci głową.

– Niestety nie. Ale tu masz moją wizytówkę. Dzwoń, gdybyś czegoś potrzebowała.

Biorę wizytówkę, dziękuję i wychodzę, wdzięczna, że mogę już opuścić ten budynek, mimo że z mojej wizyty niewiele wyniknęło. Nikt mnie nie ochroni i jak zwykle jedyną osobą, na której mogę polegać, jestem ja sama.

Na zewnątrz jest zimno, chociaż słońce świeci tak jasno, że muszę mrużyć oczy, by dojrzeć samochód Zacha. Ale nie ma go w miejscu, w którym zaparkował – jedynym wolnym w tamtym momencie, tuż przy wejściu. Stoi tam teraz srebrny golf, a kierowca siedzi w środku i rozmawia przez telefon.

Zdezorientowana, przesłaniam oczy dłonią i rozglądam się po parkingu, ale auta Zacha tam nie ma. Zastanawiam się, co się stało, i piszę esemes:

„Już skończyłam. Zastanawiam się tylko, gdzie jesteś".

Raz jeszcze przyglądam się samochodom na parkingu, po czym siadam na schodkach przed posterunkiem i czekam na odpowiedź. Ale mija prawie pół godziny, a Zach milczy.

* * *

– Musimy porozmawiać – mówi Alison głosem bardziej stanowczym niż kiedykolwiek, jakby ćwiczyła, gdy nie było mnie w domu.

– Czy to może poczekać? Dopiero skończyłam zmianę i jestem wykończona. Muszę coś zjeść i naprawdę nie jestem w nastroju na kłótnię.

Przede wszystkim jestem zdezorientowana, bo Zach wciąż się do mnie nie odezwał. Może źle wpisałam numer, gdy mi go podawał, ale to nie tłumaczy jego zniknięcia.

Dlaczego odjechał bez słowa? Wiedział, że w ogóle nie chciałam się zgłaszać na policję. Ale nie wyślę mu kolejnej wiadomości. Jeśli będzie chciał, skontaktuje się ze mną. Minęło już wiele godzin, więc jeśli to był jakiś nagły wypadek, jestem pewna, że znalazłby sposób, żeby dać mi znać.

– Nie, to nie może poczekać – protestuje Alison. – Nie sądzisz, że to czekało już wystarczająco długo? – Jej słowa są twarde, ale głos już mniej pewny.

Ramiona skrzyżowała na piersi i zauważam, że ma na sobie piżamę, mimo że jest ledwie ósma wieczorem.

– Nie wiem nawet, o czym mówisz, ale jeśli chodzi o Aarona, to powiedziałam wszystko, co miałam do powiedzenia. Wyjaśniłam ci, co się wydarzyło, i jeśli mi nie wierzysz, nie mogę nic z tym zrobić.

Podchodzę do lodówki, ale nawet nie próbuję jej otwierać. Nie w obecności Alison obserwującej każdy mój ruch.

Cofa się o krok, tak że niemal opieram się o kuchenne drzwi.

– Znam dziewczyny takie jak ty, Josie. Poznałam ich mnóstwo. Myślisz, że dobrze się ustawiłaś, prawda? Że możesz mieć wszystko, czego zechcesz. – Prycha. – Myślisz, że możesz wykorzystywać mężczyzn, żeby postawić

na swoim, ale to nie działa z kobietami, Josie. Na twoje nie-
szczęście.

Nawet bardziej niż jej dziwaczne słowa przeraża mnie to,
że wciąż powtarza moje imię. Nie mogłaby się bardziej co do
mnie mylić. Nie jestem osobą, którą opisuje.

– O czym ty mówisz? Naprawdę nie jestem w nastroju na
coś takiego.

– Prędzej czy później to wszystko się na tobie zemści, Josie.

– Och, na litość boską, Alison, nie muszę tego wysłuchiwać! Skoro nienawidzisz mnie tak bardzo, dlaczego się po prostu nie wyprowadzisz? To byłoby najlepsze dla nas obu.

– Myślisz, że nie próbowałam? Że nie wyniosłabym się
stąd natychmiast, gdybym tylko mogła? Ale w tej chwili nie
ma żadnych wolnych pokojów. Zresztą nie zamierzam się
wyprowadzać w środku semestru. Dlaczego miałoby wyjść
na twoje? Byłabyś zachwycona, gdybym zniknęła i zeszła ci
z drogi. Jestem tylko dziwaczną, irytującą dziewczyną, z którą
nie możesz znaleźć wspólnego języka. Cóż, mówi się: trudno!
Na razie nigdzie się nie wybieram!

Mogłabym teraz wspomnieć o wykasowanej pracy domowej, powiedzieć jej, że wiem, co zrobiła, ale nie dam jej tej sa-
tysfakcji. Lepiej nich myśli, że usunęła coś nieistotnego. Że
wciąż tego nawet nie zauważyłam.

– No i świetnie – mówię. – Czy teraz mogę w spokoju zjeść
kolację?

– Chcesz spokoju, Josie? Powodzenia! – Wypada z kuchni,
zatrzaskując za sobą drzwi.

Postanawiam, że nie pozwolę, by jeszcze bardziej zepsuła
mi nastrój. Skupiam się na burczącym brzuchu. Ale gdy otwieram lodówkę, by sprawdzić, co tam znajdę – a z góry wiem,

że całe jedzenie będzie należało do Alison – z zaskoczeniem odkrywam, że jest zupełnie pusta. Nie ma tam niczego poza żółknącą plamą mleka w przegródce na drzwiach, w której zwykle stoją butelki.

Zaglądam do wszystkich szafek i potwierdzam swoje podejrzenia. Także są puste. Zostało w nich tylko kilka obtłuczonych kubków i talerzy.

Wyję ze śmiechu, bo tylko na tyle było stać Alison. Zostałam niemal zatłuczona na śmierć, grożono mi, a ona myśli, że dokuczy mi, jeśli schowa przede mną jedzenie?

Mój histeryczny śmiech odbija się echem po mieszkaniu i mogę sobie tylko wyobrazić, co ona teraz robi, zaszyta w swojej sypialni, gdy zastanawia się, dlaczego nie reaguję tak, jak się spodziewała.

Kiedy w końcu się uspokajam, dociera do mnie, że ta sytuacja właściwie wcale nie jest zabawna.

Alison ewidentnie ma problemy, a ja jestem skazana na to, by z nią mieszkać.

15

Mia

Jakże inaczej czuję się, gdy tym razem siedzę naprzeciwko tej kobiety. Jestem gotowa na wszystko, uzbrojona w amunicję, której dostarczył mi Dominic, i chociaż nadal nie wiem, komu wierzyć, przynajmniej mam coś, czym w razie potrzeby mogę się posłużyć.

Wciąż jestem terapeutką Alison, więc muszę postępować ostrożnie. Jeśli ona potrzebuje mojej pomocy, będę ją wspierać.

– Mogę sobie tylko wyobrazić, co o mnie teraz myślisz – mówi, wlepiając wzrok w swoje dłonie.

Jej palce są długie i szczupłe, wiotkie żyły przeświecają przez skórę. Dziś nie ubrała się tak, jakby była pogrążona w żałobie. Jej ciemnofioletowa bluzka gryzie się z rudymi włosami.

– Nie jestem tu po to, żeby cię osądzać, Alison. Po prostu chcę ci pomóc, to wszystko.

Nie mogę jej powiedzieć o wizycie Dominica, to bez wątpienia by ją wystraszyło, więc muszę pozwolić, by opowiedziała mi wszystko we własnym tempie. Przy odrobinie szczęścia przyzna się, że kłamała, a jej obecność tu nie ma nic wspólnego z Zachem.

171

Mruży oczy.

– I to wszystko będzie poufne? Nawet po... ostatnim razie?

Kiwam głową.

– Nikt poza ścianami tego gabinetu nigdy się nie dowie, o czym rozmawiałyśmy. Chyba że, oczywiście, odniosę wrażenie, iż możesz stanowić zagrożenie dla siebie lub innych. Wtedy nie będę miała wyboru, jak tylko powiadomić władze.

Alison wbija we mnie nieruchome spojrzenie.

– Jestem ostatnią osobą, która stanowiłaby zagrożenie dla kogokolwiek, uwierz mi.

Jest mała i wygląda słabowicie, ale to nie oznacza, że nie byłaby zdolna do skrzywdzenia kogoś. Pozory mylą. Wiem o tym lepiej niż ktokolwiek.

– Poprosiłaś o to spotkanie, Alison. Czy możesz mi powiedzieć, dlaczego chciałaś się ze mną znowu zobaczyć?

Sięga po szklankę wody, którą jej nalałam, ale odstawia ją z powrotem, nie upijając ani łyka, i odchrząkuje, jakby miała wygłosić starannie przećwiczoną mowę.

– Poprzednio, gdy tu przyszłam, zamierzałam powiedzieć ci wszystko. To nie był jakiś chory żart, nigdy bym nikomu czegoś takiego nie zrobiła. Ale gdy zaczęłam mówić... przestraszyłam się. Właściwie to byłam przerażona. Myślałam, że poczuję ulgę, gdy przyjdę z tym do ciebie, ale poczułam się tylko gorzej. Rozmowa z tobą o twoim mężu nagle stała się dla mnie zbyt trudna. Ale nie mogłam cofnąć wypowiedzianych słów.

A więc, tak jak się obawiałam, ona jest tutaj, żeby dalej mówić o Zachu, a nie szukać rozwiązania swoich problemów, w czym znacznie łatwiej mogłabym jej pomóc. Najwyraźniej

Alison nie zamierza odpuścić, więc może Dominic miał rację: jest niezrównoważona. Ale jeżeli mówi prawdę? Muszę się tego dowiedzieć. Nawet jeśli będę musiała jej pozwolić, by rozdrapała moje rany, a ja znowu poczuję ten ból. Patrzy na mnie pytająco, a ja kiwam głową, zachęcając ją, by kontynuowała.

– Rzecz w tym, że potrzebuję twojej pomocy i myślę, że ja też mogę ci pomóc. Wiem, że to brzmi dziwnie, ale zrozumiesz, gdy dowiesz się wszystkiego.

– Co takiego muszę wiedzieć, Alison? Możesz powiedzieć mi to teraz?

A może znowu po prostu uciekniesz? Zerwiesz się z fotela i wypadniesz przez drzwi, zanim zdążę mrugnąć powieką?

Alison nabiera powietrza w płuca, a jej kościste ramiona unoszą się i opadają.

– Czy możesz obiecać, że nie będziesz mi przerywać? Że wysłuchasz wszystkiego, co mam do powiedzenia, zanim podejmiesz decyzję?

– Po to tu jestem, Alison.

– Okej. To, co powiedziałam ci ostatnim razem, jest prawdą. Nie sądzę, by twój mąż odebrał sobie życie. – Wpatruje się we mnie w oczekiwaniu na reakcję, chociaż zaledwie chwilę wcześniej prosiła, żebym po prostu pozwoliła jej mówić. – Musisz to zobaczyć i wtedy zrozumiesz. – Sięga do torebki, a ja odchylam się do tyłu, niepewna, co zamierza z niej wyjąć.

Ale to tylko jej telefon. Zaczyna stukać w ekran, po czym obraca go ku mnie i uruchamia nagranie wideo. Nie jestem pewna, na co patrzę, ale po chwili zdaję sobie sprawę, że to monitor czyjegoś komputera. Nazwisko w skrzynce mailowej należy do Dominica Bradforda. Nagle w kadrze pojawia się szczupła dłoń Alison, stuka w klawiaturę i porusza myszką, aż otwiera bibliotekę zdjęć.

Gapię się na nie – są ich setki – i robi mi się niedobrze na myśl o tym, co mogłabym wśród nich zobaczyć. Alison na nagraniu wideo też je przegląda. Nieznani ludzie uśmiechają się i pozują. Widzę miejsca, w których nigdy nie byłam. A potem moim oczom ukazuje się promienna młoda twarz, którą znam aż za dobrze, i Alison zatrzymuje nagranie.

Josie Carpenter.

Dziewczyna, którą podobno zamordował Zach.

Jej twarz znajduje się zbyt blisko kamery i maluje się na niej drwiący uśmieszek.

Nic nie rozumiem.

– Co... co to jest, Alison?

– To komputer Dominica. Zazwyczaj jest chroniony hasłem i on nigdy nie zostawia go włączonego, ale kilka tygodni temu zauważyłam, że nie wyłączył go przed wyjściem. Więc przejrzałam kilka folderów. A gdy znalazłam to zdjęcie, zaczęłam wszystko nagrywać. Tylko po to, żeby móc udowodnić, że to zdjęcie było na komputerze.

– Ale...

– Rozpoznajesz ją, prawda? Tak jak ja. Nie ma powodu, dla którego Dominic powinien mieć jej zdjęcie na swoim komputerze, a jednak ono tam jest i musiało zostać załadowane z jego telefonu. On jej nawet nie znał. A w każdym razie nigdy się do tego nie przyznał. A jednak ewidentnie coś ich łączyło.

Myśli wirują mi w głowie, podczas gdy próbuję odnaleźć sens w tym, co widzę i słyszę. Ale sekundy mijają i nic nie staje się jaśniejsze.

Zniecierpliwiona brakiem mojej reakcji, Alison ciągnie dalej:

– Mio, musisz mi pomóc. Myślę, że Dominic mógł mieć coś wspólnego ze śmiercią Josie.

Jej słowa odbierają mi mowę. Policja nigdy nie ustaliła, co tak naprawdę przytrafiło się Josie Carpenter. W mieszkaniu było tyle jej krwi, że uznano, iż została zabita, ale ponieważ ciała nigdy nie odnaleziono, niczego nie można było udowodnić. I nawet teraz, pięć lat później, wciąż nie wiedzą, gdzie ono jest. Prawdopodobnie już nawet przestali szukać, zwłaszcza że ich główny podejrzany nie żyje.

Staram się kontrolować oddech.

– Ale... nie rozumiem, co próbujesz mi powiedzieć, Alison. No więc on ma jej zdjęcie... to niekoniecznie cokolwiek oznacza.

Znowu pokazuje mi telefon.

– Ale mogłoby, gdyby ta fotka została zrobiona w dniu jej śmierci, prawda? Patrz dalej.

I rzeczywiście, dalsza część nagrania pokazuje datę, która wyryła się w mojej pamięci. Dzień, w którym mój mąż został mi odebrany. Został odebrany mojej córce.

Znajoma panika narasta w moim ciele, ale muszę ją kontrolować, stłumić, dopóki nie zostanę sama. Wtedy będę mogła pozwolić, by chwilowo wzięła górę. Nauczyłam się, że to jedyny sposób na radzenie sobie z tymi atakami.

– Widzisz? – pyta Alison.

Kiwam głową, ale nie mogę wydusić słowa.

– Mio, tak bardzo się boję. Po tym wszystkim, co zrobił mi Dominic, teraz znalazłam jeszcze to.

Przypominam sobie słowa Dominica. Czy to możliwe, że Alison jest tak niezrównoważona, by wymyśliła tę historię, a nawet sfabrykowała dowód? Ale przecież komputer

175

ewidentnie należy do Dominica, a zdjęcie zostało dodane w dniu, w którym zginął Zach. Nie sądzę, by mogła je tam podrzucić, ale nie znam się na kwestiach technicznych.

Nic z tego nie ma sensu. Dominic nie ostrzegał mnie, że Alison wymyśla niestworzone historie również na jego temat. Z pewnością by o tym wspomniał, gdy o niej opowiadał. Oskarżać partnera o przemoc fizyczną to jedno, ale twierdzić, że mógł kogoś zabić, to zupełnie co innego.

– Teraz rozumiesz? – dopytuje Alison, czym wyrywa mnie z zamyślenia. – Rozumiesz, dlaczego nie uważam, że Zach popełnił samobójstwo? – Używa jego imienia, jakby go znała, i to budzi moją niechęć.

– Nie, właściwie to nie rozumiem. Owszem, wygląda na to, że na komputerze Dominica znajduje się zdjęcie Josie Carpenter, ale co to ma wspólnego ze śmiercią Zacha?

Alison zabiera telefon.

– Okej, wiem, co masz na myśli. To nie do końca cokolwiek udowadnia, ale nie sądzisz, iż to dziwne, że on ma zdjęcie dziewczyny, o której morderstwo był podejrzewany twój mąż? Zrobione w dniu, gdy ona zniknęła?

– Tak, przyznaję, że niełatwo to wyjaśnić.

– Pomyśl o tym, Mio. Dominic nigdy nie powiedział policji, że znał Josie, a na pewno przesłuchali wszystkich pracowników uniwersytetu. Dlaczego miałby to przed nimi zataić?

Pod tym względem ma rację, ale mówię jej, że wciąż nie rozumiem, jak to mogłoby dowodzić, że Zach nie odebrał sobie życia.

– Właśnie dlatego potrzebuję twojej pomocy, Mio. Naprawdę myślę, że Dominic jest odpowiedzialny za to, co przytrafiło się Josie. I Zachowi.

Milczenie, ciężkie i klaustrofobiczne, wypełnia pokój, podczas gdy próbuję przetrawić rewelacje, które właśnie mi przekazała. Musi dokładnie wyjaśnić, o co tak naprawdę jej chodzi.

– Sądzisz, że Dominic zabił Josie? A potem co? Zabił również Zacha?

W jej oczach pojawiają się łzy i kręci głową.

– Nie wiem, Mio. Ja... myślę, że mógł to zrobić. Wiem, jak to brzmi. Jak jakiś film czy coś, ale... ale ja naprawdę myślę, że właśnie to się wydarzyło, Mio.

Wstaję, bo nie mogę już dłużej usiedzieć w miejscu, i zaczynam krążyć po gabinecie.

– Ale dlaczego? Dlaczego Dominic miałby to zrobić? To szalone.

Alison obraca się, żeby na mnie spojrzeć.

– Jestem pewna tylko jednego, Mio. Mój partner jest agresywny. A jeśli potrafi krzywdzić mnie, tak jak to robi, to do czego jeszcze jest zdolny?

– Jeśli naprawdę jest agresywny – wyrywa mi się.

Nie zamierzałam tego powiedzieć, ale jest już za późno.

Alison gapi się na mnie szeroko otwartymi oczami.

– Co chcesz przez to powiedzieć?

Nie mogę przyznać, że się z nim widziałam ani że nie wiem, czy mogę jej ufać, ale muszę coś odpowiedzieć.

– Nie wierzysz mi, prawda? – uprzedza mnie. – Nie wierzysz w ani jedno moje słowo? – Bierze telefon z biurka i zaczyna czegoś na nim szukać. Nie przypomina tej samej płochliwej kobiety, która po raz pierwszy przekroczyła próg mojego gabinetu nie tak dawno temu. – Proszę, popatrz na to.

Tym razem widzę zdjęcia, które Alison zrobiła samej sobie. Przedstawiają jej poobijane, posiniaczone ciało, skórę mieniącą się groteskową tęczą czerni, fioletu i czerwieni. Na jednym z nich oczy ma tak opuchnięte, że ledwie się otwierają.

Gdy uznaje, że zobaczyłam już wystarczająco dużo, zabiera telefon.

– A teraz powiedz mi: czy wciąż myślisz, że kłamię?

Potrząsam głową.

– Dlaczego nie poszłaś na policję? Masz dowody na to, że stosuje wobec ciebie przemoc.

– Jestem pewna, że wyjaśniłam ci to ostatnim razem. Nie ma sensu zgłaszać tego na policję. On i tak mnie dopadnie. Znajdzie mnie, a potem co? Skończę jak Josie.

– To po co tutaj przyszłaś, Alison? Jakiej pomocy mogłabym ci udzielić?

– Jestem tutaj, bo muszę znaleźć dowód na to, że Dominic jest odpowiedzialny za zabicie co najmniej dwóch osób: Josie Carpenter i prawdopodobnie twojego męża. A więc ta sprawa dotyczy również ciebie, czyż nie? Myślałam, że będziesz chciała poznać prawdę.

Nogi się pode mną uginają i ledwie się na nich trzymam. Sekundy mijają, a ja próbuję zebrać myśli. Ona ma rację, oczywiście. Muszę poznać prawdę.

– Okej – mówię. – Nawet jeśli Dominic skrzywdził tamtą dziewczynę, to nie oznacza, że miał cokolwiek wspólnego ze śmiercią Zacha, prawda?

Alison wstaje i podchodzi do mnie.

– Mio, czy ty naprawdę wierzysz, że twój mąż odebrał sobie życie?

– Był zdesperowany – tłumaczę. – On... cokolwiek stało się z Josie, nie potrafił sobie z tym poradzić. Więc... – te słowa z trudem przechodzą mi przez gardło – ...jej krew była wszędzie, a on leżał martwy w jej mieszkaniu.

Znowu zapada między nami milczenie, które okazuje się nawet gorsze niż te okropne słowa, które muszę wypowiadać. Alison chwyta mnie za ramię.

– Wiem tylko, że Dominic jest w to jakoś uwikłany. Jestem tego pewna. Ale policja nie potraktuje tego zdjęcia jako dowodu, a nawet gdyby mnie wysłuchali, to nie wystarczy, żeby go skazać. Muszę zdobyć więcej dowodów, z którymi mogłabym się do nich zgłosić.

Mam ochotę na nią wrzasnąć, ale zmuszam się do zachowania spokoju.

– Ale to nie jest twoje zadanie, Alison. Ani moje. Nawet jeśli Dominic jest czemukolwiek winien, nie zostawił przecież podpisanego wyznania, które zalega gdzieś w waszym domu i czeka, aż je znajdziesz, prawda? To nie jest telewizja, Alison, to prawdziwe życie. – Prawdziwe życie, które potrafi być znacznie gorsze niż najgorszy film.

Kiwa głową.

– Masz rację. Jednak prędzej czy później winni zawsze popełniają błąd.

Nie odpowiadam, ale znowu zaczynam krążyć po gabinecie.

– Okej. – Alison przerywa ciszę. – Miałam nadzieję, że nie będę musiała ci tego mówić, ale widzę, że potrzebujesz więcej argumentów.

Podrywam głowę i spoglądam na tę kobietę, która albo cierpi na urojenia, albo jest w ogromnym niebezpieczeństwie.

– Byłam tam tamtej nocy. Ja... widziałam twojego męża. I rozmawiałam z nim.

16

Josie

Zach mnie unika. Minęło wiele dni, od kiedy podwiózł mnie na posterunek, i od tamtego czasu nie odezwał się do mnie ani słowem. To nic, że mi nie odpisał – w końcu powiedział, żebym korzystała z jego numeru tylko w razie nagłych wypadków – ale na wykładach zachowuje się tak, jakbym była niewidzialna. Jakby do niczego między nami nie doszło.

Nie skontaktuję się z nim znowu. Nie narzucam się ludziom; jeśli nie chcą przebywać w moim towarzystwie, to ich sprawa, ale miło byłoby usłyszeć jakieś słowa wyjaśnienia. Właśnie dlatego stoję teraz pod jego pustym gabinetem w nadziei, że uda mi się go złapać. Przyciskam do piersi materiały z wykładu, udając, że muszę z nim porozmawiać o pracy domowej.

Alison mija mnie i gapi się na drzwi, jakby mnie nie zauważyła, chociaż ociera się o mnie, gdy przechodzi obok. Mogłabym policzyć na palcach jednej ręki, ile razy dotąd widziałam ją na uniwerku, więc to dziwne, że jest tutaj teraz.

Patrzę za nią, jak idzie korytarzem, i jestem zaskoczona, gdy czuję cień smutku. Może mogłybyśmy zostać przyjaciółkami, gdyby tylko dała mi szansę. Albo gdybym ja dała szansę jej.

Nie planowałam, jak długo będę czekać na Zacha, ale sprawdziłam jego grafik i nie ma żadnych wykładów do trzeciej po południu, więc jest szansa, że pojawi się tu w ciągu najbliższej godziny.

Wyczuwam go za plecami, jeszcze zanim go zobaczę, zanim sięgnie do klamki, ledwie zauważając moją obecność. Ale dostrzegam blady cień uśmiechu na jego twarzy. Nie jest tak podły, żeby zupełnie mnie zignorować.

– Zach, hej! Możemy porozmawiać?

Wygląda na skrępowanego – czy też bardziej skrępowanego niż wcześniej – i spogląda na zegarek.

– Cześć, Josie. Hmm, nie mam za dużo czasu. Za dziesięć minut jestem umówiony na konsultację.

Ale ja nie dam sobie wciskać kitu.

– To nic. To nie potrwa długo.

Zauważa materiały, które przyciskam do piersi, i odrobinę opuszcza ramiona.

– Jasne, wejdź. – Może właśnie sobie przypomniał, że wciąż jest moim wykładowcą.

Chociaż mamy środek zimy, z jakiegoś powodu okno w jego gabinecie jest otwarte na oścież i zrobiło się tu zimno jak w lodówce. Drżę mimowolnie i owijam się ciaśniej moją zbyt cienką i zbyt krótką kurtką.

– Co się stało? – pytam, gdy tylko zamykają się za mną drzwi.

– Usiądź, Josie. – Wskazuje krzesło, na którym siedziałam już kilka razy wcześniej, choć nigdy nie czułam się tak jak teraz. Jakby nic nie było w porządku. – Okej, myślę, że jestem ci winien przeprosiny – zaczyna, gdy już zajmuję miejsce. – Wiem, że obiecałem, iż na ciebie poczekam, i tak mi przykro, że odjechałem, ale... Cóż, prawda jest taka, że nie mam nic na swoje usprawiedliwienie. Po prostu musiałem odjechać. Raz jeszcze przepraszam. Mam nadzieję, że dobrze ci poszło.

Gapię się na niego i zupełnie nie rozumiem, co nim kieruje.

– Po prostu musiałeś odjechać. Okej. No tak.

– Musiałaś się zgłosić na policję, Josie, to było najważniejsze. Tylko to się liczy. I zrobiłaś to, prawda? Proszę, powiedz mi, że złożyłaś zeznania.

Nie odpowiadam. Mam wrażenie, że to już nie jest jego sprawa. Najwyraźniej postanowił umyć ręce, więc nie zamierzam zdradzać mu szczegółów.

– Cóż, mam nadzieję, że to zrobiłaś – mówi, gdy uświadamia sobie, że nic ze mnie nie wyciągnie. – Naprawdę mam nadzieję, że wszystko będzie dobrze. Ale...

Od dziecka wierzyłam, że jest coś, co potrafię robić całkiem nieźle – odczytywać, co ludzie o mnie myślą. Umiałam przejrzeć na wylot ich słowa i czyny i zawsze wiedziałam, czy mnie lubią, czy nie i do jakiego stopnia. Nigdy wcześniej nie kwestionowałam tej zdolności i kto wie, może wszyscy ją mają, w każdym razie w tej chwili uświadamiam sobie, że Zach Hamilton żywi wobec mnie uczucia, które wykraczają poza relację między studentką a wykładowcą. I zdecydowanie wykraczają poza przyjaźń. Mimo że stara się mnie spławić.

Mogłabym przerwać mu w tej chwili i oszczędzić kłopotów, ale muszę to od niego usłyszeć. Musi być ze mną szczery, tak jak ja byłam szczera z nim, gdy opowiedziałam mu o swojej przeszłości.

Wzdycha ciężko.

– Och, Josie, jesteś... Po prostu myślę, że musimy się trochę od siebie odsunąć. Z radością pomogę ci we wszelkich kwestiach związanych ze studiami, ale ja... myślę, że musimy... Ja po prostu... czuję, że znalazłem się w nieco kłopotliwej sytuacji. Przyjaźń to delikatna sprawa, czyż nie? Ludzie się angażują, a potem coś może się wydarzyć. Ja po prostu... Ja muszę...

– Rozumiem – mówię. Musi wrócić do życia, które wiódł, zanim mnie poznał, zanim za bardzo zawładnęłam jego myślami. Ale chcę to usłyszeć. – Powiedz mi tylko jedno. Nie wyobraziłam sobie tego, prawda?

Zerka na drzwi, a potem niemal niezauważalnie kręci głową.

Bez słowa wstaję i wychodzę. Teraz w pełni go rozumiem.

* * *

Mija kilka godzin, a ja osiągnęłam nowe dno. Topienie smutków w alkoholu w klubie czy barze to jedno, ale upijanie się w samotności w swojej sypialni do ścieżki dźwiękowej złożonej z własnej rozpaczy i ściszonego głosu współlokatorki, która rozmawia z kimś przez telefon i stara się, jak może, żebym nie dosłyszała ani słowa, to zupełnie co innego.

Ale oto leżę rozwalona na łóżku i piję wódkę prosto z butelki. Alkohol pali mnie w gardło, gdy go przełykam. Zazwyczaj wódka wywołuje we mnie odruch wymiotny, ale dziś wieczorem działa jak środek znieczulający, pozwala mi zapomnieć o Zachu, o Alison i o Liv.

Głos Alison dobiegający z sąsiedniego pokoju nasila się, a przyczyna może być tylko jedna.

– Po prostu nie mogę jej znieść – mówi i nie trzeba być geniuszem, żeby się domyślić, że chodzi jej o mnie. Potem milczy długo, zapewne słucha osoby po drugiej stronie linii. To musi być jedno z jej rodziców; nikt inny do niej nie dzwoni.

Gdy na nowo podejmuje swoją tyradę, wyłączam się. Puszczam głośno muzykę z komórki, żeby zagłuszyć jej paskudne komentarze. Już poznałam jej opinię na mój temat i nie muszę tego dłużej wysłuchiwać. Nic, co powie, nie uczyni ze mnie osoby, którą jej zdaniem jestem.

Przez następne dwie godziny leżę na łóżku, ledwie się poruszając, zalewana falami muzyki i alkoholu. Zamykam oczy i udaję, że jestem gdzieś indziej – na rozpalonej plaży, w miejscu, w którym nigdy nie byłam. Mam dwadzieścia jeden lat i nigdy nie czułam piasku pod stopami. Chociaż pochodzę z nadmorskiego miasteczka, plaża tam jest kamienista i rzadko miałam okazję zanurzyć choćby palec w morzu. Jest tak wiele rzeczy, których nie robiłam z powodu Liv, tak wiele życia zmarnowałam do tej pory. Muszę otrzeźwić, bo upijając się, marnuję jeszcze więcej czasu, ale moje ciało jest zbyt ociężałe i nie mogę się ruszyć.

Po prostu się temu poddaj, Josie. Przypominasz ją bardziej, niżbyś chciała. Wrodziłaś się w matkę.

Właśnie przy tej myśli zasypiam, ale po jakimś czasie gwałtownie otwieram oczy, bo mój telefon wibruje. Dostałam esemes, a gdy zdaję sobie sprawę od kogo, wbijam wzrok w tekst, zastanawiając się, czy mam omamy. Ale kiedy zerkam ponownie, wiadomość wciąż tam jest. Siadam na łóżku i skupiam na niej wzrok.

„Musimy porozmawiać. Proszę. To pilne".

* * *

184

Możliwe, że pakuję się prosto w pułapkę. Jestem tego świadoma, mimo to napieram na drzwi pubu i wchodzę do środka, szybko lustrując wzrokiem pomieszczenie, żebym nie została wzięta z zaskoczenia. A ona naprawdę tam siedzi, obejmując dłońmi pintę piwa, z włosami związanymi w niechlujny koczek na czubku głowy. Pasuje do tego miejsca. Wygląda, jakby dobrze się tu czuła, i wtapia się w tłum, mimo że nigdy wcześniej tu nie była.

Ale czy ja jestem o wiele lepsza? Wciąż jestem na wpół pijana i nie do końca wiem, jak zdołałam tutaj dotrzeć, ale jakoś mi się udało. Ta krótka drzemka, którą sobie ucięłam, i zimne, przenikliwe powietrze, pomogły mi trochę otrzeźwieć.

Gdy podchodzę do jej stolika, podnosi wzrok, ale się nie uśmiecha. Oczywiście, że nie. Chociaż to ona poprosiła, żebym tu przyszła. Powinnam była zignorować jej wiadomość. Napytam sobie przez to biedy. Ale po raz pierwszy wykazała wolę porozmawiania ze mną od czasu tamtej napaści.

– No, no, no... nie sądziłam, że przyjdziesz... – prycha. – Jesteś pełna niespodzianek...

Wślizguję się na krzesło naprzeciwko niej.

– Nie boję się ciebie, Liv. Ani tamtego człowieka, którego na mnie nasłałaś. Ani Johnny'ego, ani nikogo innego.

Śmieje się i pociąga łyk piwa. Ale tylko udaje. Czegoś ode mnie chce – nie, ona czegoś ode mnie potrzebuje – w przeciwnym razie byśmy tu nie siedziały. Mam przewagę. Muszę o tym pamiętać, cokolwiek powie.

– Nie, ty naprawdę się nie boisz, prawda? – Marszczy brwi. – Przyszłaś tutaj sama, choć nie wiedziałaś, czego się spodziewać. Albo to odwaga, albo głupota.

185

– Czego chcesz, Liv? – Odchylam się do tyłu na krześle.

Próbuję się odprężyć, żeby umysł poszedł za przykładem ciała.

– Nawet się nie napijesz? Chociaż sądząc po zapachu, powiedziałabym, że wypiłaś już dzisiaj wystarczająco dużo, co nie? Jaka matka, taka córka. Jesteś taka zajęta udowadnianiem, że w niczym mnie nie przypominasz, tymczasem obie znamy prawdę. – Jej śmiech jest szorstki i chrapliwy.

Zbyt wiele wypalonych papierosów... Naprawdę muszę rzucić palenie.

– Nie, Liv, i tu się mylisz. Skończyłabym ze sobą, gdybym chociaż przez sekundę pomyślała, że w czymkolwiek cię przypominam.

Nie odpowiada, ale drwiący uśmieszek nie schodzi jej z twarzy. Niczym nie potrafię jej dopiec. Nie obchodzi jej, co o niej myślę. Ale wszyscy mamy słabości, prawda? A ja znam jej czuły punkt.

– Po co jechałaś aż do Londynu? Nigdy wcześniej nie wyściubiałaś nosa z Brighton, więc czego do cholery chcesz? I kto opiekuje się Kierenem?

Pociąga kolejny łyk piwa i obraca je w ustach.

– Właściwie to jestem tutaj, żeby przemówić ci do rozsądku, Josie. Ostatecznie jesteśmy rodziną, co nie? – Nawet nie potrafi wyraźnie wypowiedzieć tego słowa. Brzmi, jakby się nim dławiła.

– Przestań pieprzyć i mów, czego chcesz, Liv.

Mruży oczy, a jej usta wykrzywiają się w grymasie.

– Musisz iść na policję, Josie. Powiedzieć im, że popełniłaś błąd, że Johnny nic ci nie zrobił. Tak jak kazał Richard.

Teraz to ja się śmieję.

– Serio? Przejechałaś taki kawał drogi, żeby mi to powiedzieć? Czy ty naprawdę wierzysz, że to zrobię? Masz szczęście, że nie gnijesz w więzieniu razem z nim. Właśnie na to zasługujesz.

Przewraca oczami.

– Och, znowu te bzdury. Mówiłam ci już z tysiąc razy, nie było mnie wtedy w domu. Dlaczego wiecznie kłamiesz, Josie? – Wbija we mnie palące spojrzenie i rzuca mi wyzwanie. Tylko czeka, aż się jej sprzeciwię.

– Nikt nie słucha, Liv. Nie nagrywam tego. – Wyciągam komórkę, żeby to udowodnić. – Widzisz? Więc czemu po prostu nie przyznasz, że tam byłaś? Widziałam cię.

Odrzuca głowę do tyłu.

– Jak mogłaś cokolwiek widzieć po tym, co ten ktoś ci zrobił? Ktokolwiek to był. Ledwie mogłaś otworzyć oczy. Słuchaj, jeśli powiesz policji prawdę, podejrzewam, że wszyscy wezmą poprawkę na stan, w jakim byłaś. To znaczy, może po prostu myślałaś, że to był Johnny, prawda? Może ten ktoś był do niego podobny? Ale musisz przestać kłamać, Josie. Na temat Johnny'ego i mojej obecności tam.

Wracam pamięcią do tamtego wieczoru. Widzę zarys sylwetki w przedpokoju, znajomy i niedający się z niczym pomylić. To była ona. Słyszę nawet jej śmiech – paskudy chichot, który wyrwał się jej, gdy rozkoszowała się tą sceną. W końcu odpłaciła mi za to, że się urodziłam.

Kręcę głową.

– Ja znam prawdę i tylko to się liczy. Policja nie potrafiła udowodnić, że tam byłaś, ale to nie znaczy, że jesteś niewinna.

Liv mruży oczy. Wiem, że z trudem nad sobą panuje, żeby nie wybuchnąć w miejscu publicznym.

– Myślałam, że uciekłaś, żeby zacząć nowe życie, Josie?

– Tak właśnie było i je zaczęłam. Jestem teraz na uniwersytecie, Liv. To coś, o czym ty nie mogłabyś nawet pomarzyć. Więc...

– W takim razie co cię to, do cholery, obchodzi, że Johnny wyjdzie z więzienia? – krzyczy. Wiedziałam, że to tylko kwestia czasu. Na szczęście w pubie jest zbyt głośno, by ktokolwiek zwrócił na nią uwagę czy przejął się naszą kłótnią. – On nie będzie próbował cię dopaść, nie ma zamiaru się do ciebie zbliżać po tym, co mu zrobiłaś, więc dlaczego po prostu nie dasz nam spokoju?

Jej pytanie nawet nie zasługuje na odpowiedź.

– To Kierena mi żal, że utknął tam z tobą. Zasługuje na lepsze życie.

Znowu prycha, przypomina zwierzę przebrane za człowieka.

– Kieren ma się dobrze. Wiesz co? Właściwie to przyzwoity dzieciak, nie to co ty.

Powinnam wstać i wyjść. Nie muszę tu siedzieć i pozwalać, by ta kobieta, która rzekomo jest moją matką, mnie obrażała. Ale potrzebuję odpowiedzi i jestem zbyt uparta, żeby odpuścić, zanim ją zdobędę.

– Co takiego ci zrobiłam, że mnie zaniedbywałaś, znęcałaś się nade mną emocjonalnie i pozwoliłaś temu potworowi, żeby skatował mnie niemal na śmierć? I nie wciskaj mi kitu o tym, że jestem pyskata. Owszem, mówię, co myślę, ale nigdy nie zachowywałam się nieprzewidywalnie. Jako dziecko trzymałam się na uboczu i właściwie nie zawracałam ci głowy. – Nabieram powietrza w płuca. – Wiem, że uważasz, iż urodzenie dziecka zniszczyło ci życie, ale chyba nie jesteś taka głupia, żeby myśleć, że to moja wina? Nie prosiłam się na świat, do cholery. A ty miałaś wybór. Mogłaś się mnie po prostu pozbyć... – Patrzę prosto w jej zimne oczy i czekam na odpowiedź.

– Gdy zdałam sobie sprawę, że jestem w ciąży, było już za późno, żeby się jej pozbyć. Więc nie miałam żadnego cholernego wyboru. A ty byłaś jak pętla na mojej szyi.

Wstaję i się odwracam. Nic innego z niej nie wyciągnę i nie chcę tego dalej słuchać. Już dawno temu zaakceptowałam, że jest podła, i nie zamierzam marnować na nią więcej czasu.

– Prawdopodobnie wolałabyś usłyszeć, co jeszcze mam ci do powiedzenia, zanim wyjdziesz.

Odwracam się i widzę triumfalny uśmieszek na jej twarzy.

– Próbowałam cię ostrzec, Josie, ale ty nie słuchasz. Nie mogę kontrolować Richarda, a uwierz mi, on nie odpuści. Nie ma na to szans. Prędzej czy później cię dopadnie.

– Nie interesuje mnie to – mówię.

Słucham tych gróźb, od kiedy złożyłam zeznania przeciwko Johnny'emu, i jeszcze nic się nie wydarzyło, więc nie zamierzam dać się zastraszyć ani jej, ani komukolwiek innemu.

Liv kiwa głową, jakby wiedziała, że to powiem.

– Nie zrobisz tego nawet ze względu na brata?

– Co to ma znaczyć? To nie ma nic wspólnego z Kierenem.

– Nie mogę wziąć odpowiedzialności za to, co się wydarzy. To tak samo sprawa Richarda, jak moja. Więc może lepiej przemyśl sobie wszystko... – Wstaje i wkłada kurtkę. – Do zobaczenia, Josie.

A potem znika. Mogę mieć tylko nadzieję, że mylę się co do niej i nie byłaby zdolna do czegoś takiego.

17

Mia

Ze wszystkiego, co powiedziała mi Alison, to jest najbardziej szokujące. Ona twierdzi, że rozmawiała z Zachem w wieczór jego śmierci. Mam wrażenie, że zaraz zwymiotuję, ale muszę pamiętać, że ta kobieta może kłamać. Im więcej mówi, tym bardziej muszę wierzyć w to, że zmyśla.

– Jak to możliwe? Nie ma mowy. Nie mogło cię tam być.

– Mio, mówię ci, że byłam. Tylko przez kilka minut, ale byłam. Wiem, jak to brzmi, ale musisz mi uwierzyć. Dlaczego miałabym kłamać?

Bo masz urojenia i z jakiegoś powodu wybrałaś mnie, żeby prowadzić tę swoją chorą grę.

Zmuszam się do zachowania spokoju i proszę, by mówiła dalej. Chociaż okna są otwarte na oścież i do pokoju muszą napływać hałasy z ruchliwej ulicy i z parku po drugiej stronie, ja słyszę tylko ciszę, dopóki ona nie podejmie swojej opowieści. Głośną i groźną ciszę.

– Byłam w mieszkaniu Josie tamtej nocy i rozmawiałam z twoim mężem. To musiało być na długo przed tym, jak on… zanim umarł. I jak już mówiłam, spędziłam tam tylko kilka minut, ale to wystarczyło, żebym nabrała pewności, że nie miał zamiaru zrobić sobie krzywdy.

Biorę głęboki wdech. Niezależnie od tego, czy Alison kłamie, czy nie, muszę jej wysłuchać, do ostatniego szczegółu.

– Zacznij od początku, Alison, i niczego nie pomijaj. Muszę usłyszeć całą historię, a nie tylko urywki informacji, które dawkujesz mi, gdy przyjdzie ci na to ochota.

– Ale wszystko, co powiem, wciąż będzie poufne, prawda? – Ściąga brwi.

Kiwam głową.

– Chyba że uznam, że miałaś cokolwiek wspólnego z tym, co się wydarzyło.

Jej milczenie świadczy o zdenerwowaniu. A przecież jeśli kłamie, nie miałaby się czego bać poza tym, że zostanie przyłapana na kłamstwie.

– W porządku. Nie jestem niczemu winna. – Zatyka pasmo gęstych rudych włosów za ucho. – Nie lubiłam Josie, to żaden sekret, a ona nie lubiła mnie. Przydzielono nam to mieszkanie, więc tak naprawdę nie miałyśmy wyboru i musiałyśmy znosić swoją obecność. Kilkakrotnie ubiegałam się o przeniesienie, ale nie było żadnego wolnego pokoju wystarczająco blisko uniwersytetu. W końcu wzięłam kolejną pożyczkę studencką tylko po to, żeby wynająć własne mieszkanie. To była klitka z jedną sypialnią, zdecydowanie zbyt droga, ale przynajmniej uwolniłam się od Josie. A po tym, czego doświadczyłam, gdy z nią mieszkałam, nie zamierzałam znowu dzielić z kimś lokum. Nawet gdyby samodzielny wynajem miał mnie doprowadzić do bankructwa.

Mam ochotę powiedzieć jej, żeby się pospieszyła i zaczęła mówić o Zachu, ale tych informacji też potrzebuję, więc muszę być cierpliwa. Muszę zapamiętać każde jej słowo, żebym potem mogła ją przyłapać na ewentualnym kłamstwie. Jedyne, co do tej pory wiedziałam na temat Josie, to że wyjechała z domu i nie utrzymywała kontaktu z rodziną. Słyszałam też, że kilka lat wcześniej przeżyła brutalną napaść, ale policja nie sądziła, by tamta sprawa była powiązana z jej zniknięciem; mężczyzna odpowiedzialny za atak siedział za kratkami.

– Dlaczego tak bardzo jej nienawidziłaś? – pytam.

Muszę wiedzieć. Jak to możliwe, że jedna osoba tak kogoś nie lubi, a druga zdaje się nim zafascynowana?

Alison mierzy mnie wzrokiem od góry do dołu.

– Nigdy nie spotkałaś kogoś, do kogo natychmiast poczułabyś antypatię? Z kim po prostu nie mogłabyś się dogadać, niezależnie od tego, jak bardzo byś się starała? Kto doprowadzałby cię do skraju wytrzymałości wszystkim, co robi czy mówi?

Coś takiego mi się do tej pory nie przytrafiło, ale rozumiem, co ma na myśli. Nigdy nie byłam bliższa takiej sytuacji jak teraz, w jej towarzystwie.

– Cóż, nie można lubić każdego. Trzeba po prostu starać się okazywać uprzejmość, traktować takich ludzi z szacunkiem.

– Nawet jeśli na to nie zasługują? – Nie wygląda na przekonaną.

– Tak, Alison. Nie nam osądzać innych ludzi. W każdym razie mów dalej, proszę. Do czego zmierzasz?

– Zaraz do tego dojdę. Ale najpierw musisz usłyszeć wszystko, musisz mieć pełen obraz sytuacji. Nie chcę, żebyś wyciągnęła pochopne wnioski na mój temat.

– Właśnie powiedziałam, że nie osądzam ludzi, Alison. I wygląda na to, że nie masz wyjścia, jak tylko mi uwierzyć. Więc proszę, kontynuuj. – Robię, co w mojej mocy, by zachować spokój i cierpliwość, bo niezależnie od tego, co tu omawiamy, Alison wciąż jest moją pacjentką. Ewidentnie potrzebuje jakiegoś rodzaju pomocy.

– Cóż, podejrzewam, że to nie ma znaczenia, dlaczego się nie lubiłyśmy. Po prostu tak było. Więc wyprowadziłam się na kilka tygodni przed tamtym wieczorem, gdy ona... cokolwiek się z nią stało, ale zachowałam klucz do drzwi wejściowych. Dorobiłam zapasowy dla rodziców, na wszelki wypadek, i zapomniałam go zwrócić właścicielce budynku. – Przerywa, jakby czekała na jakieś upomnienie z mojej strony, ale niezwrócony klucz to najmniejsza z moich trosk.

Gdy nie reaguję, podejmuje opowieść:

– To był najzwyklejszy zbieg okoliczności, że tamtego wieczoru poszłam do jej mieszkania. Zgubiłam bransoletkę, którą dostałam od mamy, i chciałam sprawdzić, czy jej tam nie zostawiłam. Byłam pewna, że gdzieś leży. Zamierzałam zapukać i zapytać Josie, czy ją widziała, ale gdy dotarłam na miejsce, zobaczyłam, jak wybiega z budynku i pędzi w przeciwną stronę, więc uznałam, że mogę bezpiecznie zakraść się do środka. – Urywa i patrzy na mnie. – Nie jestem dumna, że to zrobiłam. Ale byłam młoda i... prawdopodobnie odrobinę naiwna.

To nie jest słowo, którego bym użyła, ale to tak naprawdę nie ma znaczenia.

Alison przechyla głowę w bok.

– Nie wierzysz mi, prawda, Mio? Ale przysięgam, że nie kłamię.

Nic z tego, co mówi, nie brzmi szczerze, ale nie mogę jej tego powiedzieć. Muszę ją zachęcić do dalszych wynurzeń.

– Co zrobiłaś potem?

– Otworzyłam drzwi kluczem i przeżyłam ogromny szok, gdy weszłam do salonu i zobaczyłam tam Zacha.

Żołądek przewraca mi się do góry nogami.

– Co... co robił?

– Po prostu siedział na sofie, pochylony do przodu, z głową wspartą na rękach, jakby cierpiał. Wciąż go widzę oczyma wyobraźni. Nie rozpoznałam go, dopóki nie podniósł głowy, ale gdy na mnie spojrzał, szybko zdałam sobie sprawę, że to wykładowca z uniwersytetu. Nie znałam go, ale widywałam dość często.

Z trudem zmuszam się do zapytania:

– Dlaczego nie powiedziałaś o tym policji, Alison?

Spuszcza głowę i wlepia wzrok w stopy. Botki, które ma na nogach, wyglądają bardziej na zimowe niż na letnie.

– Nie jestem z siebie dumna, Mio. Wiem, że powinnam była się do nich zgłosić i wszystko opowiedzieć, ale czy nie rozumiesz, w jak kłopotliwym położeniu się znalazłam? Nie mogłam dać się uwikłać w to śledztwo. Policja odkryłaby, że jej nienawidziłam, i co wtedy? Stałabym się podejrzaną. A nie mogłam udowodnić, gdzie byłam tamtego wieczoru, bo po prostu siedziałam sama w mieszkaniu. Policja nie dałaby mi spokoju.

Tak jak ludzie nie dali go mnie, żonie mężczyzny, który zaangażował się w związek z jedną ze studentek, który odebrał jej życie, a potem zakończył własne, bo nie mógł stawić czoła konsekwencjom swojego czynu.

– Ale oni już wytypowali podejrzanego – przypominam. – Mojego męża.

Alison kręci głową.

– Ale nie znaleźli żadnych niepodważalnych dowodów na to, że on to zrobił, prawda? Poza tym, że znaleziono go w jej mieszkaniu. I przecież nie mógł im wyjaśnić, że jestem niewinna, że poszłam sobie, zanim cokolwiek się wydarzyło. Zach nie żył, a policja zaczęłaby szukać nowego podejrzanego. Rzuciliby się na mnie, słusznie czy nie, żeby nie obciążać sobie konta kolejną nierozwiązaną zbrodnią.

– Alison, to odrobinę cyniczne, nie sądzisz? Policja karze tylko winnych. Myślę, że popadasz w paranoję. – Przypominam sobie słowa Dominica. Że Alison rzadko mówi z sensem, rzadko dobrze się czuje, od kiedy ją poznał. Czy to jednak on mówił prawdę? – Zresztą bez ciała nigdy nie doszłoby do procesu. Nawet Zach nie stanąłby przed sądem, gdyby przeżył.

– Ale to nie przeszkodziło mediom w oskarżeniu go. Według opinii publicznej jest winny. Za bardzo się bałam, żeby pozwolić, aby coś takiego przytrafiło się mnie. Nawet jeśli nie zostałabym wysłana do więzienia za coś, czego nie zrobiłam, jak po tym wszystkim miałabym dostać dobrą pracę? – Przerywa. – Jak na ironię i tak nie mogę jej znaleźć. Pracuję tylko dorywczo w administracji. Co za marnotrawstwo trzech lat studiów. Ale, jak mówiłam, byłam przerażona. To dlatego milczałam. Aż do teraz.

– Przynajmniej miałabyś szansę się bronić. Zach nigdy jej nie dostał, Alison. Spoczął w grobie z piętnem winy, niezależnie od tego, czy naprawdę skrzywdził Josie. – Co za ironia, że mimo wszystko wciąż go bronię. Chciałabym, żeby miał szansę wyjaśnić, co zrobił.

– Więc nie wierzysz, że to on ją zabił? – upewnia się Alison. – To dobrze. Zatem uwierz też mnie, że nie odebrał sobie życia.

– Prawda jest taka, Alison, że już od dawna nie wiem, w co wierzyć. Początkowo nie mogłam pojąć, jak Zach mógłby zrobić coś takiego, ale z drugiej strony nigdy bym nie pomyślała, że byłby zdolny do romansu z jedną ze studentek. Musiałam zmierzyć się z informacją, że wcale nie znałam męża. Natomiast ty wciąż mi nie powiedziałaś, jak doszłaś do wniosku, że nie popełnił samobójstwa. – Nie wiem, jakim cudem zachowuję spokój, chociaż czuję, jakby ściany gabinetu miały zaraz na mnie runąć.

– Właśnie do tego zmierzam. A więc, jak już mówiłam, siedział na sofie. Wyglądał na zdenerwowanego. Początkowo nie mogłam wydusić z siebie ani słowa, taka byłam zszokowana, że go tam znalazłam, ale on przywitał się i zapytał, czy jestem przyjaciółką Josie. Był uprzejmy, nawet w tak dziwacznej sytuacji. A kiedy wyjaśniłam, kim jestem i co tam robię, powiedział tylko, że czasami człowiek może się znaleźć w dziwnej sytuacji, ale wtedy trzeba cofnąć się o krok i zadać sobie pytanie, co takiego robimy, żebyśmy mogli się z niej wyplątać. Czy jakoś tak. Nie pamiętam, jakich słów dokładnie użył, ale to było coś w tym stylu. Nawet nie wiem, dlaczego powiedział mi to wszystko, skoro ja tylko szukałam bransoletki, ale może Josie zdążyła mu wyznać, jak bardzo mnie nienawidzi.

Prawie się uśmiecham, bo to brzmi dokładnie jak coś, co powiedziałby Zach. Wiecznie filozofował, wiecznie wszystko analizował. Alison musi mówić prawdę, przynajmniej jeśli chodzi o spotkanie z Zachem, inaczej nie zdołałaby tak trafnie go opisać. Pytam ją, co jeszcze powiedział.

– Stwierdził, że wie, iż prawdopodobnie nie powinno go tam być, ale przyszedł tylko po to, żeby pomóc Josie. Miała jakieś kłopoty i się o nią martwił. Naprawdę się o nią niepokoił.

Musiałam zrobić sceptyczną minę, bo wyciągnął telefon i pokazał mi zdjęcie, na którym byłyście ty i wasza córeczka. Powiedział, że nigdy nie zrobiłby niczego, co mogłoby skrzywdzić którąkolwiek z was.

Łzy płyną mi po policzkach, ale nie potrafię ich powstrzymać.

Chociaż Alison musiała to zauważyć, kontynuuje:

– Początkowo myślałam, że za bardzo się tłumaczy i że między nimi dzieje się coś podejrzanego, ale wiesz co? Gdy tylko wspomniał o tobie, uwierzyłam mu, mimo że nie ufałam Josie. Nie ma mowy, żeby mógł udawać ten blask w oczach, który pojawił się, gdy patrzył na twoje zdjęcie.

Ale to nie znaczy, że był niewinny. To jedynie znaczy, że jakoś, w samym środku tego wszystkiego, wciąż mnie kochał.

Alison, nieświadoma targających mną sprzeczności, ciągnie dalej:

– Zapytałam go, gdzie jest Josie, a on powiedział, że za chwilę wróci. Niemal wspomniałam, że widziałam, jak wybiegła z budynku, ale z jakiegoś powodu tego nie zrobiłam. Teraz, naturalnie, żałuję, że go nie zapytałam, co jej się stało, ale cóż, jest już za późno.

– Co wydarzyło się potem? – pytam.

– Nie chciałam, żeby Josie wróciła i mnie tam znalazła, więc powiedziałam Zachowi, że wychodzę. Obiecał, że nie wspomni, iż tam byłam, jeśli ja obiecam mu to samo. Dlaczego miałby mnie prosić o dyskrecję, gdyby planował się zabić w tym mieszkaniu? To, komu bym powiedziała o jego wizycie, nie miałoby żadnego znaczenia, prawda? To po prostu nie trzyma się kupy, czyż nie?

Alison ma rację. Jeśli wszystko, co mówi, jest prawdą, to oznaczałoby, że Zach nie odebrał sobie życia. Czuję, jak nadciąga kolejny atak paniki, i tym razem nie potrafię nad nim zapanować.

Alison natychmiast to zauważa.

– Mio, mogę ci jakoś pomóc? Przepraszam, tak bardzo przepraszam. – Podbiega do kredensu, gdzie trzymam napoje, i nalewa mi szklankę wody. – Proszę, wypij to.

Sączę wodę z wdzięcznością i czekam, aż atak minie.

– Nic mi nie jest – mówię, gdy w końcu odzyskuję kontrolę nad oddechem. – Ja tylko... to taka dolegliwość. To zdarza się dość często. Ale już wszystko w porządku.

Wyciąga rękę i ujmuje moją dłoń.

– Czy to się zaczęło, gdy umarł Zach?

Nie powinnam odpowiadać na jej pytanie; jest zbyt osobiste i nie mogę zdradzać sekretów prywatnego życia kobiecie, o której nic nie wiem i której nie mogę ufać. Mimo wszystko kiwam głową.

– To zrozumiałe po tym, co przeszłaś.

Czuję ulgę, że nie drąży tematu. Szanuje moje granice, a to nie jest objaw ograniczonej poczytalności. Już nie wiem, w co wierzyć.

– Mio, to wszystko. Opowiedziałam ci już wszystko. Ta krótka rozmowa z Zachem przekonała mnie, że nie zamierzał odebrać sobie życia.

– Ale nie wiesz, co wydarzyło się potem. Sytuacja mogła się zmienić. Może Josie wróciła i powiedziała coś, co doprowadziło go do ostateczności.

– Mio, daleko mu było do ostateczności.

Pozwalam, by jej słowa dotarły do mnie, by mnie pochłonęły. Muszę być silna, nie mogę się teraz załamać.

– I co ja mam zrobić z tą informacją, Alison? Zdajesz sobie sprawę, że mogłabym pójść na policję i powtórzyć im to, co mi powiedziałaś? Zataiłaś przed nimi informację, a tamtego wieczoru widziałaś zarówno Zacha, jak i Josie.

Kiwa głową.

– Tak, niewątpliwie mogłabyś to zrobić. Ale zastanów się nad tym, Mio. Gdybym to ja skrzywdziła którekolwiek z nich, po co bym ci o tym opowiadała? Wolałabym trzymać się od ciebie z daleka, czyż nie? Przyszłam tutaj, wreszcie postąpiłam właściwie, bo uważam, że Dominic miał z tym coś wspólnego. Tyle że nie wiem co. I tak jak wcześniej mówiłam, potrzebuję twojej pomocy, żeby znaleźć jakieś dowody, z którymi mogłybyśmy się zgłosić na policję.

Jej słowa odbijają się echem po pokoju. Paraliżują mnie.

– Ja... ja potrzebuję czasu, żeby się nad tym zastanowić. To dużo informacji do przetrawienia. Myślę, że powinnaś już pójść, ale zadzwonię do ciebie.

Nie da się nie zauważyć rozczarowania na jej twarzy. Nie wiem, czego się po mnie spodziewała, ale nie mogę obiecać jej nic więcej.

– Okej – mówi, gdy w końcu wstaje. – Rozumiem. To cholernie dużo do przetrawienia. Tylko proszę, nie zwlekaj za bardzo. Nie wytrzymam w towarzystwie tego człowieka dużo dłużej, Mio. Naprawdę się go boję.

Wychodzi z gabinetu i zamyka za sobą drzwi, a ja niemal słyszę tykanie bomby zegarowej, którą uruchomiła.

18

Josie

– Muszę z tobą porozmawiać. To ważne.

Zach wzdycha, ale przynajmniej odebrał.

– Josie, naprawdę mi przykro, ale nie powinnaś do mnie dzwonić. Jeśli chcesz porozmawiać o studiach, to oczywiście nie ma sprawy, ale powinnaś się do mnie zgłaszać po wykładach. Albo w trakcie dyżurów w moim gabinecie. – Jego ton jest zbyt oficjalny; w ogóle nie brzmi jak Zach, którego zdążyłam poznać.

Ale spodziewałam się, że powie coś takiego, więc jestem na to w pełni przygotowana.

– Nie chodzi o studia, chodzi o mojego braciszka. Myślę... martwię się, że coś mu się może stać. – Opowiadam, jak Liv pojawiła się w Londynie i poprosiła o spotkanie. I że spędziłam niespokojną noc, roztrząsając jej komentarze i zawoalowane groźby, a dziś rano wciąż nie wiem, co zrobić.

Zach milczy tak długo, że zaczynam się zastanawiać, czy się nie rozłączył, ale w końcu się odzywa. Tym razem jego głos jest cieplejszy, ale wciąż dzieli nas gruby mur.

– Josie, tak mi przykro to słyszeć, ale naprawdę musisz znowu pójść na policję. Po prostu nie wiem, co innego mógłbym zrobić, żeby ci pomóc.

Nie zdaje sobie sprawy, ile mnie to kosztowało, żeby zwrócić się do niego o pomoc. Nienawidzę tego, że musiałam to zrobić. Znowu. To do mnie niepodobne, ale jestem zdesperowana i dla Kierena zrobiłabym wszystko.

– Już rozmawiałam z policją. Ale oni niewiele mogą zrobić. Ja po prostu potrzebuję... z kimś o tym porozmawiać. – Nie muszę tego wyjaśniać; Zach wie, że mogłabym policzyć na palcach jednej ręki osoby, które znam w Londynie, i z żadną z nich nie łączy mnie przyjaźń.

– Gdzie jesteś? – pyta po kolejnej długiej pauzie.

– Przed biblioteką, właśnie zaparkowałam.

Już mam go zapytać, co robi, gdy słyszę krzyk dziecka w tle. On jest w domu. Ze swoją rodziną. Nie ma mowy, żeby mógł czy chciał do mnie przyjechać.

– Wiesz co? Zapomnij. Nie powinnam była do ciebie dzwonić. – Przerywam połączenie i rzucam komórkę na siedzenie pasażera. Nie przejmuję się, że się od niego odbija i ląduje na podłodze. Nie będę błagać o przyjaźń Zacha ani o jego uczucia. Znajdę sposób, żeby sama pomóc Kierenowi.

Opuszczam szybę, sięgam do schowka po papierosy i wyciągam paczkę marlboro lights. Rozpaczliwie pragnę, by nikotyna złagodziła mój niepokój. Ale gdy wyjmuję papierosa, myślę o Liv, o bruzdach wokół jej ust i o wiecznie towarzyszącym jej smrodzie dymu, który próbuje maskować tanimi perfumami. Zgniatam paczkę i rzucam ją przez okno do kosza, który przypadkiem znajduje się niedaleko samochodu. Mój idealny rzut stanowi małe, nic nieznaczące zwycięstwo.

Dzień wykładów mija powoli i prawie nic do mnie nie dociera. Notuję kilka słów, ale nie mam pojęcia, co znaczą. Potrafię myśleć tylko o bracie i o potworze, z którym musi mieszkać. Może Liv jeszcze się przeciwko niemu nie zwróciła, ale prędzej czy później to zrobi. Nienawiść i zgorzknienie krążą w jej krwi, to sedno jej istoty.

Teraz przynajmniej znam imię mężczyzny, który mi groził. Richard. Ten sam facet, o którym Kieren wspominał, że zabierze go do McDonalda. Już przekazałam tę informację policjantce, która zajmuje się moją sprawą, tej z życzliwym głosem, więc będą mogli z nim porozmawiać. Nie powinni mieć problemu ze znalezieniem kuzyna Johnny'ego o imieniu Richard. Ha, nie sądzę, by Liv wiedziała, co robi, gdy wypaplała mi jego imię. Była zbyt zajęta rozkoszowaniem się swoimi groźbami. Jest taka głupia.

Czuję ulgę, gdy ostatni wykład wreszcie dobiega końca i ruszam do samochodu. Nie mam żadnych planów na dziś. Nie muszę pracować i jakimś cudem nie mam zaległości w obowiązkach domowych, więc czeka mnie samotny wieczór. Ale nie wypiję ani kropli; muszę zachować trzeźwy umysł i wykombinować, jak odebrać Kierena Liv. Będę musiała zrobić to wcześniej, niż sądziłam.

Gdy zbliżam się do auta, widzę stojącą przy nim kobietę. Przez ułamek sekundy wydaje mi się, że to musi być Liv, ale szybko zdaję sobie sprawę, że to Alison.

– Możemy porozmawiać? – pyta, gdy podchodzę do samochodu.

Ledwie jest w stanie na mnie popatrzeć. Cały czas zerka w stronę biblioteki.

– O co chodzi? – Nie mogę nic poradzić na to, że jestem opryskliwa.

Nie ufam tej dziewczynie i aż ciarki mnie przechodzą w jej obecności. Ale ciekawi mnie, dlaczego tu na mnie czeka.

– Hmm, będziesz w domu dziś wieczorem? – Spuszcza wzrok na ziemię.

– Dlaczego pytasz?

– Ja... myślę, że musimy porozmawiać. Normalnie, bez kłótni i tak dalej.

Tego się nie spodziewałam.

– Chcesz powiedzieć, że naprawdę mnie wysłuchasz? W kwestii Aarona? I wszystkiego innego?

Kiwa głową i odgarnia włosy z twarzy.

– Po prostu oczyśćmy atmosferę, Josie. Obie utknęłyśmy w tym mieszkaniu do wakacji, a to jeszcze dużo czasu. No więc zgadzasz się?

Przyglądam się badawczo jej twarzy, pokerowej minie, której nie mam szans odczytać, i decyduję, że zaufam jej ten jeden raz. Za dużo się teraz dzieje w moim życiu i mam za wielu wrogów, żeby robić sobie kolejnego z osoby, z którą muszę mieszkać. A w porównaniu z Liv, Johnnym czy Richardem Alison jest nieszkodliwa.

– Okej, porozmawiajmy wieczorem.

– Będę w domu koło siódmej – mówi i słabo się uśmiecha, po czym czmycha z parkingu.

Gdy patrzę, jak odchodzi, a wiatr targa jej rude włosy, myślę sobie, że przypomina mysz albo jakieś inne małe stworzenie. Może byłam dla niej zbyt surowa.

Wracam do samochodu i akurat odpalam silnik, gdy brzęczy mój telefon. Wyjmuję go w nadziei, że to Zach, i spoglądam na ekran, ale oczywiście to nie on. To wiadomość od Liv: zdjęcie Kierena uśmiechającego się do kamery. Jej dłoń, z paznokciami pomalowanymi na czerwono, spoczywa na jego lewym ramieniu.

* * *

Gdy docieram do domu, w mieszkaniu jest lodowato. W pierwszej chwili myślę, że musiał się zepsuć bojler, ale gdy go sprawdzam, działa bez zarzutu. Obmacuję kaloryfery i odkrywam, że wszystkie zostały zakręcone – poza tym w pokoju Alison. U niej jest ciepło i przytulnie. Nie trzeba być geniuszem, żeby zrozumieć, że zrobiła to celowo – ale dlaczego? To nie ma nic wspólnego z oszczędzaniem na rachunkach za ogrzewanie, ponieważ jest wliczone w czynsz. A jeśli Alison próbuje mi dokuczyć w ten żałosny sposób, to dlaczego nalegała, żebyśmy dziś wieczorem porozmawiały? No chyba że pozakręcała kaloryfery, zanim zdecydowała się zawrzeć ze mną pokój. Nie będę roztrząsać jej dziwacznego zachowania. Mam większe zmartwienia.

Odkręcam z powrotem wszystkie kaloryfery, otulam się najgrubszym i najdłuższym kardiganem, zwijam się w kłębek na sofie i gapię na zdjęcie Kierena w telefonie. Wygląda na szczęśliwego, ale dłoń tej czarownicy na jego ramieniu stanowi jasne przesłanie: nie obchodzi jej, co się stanie z synem. Dla niej najważniejsze jest, żeby Johnny wyszedł z więzienia.

Zerkam na ścianę naprzeciwko i zauważam na półce pełną butelkę dżinu. Nie należy do mnie; od kiedy straciłam pendrive'a, nie zostawiam niczego we wspólnych pomieszczeniach, a nigdy nie widziałam, by Alison piła alkohol. Zdezorientowana, decyduję, że zapytam ją o to później.

Telefon znowu brzęczy i tym razem nie spieszy mi się, żeby sprawdzić, kto to. Spodziewam się kolejnego zdjęcia Kierena, a przynajmniej obelżywej wiadomości od Liv.

Ale to Zach. Pisze, że jest pod moim budynkiem.

– Co ty tu robisz? – pytam, gdy otwieram mu drzwi.

W innych okolicznościach ucieszyłby mnie jego widok – nie, nawet bardziej, niż ucieszył – ale nie po tym, jak oziębłe traktował mnie od czasu, gdy pojechaliśmy na posterunek.

– Jesteś sama? – pyta i zerka nad moim ramieniem.

Wydaje się nerwowy; nigdy wcześniej nie widziałam go w takim stanie.

– Tak. A co? Co się dzieje, Zach?

Spoglądam na zegarek. Jest dopiero za dziesięć szósta, więc mam przynajmniej godzinę, nim Alison wróci do domu.

Zach stoi w progu jak wmurowany, z dłońmi w kieszeniach.

– Chcesz wejść, tak? – Cofam się, żeby go wpuścić, wciąż nie do końca pewna, dlaczego pojawił się tu tak niespodziewanie.

– Nie powinno mnie tutaj być, naprawdę nie powinienem przychodzić. Ale musiałem. Żeby... no wiesz... sprawdzić, czy wszystko u ciebie dobrze.

– To może wreszcie wejdziesz, do cholery?

Łapię go za ramię i wciągam do środka. I znowu przestajemy być tylko wykładowcą i studentką, a stajemy się dwojgiem ludzi, którzy lubią się nawzajem mimo okoliczności, w jakich się znaleźli.

Śmieje się i wyciąga ręce z kieszeni.

– Współczuję facetowi, którego w końcu poślubisz – mówi.

Ale w jego uśmiechu widać smutek.

– Dlaczego tu jesteś, Zach? Dałeś mi jasno do zrozumienia, że nie chcesz mieć ze mną nic wspólnego...

– Oczywiście, że chcę. Jesteś moją studentką, Josie, a to jest najważniejsze. Ważniejsze niż osobiste problemy, z którymi mogę się zmagać.

Dalej trzymam go za ramię i prowadzę w stronę kanapy.

– Zach, musisz przestać mówić zagadkami. Powiedz, o co ci chodzi.

Siada i potrząsa głową.

– Nie wiem, Josie. Ale nie mogłem cię zawieść. Potrzebowałaś mnie wcześniej, a ja odwróciłem się do ciebie plecami. Przepraszam za to, to niewybaczalne. Nic z tego nie jest twoją winą. Nie możesz nic poradzić na to, że jesteś… sobą.

– I znowu te cholerne zagadki! Przestań. Zacznij mówić wprost. Jestem dużą dziewczynką, zniosę to.

Kryje twarz w dłoniach.

– Kocham żonę, Josie. Naprawdę ją kocham. Jest niesamowitą, bezinteresowną kobietą, która nikomu nie odmawia pomocy. Nie mogę jej nic zarzucić. To znaczy jest straszną perfekcjonistką i czasami bywa odrobinę irytująca, ale to drobiazgi, z którymi da się żyć. I jest wspaniałą matką. A Freya, cóż, ona jest tym niesamowitym małym okruszkiem, który oboje stworzyliśmy. Tak, pewnie, jej wychowanie to ciężka praca, ale jak już mówiłem, nie ma czegoś takiego jak doskonałość.

Słuchanie tego powinno sprawiać mi ból, ale tak się nie dzieje. Te słowa dają mi wgląd w jego prywatne życie, które wolałby przede mną ukryć. I trudno żywić do niego urazę, skoro wiem, że spotkał żonę, jeszcze zanim poznał mnie, i daje jej pierwszeństwo. Poza tym jest tu teraz nie bez powodu i nie mogę nic poradzić, że czuję się tym podekscytowana. Już samym faktem, że jest w moim mieszkaniu.

Siadam na podłodze i opieram się o sofę. Butelka dżinu raz jeszcze przykuwa mój wzrok, ale ją ignoruję.

– Wygląda na to, że jesteś naprawdę szczęśliwy, Zach, więc nie rozumiem, dlaczego wydajesz się taki… sama nie wiem. Taki jakiś.

– Ha, patrz na nas! Oboje jesteśmy pisarzami i żadne z nas nie może znaleźć odpowiedniego słowa, które by mnie określiło. – Zach zsuwa się na podłogę, żeby się ze mną zrównać. – Czasami, gdy powie się pewne rzeczy na głos, to czyni je realnymi. Rzeczy, które wcześniej tkwiły tylko w twojej głowie. Tam były bezpieczne, nie mogły nikogo zranić, ale gdy już je wypowiesz, to koniec. Chaos. Destrukcja. Ludzie cierpią.

Żal mi go w tym momencie. Miał rację, gdy powiedział, że jestem wolna w sposób, w jaki on już nigdy nie będzie.

– A co, jeśli ja to powiem? Nie będziesz musiał przytakiwać ani protestować, ale te słowa po prostu ujrzą światło dzienne.

Patrzy na mnie i najwyraźniej nie chce przyjmować odpowiedzialności za to, co się stanie. Ale ja ciągnę dalej, bo to musi zostać powiedziane i nie ma znaczenia, kto to zrobi.

– Czujesz coś do mnie. I brzydzisz się sam siebie. Jesteś przyzwoitym facetem i nigdy nie chciałbyś zdradzić żony. Ale to cię rozdziera od środka i nie możesz przestać o mnie myśleć. Chociaż unikasz mnie jak ognia, wciąż tkwię w twojej głowie. Mam rację?

Nie odpowiada, oczywiście że nie, ale jego oczy ciemnieją od smutku. Wyciąga rękę i ujmuje moją dłoń. Ściska ją przelotnie, po czym szybko puszcza.

– No więc co się dzieje z twoim bratem? Myślę, że powinnaś mi wszystko opowiedzieć.

Robię to i udaje nam się zmienić temat, a przynajmniej oboje udajemy, że tak jest.

– Naprawdę myślisz, że ona skrzywdziłaby twojego brata? – pyta Zach.

Mówię mu, że gdyby zamienił z nią kilka zdań, zrozumiałby, jakie zło w niej tkwi.

– Czy możesz zadzwonić do opieki społecznej?

– Oni już o niej wiedzą. Pewnie to dlatego ostatnio zachowuje się nienagannie. Ale nie mogą jej obserwować przez cały czas, prawda? Wszystko może się zdarzyć. Ona tylko czeka, aż przestaną się nią interesować.

Zach odruchowo bierze mnie za rękę, ale znowu szybko ją puszcza.

– Przepraszam – mówi i odwraca wzrok.

Nie ma sensu robić wielkiej sprawy z tego podświadomego gestu.

– Pewnie zastanawiasz się, dlaczego tak dobrze traktuje Kierena, skoro nie mogła znieść mojego widoku.

Zach ponownie na mnie patrzy, prawdopodobnie wdzięczny, że nie wspomniałam o tym, co się właśnie wydarzyło.

– Nic mnie nie zaskoczy – mówi. – Ludzkie okrucieństwo nie ma granic.

– Urodziła Kierena, gdy była starsza, być może bardziej gotowa na dziecko. No i on jest chłopcem. Wydaje mi się, że to jest kluczowa kwestia. Nie może być zazdrosna o to, że jest młodszy, mądrzejszy czy ładniejszy od niej. I nie może czuć, że zniszczył jej życie, skoro jej zdaniem już ja to zrobiłam.

– Josie, powiedziałaś wcześniej, że nie wiesz, kim był twój ojciec, ale co z ojcem Kierena?

– Liv spotykała się z nim przez jakiś czas. Początkowo wydawał się w porządku i dobrze mnie traktował. A gdy urodził się Kieren, chyba się cieszył, że został ojcem. Ale potem odszedł, jak wszyscy poprzedni, gdy uświadamiali sobie, jaka ona jest, i ani razu nie spróbował skontaktować się z synem. Słyszałam, że wyprowadził się do Hiszpanii, ale nie wiem, ile w tym prawdy. Nie mam kontaktu z nikim w Brighton poza dawną sąsiadką... Nie mogę zostawić Kierena z Liv, Zach, po prostu nie mogę.

– Josie, musisz być ostrożna. Zastanowimy się nad tym wspólnie i zobaczymy, co uda nam się wymyślić. Musi istnieć jakieś rozwiązanie.

Nie wspominam, że ostatnio nie robię nic innego, jak tylko się nad tym zastanawiam, i na razie niczego nie wymyśliłam.

– Dzięki, Zach – mówię w zamian. – Wiem, że dużo ryzykujesz, żeby mi pomóc.

– Nie zrobiłem nic złego, Josie.

Ale brzmi to tak, jakby próbował przekonać o tym samego siebie.

– W pewnym sensie łączy nas teraz relacja na poziomie osobistym, czyż nie? Czy to nie jest źle widziane na uniwerku?

– Tak, prawdopodobnie. Nie mógłbym powiedzieć, że pomagam ci tylko w kwestiach akademickich. To po pierwsze, ale to... sam nie wiem, co to jest. Wiem tylko, że nie mogę się od ciebie odwrócić.

– Nie powinieneś dla mnie ryzykować. Możesz stracić pracę.

Wzrusza ramionami i próbuje się roześmiać, ale widzę, że z przymusem.

– Pieprzyć to. Gdyby mnie wywalili, miałbym jeszcze większą motywację, żeby dokończyć książkę.

Słyszę jakieś kliknięcie w przedpokoju i zamieram. Alison musiała wcześniej wrócić do domu. Ostatnie, czego potrzebuję, to żeby zastała tutaj Zacha. Z radością by to wykorzystała.

– Co to było? – Zach zrywa się i łapie kurtkę. – Cóż, cieszę się, że mogłem pomóc – mówi i puszcza do mnie oko. – Pamiętaj, żeby oddać pracę na czas.

Ale gdy wychodzimy do przedpokoju, po Alison nie ma śladu. Sprawdzam jej pokój i jest pusty, podobnie jak kuchnia i łazienka.

– Dziwne – mamroczę.

– To musiał być ktoś z sąsiadów – rzuca Zach.

Ale ja wiem, że tak się nie stało. Alison tutaj była, jestem tego pewna. Nie wspominam o tym, gdy odprowadzam Zacha do wyjścia. To by go tylko ode mnie odstraszyło. Chociaż łączy nas silna więź, nasza przyjaźń wisi na włosku.

Gdy Zach wychodzi, siadam z laptopem przy kuchennym stole i wyszukuję wszelkie możliwe informacje na temat opieki społecznej. Sprawdzam, czy mogę w jakiś sposób zmusić ich, by odebrali Kierena Liv. Jestem tak zaabsorbowana poszukiwaniami, że nie odrywam wzroku od monitora. A gdy wreszcie sprawdzam godzinę, okazuje się, że jest piętnaście po ósmej. Alison wciąż się nie pojawiła.

19

Mia

Stoję przed domem rodziców Zacha, trzymając za rękę kogoś, kto nie jest Zachem. Przyjazd tutaj z Willem sprawia, że tęsknię za mężem, za przeszłością... Ale muszę to zwalczyć. On odszedł. Zdradził mnie i naszą córkę. Cokolwiek się wydarzyło zdaniem Alison, nie da się zaprzeczyć, że był w mieszkaniu tamtej dziewczyny. Był z nią sam na sam. Tylko to ma znaczenie.

Od wczorajszego spotkania z Alison nie robiłam nic innego, jak tylko zamartwiałam się jej słowami. Jeszcze nie zdecydowałam, jak na nie zareagować; lepiej się wstrzymać, niż podjąć złą decyzję. Alison ewidentnie potrzebuje pomocy; tylko nie wiem, jak mogłabym jej pomóc. Na szczęście dziś wieczorem nie będę musiała o niej myśleć i zapomnę chociaż na chwilę o chaosie, jaki wywołało zderzenie naszych światów.

– Dobrze się czujesz? – pyta Will, ściskając moją dłoń.

Z jego słów i wzroku wnioskuję, że rozpaczliwie chciałby, żeby wszystko było w porządku. Żebym nie zmieniła zdania co do naszego zamieszkania razem. Ale nie musi się martwić. Jestem gotowa spędzić z nim całe życie... tak jak miałam je spędzić z Zachem.

– Ważne, czy ty dobrze się czujesz, Will? Wiem, jakie to musi być dla ciebie dziwne.

– Jest dziwne, owszem. Ale w dobrym sensie. To dla nas krok we właściwym kierunku – mówi. – Wciąż zamierzamy im powiedzieć o naszej decyzji?

– Nie widzę powodu, żeby tego nie robić. Freya już wie, więc ukrywanie tego przed nimi byłoby nie fair. Ona jest tym taka podekscytowana, że z łatwością może się wygadać, gdy zobaczy ich następnym razem. Muszą usłyszeć to ode mnie.

Wszyscy uznaliśmy, że będzie najlepiej, jeśli Freya przenocuje dziś u Megan, żeby Pam i Graham mogli spokojnie zapoznać się z Willem. Freya aż nazbyt chętnie zgodziła się na wieczór w domu najlepszej przyjaciółki, wypełniony pizzą, chipsami, a zapewne i lodami.

– No dobra, zróbmy to – mruczy Will i bierze głęboki wdech, po czym wciska dzwonek do drzwi.

Pam i Graham witają nas w progu z szerokimi uśmiechami na twarzach i obdarzają uściskami. Widzę, jak Will natychmiast się odpręża. To niewiarygodnie silni ludzie – reagują w ten sposób na kogoś, kogo niejedni rodzice mogliby uznać za zastępstwo ich zmarłego syna.

– Mamy wrażenie, jakbyśmy już cię znali. – Pam bierze Willa pod rękę i prowadzi do jadalni. – Czeka was długa droga do domu, więc kolacja jest niemal gotowa. Potrzebuję tylko chwili, żeby ją podać.

– Dziękuję – mówi Will. – Cokolwiek to jest, pachnie przepysznie.

Pam uśmiecha się promiennie na jego komplement i pędzi do kuchni, podczas gdy Graham nalewa wina do kieliszków, a Will puszcza do mnie oko, czym sygnalizuje, że da sobie radę.

Chociaż jest zwykły środowy wieczór, Pam przygotowała wykwintną pieczeń, a jedzenia jest tyle, że można by nim nakarmić jeszcze ze cztery osoby.

– Lepiej ugotować za dużo, niż żeby miało zabraknąć – wyjaśnia, stawiając przed nami ciężkie talerze wypełnione po brzegi. – Poza tym nic się nie zmarnuje, Graham i ja możemy zjeść resztę jutro na lunch.

Graham przewraca oczami.

– Ale nigdy tego nie robimy, prawda? Ostatecznie zawsze gotujesz coś nowego.

W jego tonie pobrzmiewa czułość; takie przekomarzanie się to norma dla tych dwojga. Zach zawsze podziwiał ich związek i to, że potrafią się ze sobą nie zgadzać, ale to nigdy nie staje między nimi, nigdy nie zmienia tego, co do siebie czują. Solidni jak forteca, mawiał.

– Cóż, dzięki gotowaniu mogę się czymś zająć – mówi Pam. – To... dla mnie dobre. – Oczy zachodzą jej łzami.

Przy kolacji Pam przepytuje Willa, chociaż już udzieliłam jej odpowiedzi na większość z tych pytań.

– A więc nigdy nie byłeś żonaty?

Will najwyraźniej nie ma nic przeciwko tak osobistemu pytaniu.

– Nie. Nie zrozumcie mnie źle, nie jestem przeciwnikiem małżeństwa i byłem w kilku poważnych związkach, ale po prostu nigdy nie czułem, że to właśnie ta kobieta. – Zerka na mnie, a ja posyłam mu przepraszający uśmiech. – Nie wiem... Czy to dziwne, że trzydziestoczterolatek nigdy nie był żonaty?

Pam chichocze.

– Och, nie, skądże. W każdym razie nie w dzisiejszych czasach. Ludzie są zbyt zajęci robieniem kariery, jak przypuszczam.

– Winny! – woła Will i sięga po moją dłoń. – Ale próbuję to zmienić.

Gdy kończymy jeść – obaj panowie wylizali talerze do czysta – Will zerka na mnie i wiem, że nadeszła pora. Odchrząkuję.

– Mamy dla was nowinę.

Pam robi oczy jak spodki i uświadamiam sobie, że może myśli, iż jestem w ciąży. Muszę jak najszybciej wyprowadzić ją z błędu. Jestem pewna, że to złamałoby jej serce, chociaż na pewno cieszyłaby się moim szczęściem.

– Will i ja postanowiliśmy razem zamieszkać – wypalam.

– Och, to cudownie! – woła Pam, unosząc kieliszek.

Wszyscy idziemy za jej przykładem, a ja zerkam na Grahama, żeby sprawdzić reakcję, i z radością zauważam szeroki uśmiech na jego twarzy, gdy wznosi kieliszek w toaście jedną ręką, a drugą poklepuje Willa po ramieniu.

– Gdzie zamieszkacie? – pyta Pam.

– Sprzedamy obie nasze nieruchomości i znajdziemy coś nowego – wyjaśniam. – To pewnie trochę potrwa, ale jesteśmy tym podekscytowani.

– Cóż, cieszymy się waszym szczęściem – zapewnia Graham, upijając kolejny łyk wina.

– Rozumiem, że Freya już wie? – dopytuje Pam.

Tym razem to Will udziela odpowiedzi i cieszę się, że czuje się na tyle swobodnie, by rozmawiać o Frei.

– Tak, powiedzieliśmy jej dzisiaj i na szczęście naprawdę się z tego cieszy.

Pam powoli kiwa głową.

– Pewnie, że się cieszy. – Spuszcza wzrok i grzebie widelcem w talerzu. – Podejrzewam, że skoro nie pamięta Zacha, to nie będzie dla niej dziwna czy trudna zmiana. – Spogląda na mnie i jestem zaskoczona, że ciepło zniknęło z jej oczu. – Och, przepraszam, po prostu mnie zignorujcie. To wszystko wzbudza tyle emocji. Naprawdę się cieszę.

– Oczywiście, że to budzi w was wiele emocji – mówi Will, kładąc dłoń na jej ramieniu. – Ale pamiętajcie, że ja nigdy nie będę udawał, że jestem jej ojcem, i Freya zawsze będzie wiedzieć o Zachu. Będziemy pielęgnować wspomnienie o nim, obiecuję. Chcę, żebyś wiedziała, że w żaden sposób nie próbuję zająć jego miejsca.

Ale będziemy mówić tylko o tych dobrych rzeczach. Freya będzie słuchać tylko o tym, jakim dobrym ojcem był dla niej Zach. Obiecałam to sobie, gdy umarł, i nigdy nie złamię tej obietnicy.

Pijemy kawę, a potem Will pomaga Pam posprzątać ze stołu, podczas gdy ja zostaję z Grahamem. To z natury milczący człowiek, ale dziś wieczorem wypił dwa kieliszki wina, więc jest bardziej odprężony niż normalnie. Ja zadowoliłam się sokiem owocowym i wzięłam na siebie rolę kierowcy, bo chciałam, żeby Will mógł się napić i zrelaksować.

– Miły gość – mówi Graham. – To zabawne, ale sądzę, że Zach by go polubił. Potrafię sobie niemal wyobrazić, jak gawędzą przy drinku.

To trudne, gdy śmierć oznacza, że lądujesz w ramionach kogoś innego. Gdybym znała Zacha i Willa w tym samym czasie, bez wątpienia i tak zakochałabym się w Zachu i to jego poślubiła. Ale o dziwo to w żaden sposób nie umniejsza moich uczuć do Willa. Moja miłość do niego oczywiście różni się od tej, jaką żywiłam do Zacha, i to bardzo, ale los nas połączył i zadecydował, że to z nim powinnam być.

– To dopiero poważna mina – żartuje Graham, a ja zdaję sobie sprawę, że nie zareagowałam na jego słowa.

– Chyba masz rację – mówię. – Prawdopodobnie by się dogadali. – Ostatecznie mają ze sobą coś wspólnego. Obaj wybrali mnie na życiową partnerkę... – Will jest wspaniały. I kocha Freyę. Mam takie szczęście, że dostałam od życia drugą szansę.

– Wszystko się ułoży – pociesza mnie Graham. – Życie toczy się dalej, czyż nie? Nie można po prostu przestać go przeżywać. Zwłaszcza gdy trzeba myśleć o małej Frei. Dziękuję, że go tu przyprowadziłaś. I że nam powiedziałaś. Nie musiałaś. To tak naprawdę nie jest nasza sprawa.

Pochylam się, żeby go objąć.

– Freya to wasza sprawa, Grahamie, a to znaczy, że Will i ja również. Nie zapominaj o tym.

Graham ściska moje ramię.

– Cóż, tak jak mówiłem, to dobry człowiek i wydaje się godny zaufania, więc oboje macie moje błogosławieństwo. Nie, żebyście go potrzebowali...

– Grahamie – mówię powoli – skąd wiadomo, kiedy można komuś ufać? Czy powinniśmy po prostu dawać ludziom kredyt zaufania, dopóki nie zrobią czegoś, by je zawieść, czy jest odwrotnie?

Uśmiecha się cierpko.

– Brzmisz jak Zach. Pozwól, że się nad tym chwilę zastanowię. – Bierze łyk wina. – Myślę, że musisz ufać instynktowi. Zazwyczaj nie sprowadza nas na manowce. A czemu pytasz? Chcesz powiedzieć, że niepokoisz się o Willa? Bo on nie...

– Nie, nie chodzi o Willa, tylko o jedną z moich pacjentek. Nie mogę ci za wiele powiedzieć, ale ona wydaje mi się odrobinę dziwna... po prostu nie wiem, co o niej myśleć.

– Wydawałoby się, że powinnaś być przyzwyczajona do takich osób w swojej pracy.

– To nie do końca prawda. Moi pacjenci to w większości zwyczajni ludzie, którzy z czymś się zmagają i potrzebują pomocy. Nie jestem psychiatrą, więc nie przyjmuję ludzi z poważnymi zaburzeniami psychicznymi. Nie mam do tego uprawnień.

– Nie – mówi Graham – ale chyba musiało ci się zdarzyć, że spotkałaś kogoś, z kim po prostu nie mogłaś znaleźć wspólnego języka? I nie potrafiłaś go zrozumieć?

Jego słowa odbijają się echem w mojej głowie i nagle wiem, co muszę zrobić. Nie rozumiem Alison i nie wiem, co próbuje osiągnąć. A póki jej nie zrozumiem, nie będę mogła położyć kresu temu wszystkiemu.

* * *

– To uroczy ludzie – mówi Will, gdy leżymy już w łóżku po powrocie do domu. – Dziękuję ci za dzisiejszy wieczór. To musiało być dla ciebie trudne.

– Właściwie to nie było – zaprzeczam. – I czuję się dobrze z tym, że im powiedzieliśmy. Teraz możemy się skupić na przyszłości. Na naszej przyszłości.

Wypowiadam te słowa, chociaż wiem, że nie będzie to możliwe, dopóki nie poznam prawdy. Wszystko jest teraz klarowniejsze. Muszę walczyć o swoją przyszłość, niezależnie od tego, co się stanie z Alison. Muszę chronić Freyę i Willa, więc zrobię, co będę musiała. Jak zawsze.

Will całuje mnie i czuję bijące od niego szczęście. Nienawidzę tego, że muszę go okłamywać. Ostatecznie to kłamstwa doprowadziły do śmierci Zacha i nie mogę ich już znieść. Czy

217

sprawy potoczyłyby się inaczej, gdyby Zach ze mną szczerze porozmawiał? Trudno byłoby mi zaakceptować – czy choćby zrozumieć – jego uczucia do Josie Carpenter, ale w głębi serca wiem, że bym spróbowała. To kłamstwa zostawiają największe blizny, wywołują nieufność. Ale patrzę na Willa i wiem, że nie mogę zniszczyć jego szczęścia. W tym momencie i tak nie ma niczego, co mogłabym mu powiedzieć.

– Nie zrozum mnie źle, tęsknię za Freyą – mruczy Will, nieświadomy mojego wzburzenia – ale to miłe, że nie muszę spać dziś w pokoju gościnnym.

A potem pokazuje mi, jakie to miłe, i zatracam się w naszej namiętności, odcinając się od świata. Już po wszystkim przywieramy do siebie i czuję przyjemność zmieszaną z bólem.

Will nie zasługuje na kogoś obciążonego takim bagażem. Muszę pożegnać się z Zachem.

* * *

– Alison? To ja. – Zakładam, że rozpozna mój głos, bo dzwonię do niej z komórki, a miała tylko numer do gabinetu.

– Mia. Cieszę się, że zadzwoniłaś. I to tak szybko. Czy to... czy to znaczy, że mi wierzysz?

– Sama nie wiem, w co wierzyć, Alison, ale chcę poznać prawdę.

Krążę po gabinecie i za każdym razem, gdy mijam okno, spoglądam na park w nadziei, że widok zieleni podziała na mnie kojąco. Pada deszcz, więc nie jest tam tak hałaśliwie jak zazwyczaj.

– Czy możemy się spotkać u mnie w domu? – pyta ona. – Dominic wyjechał, więc jest bezpiecznie.

Waham się. Czy naprawdę chcę to zrobić? Czuję, jakbym miała skoczyć z krawędzi klifu tysiąc metrów w dół.

– Okej, ale będę wolna dopiero za jakieś dwie godziny. Niedługo przychodzi do mnie pacjent.

Na szczęście mama Megan planuje zabrać dziewczynki do londyńskiego zoo dziś po południu i dopiero potem podrzuci Freyę do domu, więc mam kilka godzin dla siebie. A Will będzie na spotkaniach aż do szóstej po południu.

– Dzięki – mówi Alison. – Bardzo ci dziękuję.

* * *

Ich dom jest nieskazitelnie czysty, zimny i pozbawiony charakteru. Sama nie lubię zagraconych przestrzeni, ale nie mogłabym mieszkać w takim miejscu. Klinicznie białych ścian nie zdobią żadne obrazy, a podłoga z ciemnego drewna przyprawia o klaustrofobię. Mam wrażenie, jakbym nie była u kogoś w domu, lecz w gabinecie lekarskim czy szpitalu, w oczekiwaniu na jakiś nieprzyjemny zabieg.

– To nie ja zajmowałam się wystrojem – uprzedza Alison, gdy bierze ode mnie kurtkę. – Dominic ma bardzo szczególne wymagania. Nienawidzi jakiegokolwiek nieporządku. – Wzdycha. – Trudno utrzymywać to miejsce w czystości, ale teraz, gdy nie pracuję, mam dzięki temu jakieś zajęcie.

– Zrezygnowałaś z pracy? Dlaczego?

– Potrzebowałam przerwy, trochę czasu, by to wszystko uporządkować. Tak jest łatwiej. Na tym polega piękno pracy dorywczej.

– Dlaczego z nim zostałaś? – pytam. To nie pierwszy raz, gdy poruszam tę kwestię, ale ona wciąż nie dała mi sensownego powodu, dla którego skazuje się na takie

219

traktowanie. – Zwłaszcza że podejrzewasz go o skrzywdzenie Josie.

– Bo to jest moje życie. Owszem, jest pokręcone, ale to mój bałagan i nie potrafię sobie wyobrazić, żebym miała po prostu od niego odejść. Co bym zrobiła?

Chcę jej powiedzieć, że nie można tak patrzeć na życie, ale zanim zdążę się odezwać, ona kontynuuje:

– Ale wszystko się zmieniło, gdy zobaczyłam to zdjęcie. Chcę, żeby ten człowiek smażył się w piekle za to, co zrobił Josie, i za wszystko, co zrobił mnie. Chodź ze mną, chcę ci coś pokazać.

Rusza korytarzem, a ja idę za nią. Żołądek przewraca mi się do góry nogami. Jestem sama z kobietą, której prawdopodobnie nie powinnam ufać.

Gdy się zastanawiam, co chce mi pokazać, podciąga sweter i odsłania chudy tułów pokryty świeżymi czerwonawo-fioletowymi sińcami.

– Dominic zrobił to zeszłego wieczoru, zanim wyjechał. Na pamiątkę, powiedział, żebym nigdzie się nie ruszała.

Podbiegam do niej i łapię ją za rękę.

– Mój Boże, Alison! Nie możesz pozwolić, by cię maltretował.

– Nie wiem, co robić, Mio. Nie mam żadnych dowodów na to, że w jakikolwiek sposób skrzywdził Josie. Przeszukałam cały dom i jego komputer, i to kilkakrotnie, ale niczego nie znalazłam. Jak już mówiłam, nie mogę ryzykować pójścia na policję tylko z tym zdjęciem, bo wtedy jemu ujdzie to na sucho, a ja… ja skończę jak ona.

– Ale to i tak może się wydarzyć, Alison. Popatrz na siebie.

– Nie, nic z tego. Przepraszam, że marnowałam twój czas. Po prostu nie mogę udowodnić, że twój mąż się nie zabił.

Nie jestem impulsywna czy lekkomyślna. Zawsze starannie rozważam każdy krok, drobiazgowo analizując wszystkie za i przeciw, ale ta kobieta potrzebuje pomocy, i to szybko.

– Spakuj trochę rzeczy, zatrzymasz się u mnie. Później pomyślimy, jak ci pomóc, gdy już odizolujemy cię od Dominica.

Szczęka jej opada. Nie spodziewała się tego po mnie.

– Nie... nie mogę ci pozwolić tego zrobić. Nawet mnie nie znasz, to nie byłoby fair.

– Nie zostawię cię tutaj, Alison. Nie mogę ci nic obiecać, ale przynajmniej spróbuję zapewnić ci bezpieczeństwo na kilka dni, dopóki jakoś tego nie rozwiążemy.

Milczy tak długo, że myślę, iż znowu odmówi, ale w końcu powoli kiwa głową.

– Może, w takim razie... Tylko na kilka dni, dopóki nie obmyślę jakiegoś planu.

Podczas gdy ona rusza na górę, żeby spakować trochę ubrań, ja zaczynam krążyć po sterylnej kuchni i dzwonię do Pam.

– Przepraszam, że tak cię zaskakuję, Pam, ale muszę cię poprosić o ogromną przysługę. Czy moglibyście wziąć do siebie Freyę na kilka dni? Tylko do weekendu?

– Oczywiście. Czy wszystko w porządku, Mio?

– Tak, przepraszam, wszystko w porządku, ale myślę, że byłoby dla niej dobrze, gdyby spędziła trochę więcej czasu z wami. Wiem, że czujecie się nieco samotni. A ja mam mnóstwo dodatkowej pracy, więc to naprawdę by mi pomogło.

Na szczęście Pam nie pyta, co dokładnie muszę zrobić, że wykracza to poza moje normalne godziny pracy.

– Cóż, pewnie. Uwielbiamy mieć ją tutaj. Ale na pewno nic się nie stało? Wszystko dobrze miedzy tobą a Willem, prawda?

– Jest świetnie. Bardzo się ucieszył, że was wczoraj poznał, dziękuję wam za to. A więc czy mogę podrzucić ją dziś wieczorem?

– Och, tak szybko? Hmm, tak, oczywiście. Zaraz przygotuję jej pokój.

Pam wie, że coś przed nią ukrywam; nie jestem na tyle niezorganizowana, żeby tak ich zaskakiwać. Ale jak mogę jej powiedzieć, że pozwalam, by jedna z moich pacjentek zatrzymała się u mnie na kilka dni? Ona nigdy by tego nie zrozumiała. Ale chociaż chcę zrobić wszystko, co w mojej mocy, żeby pomóc Alison i jednocześnie dotrzeć do sedna całej tej sprawy, nie pozwolę, by przebywała w pobliżu mojej córki.

20

Josie

Budzi mnie hałas. Zrywam się i wyskakuję z łóżka, zanim uświadomię sobie, że to Alison upuściła coś w łazience. Słyszę, jak nuci pod nosem coś pozbawionego melodii. Przypomina to gaworzenie dziecka.

Jest ósma rano i uświadamiam sobie, że wystawiła mnie do wiatru. Gotując się ze złości, że nawet nie spróbowała się wytłumaczyć, pędzę do łazienki. Nie zamierzam pukać.

– Co ty wyprawiasz? – piszczy, gdy wpadam do środka, chociaż nie jest nawet pod prysznicem, tylko właśnie zamierza myć zęby.

– Gdzie się wczoraj podziewałaś, do cholery?

Wyciska pastę na szczoteczkę.

– Nie wiem, o czym mówisz.

– Och, daj spokój! Powiedziałaś, że będziesz w domu o siódmej i że chcesz porozmawiać. Po co to zrobiłaś, skoro nie zamierzałaś się pojawić? Co to za głupia gra, Alison?

Obraca się na pięcie.

– Josie, o czym ty mówisz? Ja cię nawet wczoraj nie widziałam.

Ta dziewczyna jest popieprzona.

223

– Dlaczego kłamiesz? Czekałaś na mnie na parkingu uniwersyteckim po południu i powiedziałaś, że chcesz porozmawiać.

– Och, Josie, musiałaś za dużo wypić czy coś. Wczoraj nawet nie byłam na uniwerku. Nie miałam żadnych wykładów, więc spędziłam cały dzień i wieczór z przyjaciółką z czasów szkolnych. – Osusza usta ręcznikiem. – Naprawdę nie mam pojęcia, o czym mówisz. Zresztą po co miałabym na ciebie czekać na parkingu, skoro mogłabym po prostu złapać cię tutaj?

Jej drwiący uśmieszek ostrzega mnie, że nie ma sensu protestować. To jedna z tych jej dziwnych rozgrywek i nic nie zdziałam.

– Masz rację – mówię. – Musiałam się pomylić.

Odwracam się, żeby wyjść.

– Mam nadzieję, że miło spędziłaś wieczór, Josie.

Nawet nie zawracam sobie głowy, żeby odpowiadać.

* * *

– Myślę, że moja współlokatorka o nas wie.

– Hola, Josie, chwileczkę! Co masz na myśli, mówiąc „o nas"? – Zach rozgląda się nerwowo, zanim zamknie za mną drzwi gabinetu.

– Chodzi mi o to, że wie, iż byłeś wczoraj u mnie.

– Skąd wiesz? Coś powiedziała?

– Nic nie powiedziała, ale po prostu wiem. Zachowuje się dziwnie. To znaczy nawet dziwniej niż zazwyczaj. Ten hałas, który usłyszeliśmy, to musiała być ona.

Zach siada za biurkiem i patrzy na mnie, żując końcówkę długopisu.

– Słuchaj, wiem, że za sobą nie przepadacie, ale może mogłabyś po prostu spróbować się z nią dogadać? Naprawdę

224

byłoby dobrze, gdyby nie zaczęła rozpowiadać plotek na mój temat. To mogłoby mi zaszkodzić, Josie. Wiesz o tym, prawda?

Ma rację. To nie fair, że został wciągnięty w moją potyczkę z Alison, zwłaszcza że naprawdę nic nie zrobił.

– Załatwię to, okej?

Ale Zach dalej marszczy brwi.

– Proszę, zrób to. Posłuchaj, traktuję cię teraz jak przyjaciółkę, Josie, myślę, że wiele nas łączy, a to rzadkość, ale wiesz...

– Wiem, Zach. – Nie musi mi literować, że nigdy nie staniemy się kimś więcej.

– W takim razie proszę, czy możesz się z nią pogodzić?

– Muszę już iść – mówię i odwracam się szybko, bo nie wiem, czy jestem wściekła, czy smutna.

* * *

Gdy wracam do domu, Alison siedzi zwinięta w kłębek na sofie i czyta książkę. Prostuje się nieco, gdy wchodzę. Ma się na baczności podobnie jak ja, kiedy tylko dochodzi między nami do kontaktu.

– Możemy porozmawiać? – pytam.

Staram się, by mój głos brzmiał łagodnie. Wiem, że czasami potrafię być szorstka, a nie chcę jej wytrącić z równowagi. Muszę rozbroić tę sytuację. Zach ma rację, nie zasługuje na to, żeby Alison szerzyła złośliwe plotki na jego temat, skoro nie zrobił nic złego, tylko próbował mi pomóc.

– O co chodzi? – pyta moja współlokatorka.

Odkłada książkę i zsuwa nogi z sofy.

Coś się w niej zmieniło. Dziś rano byłam za bardzo zaaferowana, żeby to zauważyć, ale jestem pewna, że już wtedy tak się zachowywała. Jest teraz bardziej pewna siebie. Przestała być bierną, cichutką dziewczyną, jaką była, gdy ją poznałam. A to dlatego, że ma na mnie haka. Ma coś, co mogłaby wykorzystać przeciwko mnie, gdyby tylko chciała.

Siadam obok niej, zmuszając się, żeby przez to przejść, chociaż nie ma ani jednej jej cechy, którą bym lubiła.

– Czy możemy, proszę, spróbować wyjaśnić sytuację między nami? Nie wiem jak ty, ale ja naprawdę mogłabym się obejść bez kłótni i napięć. Mamy wystarczająco dużo zmartwień z egzaminami, pracami domowymi i tak dalej. Jeśli to moja wina, to przepraszam, ale z pewnością istnieje sposób, żebyśmy mogły się dogadać... – Powstrzymuję się od dodania, że to jest dokładnie to, co ona proponowała mi dzień wcześniej. Muszę trzymać swój gniew na wodzy.

Alison marszczy nos i gapi się na mnie.

– A skąd ci się to wzięło, Josie? Zazwyczaj nie możesz znieść mojego widoku, więc jestem zaskoczona, że siedzisz tutaj i płaszczysz się, prosząc o moją przyjaźń.

– Chwileczkę, Alison, nie mówiłam nic o przyjaźni. Po prostu próbuję załagodzić sytuację między nami. Nie musimy być najlepszymi kumpelami, ale może postarajmy się zachowywać wobec siebie uprzejmie.

Jednak ona ignoruje wszystko, co powiedziałam.

– Ja mam przyjaciół, Josie. Mnóstwo przyjaciół. Nie potrzebuję ich więcej. Przykro mi, ale przyjaźń po prostu nie działa w ten sposób. Nie możesz jej wymusić. My nawet nie lubimy siebie nawzajem, prawda? Nic nie możemy z tym zrobić.

Jestem zbyt zszokowana, żeby się odezwać. Zszokowana, że mówi prosto z mostu, że jest taka asertywna i pewna siebie. Co się zmieniło? Czy to dlatego, że widziała tutaj Zacha? To musi być to. Teraz naprawdę ma nade mną przewagę.

– Zresztą – ciągnie dalej – najwyraźniej sama też dobrze sobie radzisz. Zdobywasz nowych przyjaciół...

– A co to ma niby oznaczać? – Nie potrafię już dłużej powstrzymać gniewu, mimo że właśnie tego chciała.

– Muszę już iść – mówi i wychodzi, ocierając się o mnie.

* * *

W barze jest głośno i tłoczno – dokładnie tego potrzebuję, żeby zagłuszyć wszystkich i wszystko. Mój mały braciszek jest w niebezpieczeństwie, Zach właściwie umył ręce, a dziewczyna, z którą muszę mieszkać, znajduje się na krawędzi psychozy. Zaczynam się śmiać, bo inaczej bym się rozpłakała, a do tego nie dopuszczę.

– Co jest takie zabawne? – pyta Vanessa.

Na razie siedzimy tutaj tylko we dwie, ale jestem pewna, że wkrótce dołączą do nas inni. Tak to jest z Vanessą. Zaprasza wszystkich, a kto się pojawi, ten się pojawi. Zazwyczaj nawet nie obchodzi jej, z kim pije, pod warunkiem że jest na mieście i dobrze się bawi. Myślę, że nawet gdyby siedziała tutaj sama, w ogóle by się tym nie przejęła.

– Życie jest zabawne – mówię, ale ona nie rozumie, o co mi chodzi, i patrzy na mnie pustym wzrokiem.

– Cóż, cokolwiek masz na myśli, uważam, że potrzebujemy kolejnego drinka. Ja stawiam. – Spieszy do baru i przechyla się przez blat, żeby zamówić następną kolejkę.

Otwarcie flirtuje z barmanem, ale on nie wydaje się nią zainteresowany. Vanessa to atrakcyjna dziewczyna, ale jest zdecydowanie zbyt nachalna, a do tego ma zadatki na alkoholiczkę.

Czy to nie hipokryzja z twojej strony, Josie? Uciszam ten głos i dopijam resztkę wódki. Nie będę jak Liv, mogę przestać w każdej chwili. Taa, wszyscy w to wierzą.

– Tamten koleś się na ciebie gapi – syczy Vanessa, stawiając nasze drinki na stole.

To ostatnie, czego potrzebuję, ale odwracam się, żeby zobaczyć, o kim mówi, żebym była przygotowana na spławienie go, gdyby do mnie podszedł. Znam tego kolesia. To Aaron. Oblech, w którym wciąż kocha się Alison. W przeciwnym razie dlaczego nadal miałaby mi za złe to, co się stało?

– Och, Boże, ja go znam. To kawał gnoja.

Wyciągam szyję, żeby zobaczyć, z kim siedzi. Spodziewam się, że to będzie jakaś dziewczyna, ale widzę tylko dwóch kolesi.

– Jak dla mnie wygląda w porządku – stwierdza Vanessa, unosząc szklankę w jego stronę i przywołując na twarz flirciarski uśmiech, który nie do końca jej wychodzi.

– Przestań. – Ciągnę jej ramię w dół i połowa malibu z colą chlusta na nas obie i na oparcie kanapy.

– Uups – woła Vanessa. – Lepiej zamówię następnego drinka!

– Może najpierw dokończ ten? Przyniosę ci następny później. Jest jeszcze wcześnie, nie?

Siada i gapi się na Aarona.

– A więc co jest z nim nie tak? Kiepski w łóżku?

Wydaje się jej to przezabawne i odrzuca głowę do tyłu. Moczy przy tym włosy w alkoholu, który właśnie rozlałyśmy.

Nie mam w tej chwili cierpliwości do jej idiotycznych zachowań. Przyjście tutaj było okropnym pomysłem, a teraz Aaron gapi się na mnie, prawdopodobnie knując jakąś zemstę, najwyraźniej tak jak wszyscy.

– Vanessa, jesteśmy umówione z kimś jeszcze dziś wieczorem? – Potrzebuję kogoś, kogokolwiek, kto odciągnąłby jej uwagę ode mnie.

– Och, pewnie tak, kto wie. – Wzrusza ramionami i bierze tak duży haust drinka, że połowa wylewa się jej z ust.

Patrzę na nią i widzę swoje odbicie. Tak wyglądam, gdy za dużo wypiję i już nic mnie nie obchodzi. Nie jest to piękny widok, ale i tak wciąż tu ląduję. Muszę przestać. Wyniosę się stąd, gdy tylko pojawi się ktoś, kto się nią zajmie.

– No dalej, dziewczyno, twoja kolej – woła Vanessa, dopijając swoje malibu i trzaskając szklanką o blat stołu. – Coś wolno ci dzisiaj idzie.

Czuję ulgę, gdy uciekam do baru, ale kiedy zamawiam drinki, przez cały czas czuję na sobie wzrok Aarona. Odwracam się, a on gapi się na mnie z gniewnym grymasem na twarzy. Posyłam mu uśmiech i odwracam się z powrotem do barmana. Dla siebie zamówiłam colę.

Na szczęście gdy wracam do Vanessy, wokół stolika tłoczy się już troje jej znajomych. Poznałam ich wcześniej, ale pamiętam tylko, że jedna z dziewczyn być może nazywa się Holly. Ale gdy teraz na nią patrzę, jestem pewna, że źle zapamiętałam. Wypiłam zdecydowanie za dużo. Chcę jak najszybciej wytrzeźwieć.

Tylko po to, żeby udowodnić, że nie jesteś jak Liv? Kogo ty próbujesz nabrać?

Siedzę z nimi jeszcze przez kilka minut, a gdy wszyscy zagłębiają się w rozmowie, wymykam się. Żadne z nich tego nie zauważa.

– Już wychodzisz? – Aaron łapie mnie za ramię, gdy mijam jego stolik.

Wyrywam mu się.

– Trzymaj łapy przy sobie, do cholery!

Unosi ręce w przepraszającym geście.

– Już dobrze, uspokój się. Próbowałem być miły.

– Pewnie, że tak – prycham. – Wszyscy wiemy, jak dobrze ci wychodzi bycie miłym. – Niemal wypluwam z siebie to ostatnie słowo.

Już chcę odejść, gdy wpadam na pewien pomysł. Chociaż Alison zachowywała się dziwacznie, jeszcze zanim Aaron pojawił się na horyzoncie, nie mam wątpliwości, że to incydent z tym gnojem w roli głównej stał się przyczyną jej nienawiści do mnie. Ona wciąż myśli, że to była moja wina. Teraz mam szansę, by spróbować to naprawić.

Bez słowa dosiadam się do Aarona, ignorując obleśne uśmieszki jego kumpli.

– A więc powiem ci, co zrobię, Aaron. Dam ci szansę coś naprawić, udowodnić, że masz w sobie chociaż odrobinę przyzwoitości.

Uśmiech znika z jego twarzy. Czerpię przyjemność z tego, jak łatwo go obraziłam.

– Niby co miałbym zrobić? Chyba się domyślam.

– Alison musi poznać prawdę. Tamtego wieczoru, gdy byłeś w naszym mieszkaniu, próbowałam ją chronić, stanęłam w jej obronie. Ty o tym wiesz i ja o tym wiem. Właściwie to ona jest jedyną osobą, która tego nie pojmuje. Więc musisz powiedzieć jej prawdę. Twierdziłeś, że byliście przyjaciółmi, więc dlaczego potraktowałeś ją tak źle?

Aaron gapi się na mnie i sięga po swoją butelkę z piwem. Przez ułamek sekundy myślę, że rozbije mi ją na twarzy, i odruchowo się cofam. Ale on tylko pociąga łyk i na szczęście nie zauważa mojej reakcji.

– Słuchaj, mam gdzieś całe to gówno. Skończyłem z Alison. Ona jest... Powiedzmy po prostu, że ma trochę nierówno pod sufitem.

Na te słowa mimowolnie znowu odzywa się we mnie instynkt opiekuńczy, mimo tego, co zrobiła Alison, mimo jej niechęci do mnie.

– Wszystko z nią w porządku. I ufała ci, więc nie bądź gnojkiem.

Milczy bardzo długo i widzę, że szuka jakiejś riposty, zerkając na kumpli w poszukiwaniu inspiracji albo wsparcia, ale w końcu się poddaje.

– Okej, jak chcesz. Zadzwonię do niej kiedyś.

I to by było na tyle. Ustąpił mi. To było łatwiejsze, niż myślałam. Zrywam się, przeszczęśliwa, że mogę uciec od niego i tego miejsca.

– Niech to „kiedyś" nadejdzie wkrótce.

Ale gdy idę na przystanek autobusowy, zastanawiam się, czy postąpiłam słusznie. A może właśnie jeszcze pogorszyłam swoją sytuację?

21

Mia

Po tym wszystkim, co zrobił Zach, wiem, że lepiej mówić prawdę, gdy tylko jest to możliwe, niezależnie od tego, jaka byłaby trudna; jedyny wyjątek to sytuacja, gdy trzeba kogoś chronić. To właśnie dlatego do tej pory nie wspomniałam Willowi o Alison. Ale chociaż wciąż nie mogę mu wyjawić, kim dokładnie jest ta kobieta ani co powiedziała mi o Zachu, nie chcę go okłamywać jeszcze bardziej.

Więc teraz siedzę w samochodzie pod domem Alison, podczas gdy ona się pakuje, i mówię mu przez telefon tyle, ile mogę.

– Nie rozumiem – burzy się. – Ta kobieta jest twoją pacjentką? A ty pozwalasz jej się zatrzymać w swoim domu? To po prostu szalone, Mio. Myślę, że popełniasz ogromny błąd.

Wciąż nie mogę całkowicie zaufać Alison, ale te siniaki nie wyglądały, jakby sama je sobie nabiła. A gdy u mnie zamieszka, będę mogła ją obserwować i spróbować ustalić, czy mówi prawdę o wydarzeniach tamtego wieczoru, czy może naprawdę cierpi na urojenia.

– To nie do końca obca osoba – tłumaczę Willowi. – Znała kiedyś Zacha. I usłyszała, że jestem terapeutką, więc zgłosiła się do mnie po pomoc. Nie mogę ci podać szczegółów, ale muszę zapewnić jej ochronę przed partnerem. Nie jest gotowa, żeby zostać sama, Will, więc to jedyny sposób, żeby zabrać ją od niego. Z pewnością potrafisz to zrozumieć?

Will milczy długo, a potem wzdycha ciężko.

– Właściwie to nie. Rozumiem tylko tyle, że prosisz się o kłopoty. Nie podoba mi się to, Mio. To brzmi... niebezpiecznie. Ledwo ją znasz, nawet jeśli była znajomą Zacha. I jeszcze ten jej mąż...

– Partner. Nie są małżeństwem.

– Cóż, tak czy inaczej to naprawdę nie jest dobry pomysł. Z pewnością istnieją miejsca, do których mogłaby się udać? Musi mieć rodzinę. Przyjaciół. A jeśli nie, to czy nie może po prostu zatrzymać się w hotelu?

Mówię mu, że nie wspomniała o nikim bliskim, kto mógłby jej pomóc, i zapewniam, że nic mi nie grozi, chociaż wiem, że to go nie uspokoi.

– Nie mogę po prostu zostawić jej w hotelu, Will. I to ona jest w niebezpieczeństwie, nie ja. Nie mogę się od niej odwrócić, prawda?

On wzdycha.

– Nie, chyba nie możesz. Nie jesteś taka. Rozumiem to, po prostu mam nadzieję, że wiesz, co robisz. Proszę, bądź ostrożna.

– Będę. Przestań się martwić. Wszystko będzie dobrze.

Nie jest przekonany.

– Czułbym się lepiej, gdybym mógł ją poznać. Może wpadnę dziś po pracy?

– Nie wiem, Will. Ona może nie być gotowa na coś takiego. Ale zobaczę. Muszę szybko wrócić do domu i spakować kilka rzeczy dla Frei, zanim mama Megan ją podrzuci. Pam i Graham zabiorą ją dziś wieczorem do siebie na kilka dni.

– Och… – dziwi się Will. – Nie zdawałem sobie sprawy, że taki jest plan.

– Ustaliłam to z nimi dosłownie przed chwilą – wyjaśniam, ale nie rozwodzę się nad przyczyną. Będzie się zamartwiał jeszcze bardziej, jeśli usłyszy, że nie chcę, by Freya przebywała w towarzystwie Alison. – Tak będzie najlepiej dla wszystkich – dodaję, gdy nie odpowiada.

– Naprawdę mi się to nie podoba, Mio. Jesteś pewna, że wiesz, co robisz?

– Ona potrzebuje mojej pomocy, Will. Nie mam wyboru. Gdybyś wiedział, przez co przeszła…

– Po prostu bądź ostrożna, w porządku?

Zanim się pożegnamy, obiecuję, że porozmawiam z Alison o jego wieczornej wizycie.

Właśnie chowam telefon, gdy rozlega się głośne stukanie w szybę. Nawet nie zauważyłam, kiedy Alison wyszła z domu, więc przeżywam szok, gdy widzę, jak stoi obok i się na mnie gapi.

– Nie zmieniłaś zdania? – pyta, gdy wysiadam, żeby pomóc jej z bagażami.

Na chodniku stoją dwie duże torby i mała walizka. Zdecydowanie za wiele jak na kilka nocy. Mimo gorąca przeszywa mnie lodowaty dreszcz. Czuję, jakbym trzęsła się od środka. Co ja wyprawiam?

– Oczywiście, że nie. Chodź, zbierajmy się, na wypadek gdyby Dominic wcześniej wrócił.

* * *

– To dziwne, znaleźć się tutaj – mówi Alison, gdy docieramy na miejsce. – Wyobrażałam sobie, jak może wyglądać reszta twojego domu, ale nie tego się spodziewałam.

Te słowa wytrącają mnie z równowagi, ale staram się jej to wybaczyć. Po prostu próbuje podtrzymać niezobowiązującą rozmowę, żeby wypełnić tę dziwną pustkę między nami.

Żadna z nas nie mówiła za wiele w trakcie jazdy, ale powiedziałam, żeby nie przejmowała się moim milczeniem, że po prostu muszę się skupić na prowadzeniu auta. A tymczasem zastanawiałam się, czy zmieniła zdanie i już planuje, jak mi powiedzieć, że chce wrócić do Dominica. Do życia, które, jak twierdzi, tak rozpaczliwie pragnie porzucić.

– Dobrze się czujesz? – pytam. – Wiem, że to dla ciebie wielki krok.

Muszę robić, co w mojej mocy, żeby ją uspokoić, żeby pokazać jej, że jest tutaj bezpieczna, chociaż nie może zostać u mnie za długo. Ale mogę jej pomóc w odnalezieniu własnej drogi, bez mężczyzny, który się nad nią znęca.

– To trochę dziwne. Ale dziękuję ci, Mio. Ty też musisz się dziwnie czuć.

– Nie będę udawać, że nie. Nie sądziłam, że kiedykolwiek zrobię coś takiego.

– Cóż, Zach powiedziałby, że postępujesz właściwie, prawda? Sprawiał wrażenie dobrego człowieka.

Szok wywołany tym, że tak swobodnie przywołuje jego imię, odbiera mi mowę. Ale nie mogę zapominać, że to po części z jego powodu chciałam, by się tu zatrzymała.

– Och, przepraszam. Ja... To było odrobinę niedelikatne z mojej strony – mówi. – Chodziło mi po prostu o to, że zrozumiałby, że chcesz komuś pomóc, nawet w tak nietypowej sytuacji, prawda?

Kiwam głową, ale mam wątpliwości, czy postąpiłam właściwie. W jednej chwili jestem przekonana, że nie, a w następnej, że nie miałam innego wyboru. Ale potem przypominam sobie sińce na jej ciele i to utwierdza mnie w przekonaniu, że muszę doprowadzić to wszystko do końca. Muszę nie tylko chronić Alison – jeśli mówi prawdę – lecz także ustalić, co wie o Zachu. Jeśli faktycznie coś wie.

* * *

Jest niemal ósma wieczorem, gdy Pam i Graham przyjeżdżają po Freyę. Była odrobinę zaskoczona, gdy powiedziałam jej, że spędzi z nimi jeszcze kilka dni, ale szybko ogarnęła ją ekscytacja związana z wyjazdem. Jestem pewna, że perspektywa spania z kotem w łóżku przez całą noc miała na to znaczący wpływ.

A teraz zostałam w domu sama z Alison.

– Twoja córka jest naprawdę urocza – mówi, gdy tylko wyprawiam ich wszystkich w drogę.

Kiwam głową.

– Mam ogromne szczęście.

– Przypomina Zacha, prawda? Ma jego jasne włosy i oczy.

– Tak, zawsze była bardziej podobna do niego niż do mnie. – Co stanowiło dla mnie źródło bólu w miesiącach po śmierci Zacha, gdy nieustannie spoglądałam w jego lustrzane odbicie.

Alison idzie za mną do kuchni.

– Ja nie potrafię sobie wyobrazić posiadania dzieci. To znaczy, chciałabym je kiedyś mieć, ale jeszcze tego nie widzę. Właściwie to nie sądzę, żebym była dobrą mamą.

– Cóż, to zrozumiałe. Wciąż jesteś młoda. W twoim wieku ludzie często nie widzą w swoim życiu miejsca na dziecko.

Chichocze.

– Młoda. To kwestia relatywna, prawda? Pamiętam, jak czułam się staro, gdy miałam dwadzieścia jeden lat.

Dwadzieścia jeden. Wiek, w którym była Josie Carpenter, gdy poznała Zacha. Wiek, w którym była Alison, gdy dziewczyny zamieszkały razem. Wstrząsa mną dreszcz.

– Cóż, uwierz mi, Alison, nie jesteś stara. A nawet jeśli tak się czujesz w wieku dwudziestu sześciu lat, to gdy dotrzesz do trzydziestki, będziesz żałować, że marnowałaś czas na takie myśli.

Patrzy na mnie przez chwilę.

– Masz rację. Właśnie na tym polega problem z życiem, czyż nie? Tak trudno jest znaleźć właściwy punkt widzenia.

Odwracam się i zaczynam przeglądać szafki w poszukiwaniu czegoś, co mogłabym nam ugotować na kolację. To dziwne uczucie: rozmawiać z tą kobietą – od której dzieli mnie dwanaście lat życia i o wiele więcej niż tylko wiek – jakbyśmy były bliskimi przyjaciółkami. Ona wciąż jest dla mnie obcą osobą, mimo że Zach nas w jakiś sposób połączył.

– To prawda, ale trzeba się starać zachowywać pozytywne nastawienie – mówię. – Na tyle, na ile to możliwe. – Wyciągam paczkę makaronu. – Co powiesz na spaghetti bolognese na kolację?

– Och, dzięki, Mio, ale naprawdę nie jestem głodna. To był ciężki dzień.

Przyglądam się jej szczupłej sylwetce i bladej skórze.

– Musisz coś zjeść, Alison.

– Nie mam za dużego apetytu. Gdy gotuję dla Dominica, a on narzeka tak bardzo, że w końcu jedzenie się marnuje, potem ja nie mam ochoty na swoją porcję. Więc zazwyczaj robię sobie kanapkę, gdy on już pójdzie spać.

– Twoje życie nie będzie tak dłużej wyglądać. Zjemy coś, a potem musimy porozmawiać o tym, co dalej.

– Wiem. – Wzdycha i rozgląda się dookoła. – To po prostu takie miłe uczucie, być tutaj. Z dala od niego, jakbym była w innym świecie. Chcę to wszystko zapamiętać.

Jej dobór słów mnie niepokoi. „Chcę to wszystko zapamiętać". Mój dom? Moje życie? Muszę być ostrożna. Zawsze czujna, zawsze krok przed nią.

Chociaż twierdziła, że nie jest głodna, pałaszuje jedzenie, które przed nią stawiam, i prawie nie odzywa się między kęsami. Ja ledwie tknęłam swoje, bo nadal nie czuję się komfortowo w tej sytuacji. Obie unikamy wspominania o Zachu i o tym, co sprowadziło do mnie Alison tamtego pierwszego dnia. Wiem, dlaczego ja nie mam ochoty o tym mówić, ale nie jestem pewna, z czego wynikają jej opory. Dopiero co błagała, żebym pomogła jej udowodnić, że to Dominic skrzywdził Josie.

– Czy znasz byłą żonę Dominica, Elaine? – pytam nagle, a ona niemal dławi się jedzeniem.

Przerywa posiłek i odkłada widelec.

– Widziałam ją kilka razy. A co?

– Po prostu zastanawiałam się, czy wiesz, jaką ona jest osobą? Jak wyglądało ich małżeństwo?

– Zdawała się... bardzo asertywna. Jakby wiedziała dokładnie, czego chce. Ale trudno powiedzieć, gdy ma się zaledwie parę chwil na dokonanie oceny, prawda? A jeśli chodzi o ich małżeństwo, Dominic nigdy o nim nie wspomina. Odmawia dyskutowania na ten temat. Mówi, że przeszłość należy do przeszłości. Prawdopodobnie chce przez to powiedzieć, że to nie moja sprawa. Dlaczego pytasz, Mio? Ty ją znasz?

– Nie. Ale zastanawiałam się, czy wobec niej też stosował przemoc fizyczną...

Zgadzam się z Alison co do Elaine. Nie zrobiła na mnie wrażenia osoby, która pozwoliłaby sobą pomiatać. Jeśli już, wyglądała, jakby to ona sprawowała kontrolę w ich związku. Chociaż pozorna pewność siebie potrafi wiele zamaskować.

Alison gapi się na makaron nawinięty na widelec.

– Nie sądzę, by to robił. Elaine zapewne by mu na to nie pozwoliła. Ale nie powiedziałby mi o tym, prawda? A ludzie się zmieniają, czyż nie? Może nie zawsze był agresywny. Może... może ja to w nim wyzwoliłam.

– Posłuchaj mnie, Alison. To nigdy nie jest wina ofiary. Nigdy.

– Wiem. Po prostu nigdy nie sądziłam, że skończę w takim związku.

– Nikt tak nie myśli. Ale teraz, gdy już wiesz, że w nim jesteś, możesz wprowadzić pewne zmiany.

Alison się śmieje.

– Jesteś terapeutką nawet po godzinach, prawda? Ale masz rację. Wszystko, co mówisz, jest zawsze takie... rozsądne. Nie da się temu zaprzeczyć. Dziękuję ci raz jeszcze za wszystko, co dla mnie robisz. Ale... – Urywa. – Jednego nie rozumiem.

– Czego?

– Nie chcesz poznać prawdy na temat śmierci swojego męża?

– Chcę, ale potrzebuję dowodu. Przeszłam już zbyt wiele, żeby teraz niepotrzebnie robić sobie nadzieję. Spędziłam pięć lat, wierząc, że Zach mnie zdradził i, co gorsza, że najprawdopodobniej zamordował tamtą dziewczynę, więc o ile nie zobaczę solidnego dowodu na to, że było inaczej, nie chcę rozdrapywać starych ran. Dopiero co pogodziłam się z tym, co się wydarzyło, i nie chcę na nowo tego przeżywać. Nie mogę tego zrobić ani sobie, ani Frei.

– Ale to zdjęcie na komputerze Dominica... Sama powiedziałaś, że nie ma sposobu, żeby to wyjaśnić.

– Chodziło mi o to, że żaden nie przychodzi mi do głowy. Co nie znaczy, że jakiś nie istnieje. Potrzebuję czegoś więcej, Alison. Wiem, że rozmawiałaś z Zachem i zaufałaś mu w wyniku tej krótkiej rozmowy, ale nie mogę się opierać jedynie na twoim instynkcie. Mam nadzieję, że to rozumiesz. To, że Zach mnie kochał, nie oznacza, że nie mógł mnie zranić. Czy Josie Carpenter.

Zapada między nami długie milczenie, podczas gdy ona trawi moje słowa. Wyczuwam jej rozczarowanie. Nie mówię tego, co chciałaby usłyszeć, i nie potrafi zrozumieć, dlaczego nie rzucam wszystkiego, żeby szukać dowodów. Bo ja wiem, co się wydarzyło. Czuję to całą sobą. Ale ona nigdy tego nie zrozumie.

– Alison, jeśli istnieje jakikolwiek dowód na to, że Zach tego nie zrobił, to będę najszczęśliwszą kobietą na ziemi. I pójdę z tym prosto na policję. Ale po prostu nie rozumiem, jak mogłabym ci pomóc w odnalezieniu czegoś takiego.

Raz jeszcze wyczuwam jej rozczarowanie.

– Jestem pewna, że jeśli mi pomożesz, uda nam się to zrobić. Ja po prostu wiem, że Dominic jest w to jakoś zamieszany, Mio.

Im dłużej jej słucham, tym wszystko staje się jaśniejsze. Tu wcale nie chodzi o Zacha. Alison tak rozpaczliwie chce znaleźć sposób na uwolnienie się od Dominica, że pragnie, by okazał się winny. Tak bardzo, że prawda nie ma dla niej znaczenia i nic jej nie powstrzyma.

– Myślę, że możemy zrobić tylko jedno, Alison. Musimy pójść na policję z tym zdjęciem, a jednocześnie zgłosić to, co zrobił ci Dominic. To jedyna pomoc, jaką mogę ci zaoferować.

Długo siedzi w milczeniu i nie mam pojęcia, jak zareaguje. Gdy wreszcie się odzywa, jej odpowiedź mnie zaskakuje:

– Okej, pewnie masz rację. Muszę pokazać to zdjęcie policji. Ale jesteś na to gotowa? Na powrót do przeszłości? Bardzo możliwe, że wznowią śledztwo?

Kiwam głową. Nie myślę o niczym innym, od kiedy pokazała mi to zdjęcie. Od kiedy przyszła na to pierwsze spotkanie.

– Nie mamy wyboru, Alison. Sądzę, że obie potrzebujemy odpowiedzi. Ale z drugiej strony będziesz musiała przyznać się, że byłaś tam tego wieczoru i rozmawiałaś z Zachem. Czy ty jesteś na to gotowa?

To ją ucisza i wiem, że w myślach odgrywa ze sto różnych scenariuszy.

– Tak – mówi w końcu. – Zrobię, co będę musiała.

Zadowolona, że najwyraźniej robi duże postępy, pytam ją, czy mogę jeszcze raz spojrzeć na to zdjęcie. Gdy pokazała mi je po raz pierwszy, byłam zbyt zszokowana, ale teraz muszę przyjrzeć mu się znowu, chociaż nie spodziewam się, żeby dostarczyło mi jakichkolwiek odpowiedzi.

Alison idzie do przedpokoju po swoją torebkę. Gdy wraca, przegląda zawartość telefonu, ale marszczy brwi.

– Co się stało? Masz jakieś wieści od Dominica? Co pisze?

Ale ona potrząsa głową.

– Nie, to nie to. Chodzi o nagranie wideo… nie ma go. Ono zniknęło, Mio!

22

Josie

Tygodnie mijają i powoli staje się jasne, że Aaron nie rozmawiał z Alison. Nie chciało mu się postąpić przyzwoicie i przyznać, że jej broniłam. Wiem o tym, bo nic się nie zmienia. Jeśli już, to jej chłodne, dziwaczne zachowanie tylko się nasila.

Z mojego pokoju giną różne rzeczy, ale ignoruję to. Jestem zbyt pochłonięta zamartwianiem się o Kierena i groźbami Richarda, żeby znaleźć czas na rozwiązywanie problemów z Alison. Zresztą i tak nie trzymam tam niczego, na czym by mi zależało. Z rzeczy osobistych mam tylko obrazek, który narysował dla mnie Kieren na pożegnanie, zanim wyjechałam. Ale pilnuję, by mieć go przy sobie przez cały czas. Ona nigdy go nawet nie zobaczy.

Właśnie jestem w pracy, ale w kawiarni jest pusto, więc wyciągam rysunek z torby i uśmiecham się na widok dwóch patykowatych postaci wyprowadzających psa, którego nigdy nie mieliśmy. Ta, która ma być mną, ma dłuższe włosy – Kieren narysował to, zanim je ścięłam. Oboje mamy na twarzach ogromne zniekształcone uśmiechy, co było rzadkim widokiem w tamtym domu. Po raz kolejny stwierdzam, że to całkiem niezły rysunek jak na czterolatka, ale ważniejsze jest, co reprezentuje: marzenia Kierena. Zawsze chciał mieć psa – to było jedno z pierwszych słów, jakie wypowiedział – i pewnego dnia mu go kupię.

Chowam rysunek do torby. Powinnam zostawiać swoje rzeczy na zapleczu, ale Pierre'a dziś nie ma, a wkrótce i tak zamykamy, więc trzymam torbę na podłodze przy nogach.

Z łatwością mogłabym się zemścić i poszperać w rzeczach Alison, odpłacić jej za naruszanie mojej prywatności. Ale nie zamierzam zniżać się do jej poziomu. Z każdym dniem jest mi jej coraz bardziej żal.

Co do Zacha, to teraz jesteśmy sobie niemal obcy. Jego zabawa w udawanie mojego przyjaciela w jednej chwili i odcinanie się ode mnie w następnej naprawdę mnie denerwowała. Miałam tego dość; skończyłam z nim.

– Przepraszam? Poproszę gorącą czekoladę z podwójną bitą śmietaną.

Byłam tak pogrążona w myślach, że nie zauważyłam, jak ktoś wszedł do kawiarni.

– Przepraszam. Coś jeszcze? – Uśmiecham się do klienta, mimo że jestem wykończona i bardzo chciałabym już pójść do domu.

Wygląda znajomo, jest mniej więcej w moim wieku i ubiera się niezobowiązująco – w dżinsy, tenisówki i bluzę z kapturem. Nie przypomina odzianych w garnitury mężczyzn, którzy zazwyczaj zaglądają tu o tej porze. Jestem pewna, że go znam, ale nie potrafię stwierdzić skąd.

– Nazywasz się Josie, prawda?

Na dźwięk swojego imienia staję się czujna i odsuwam się nieco od lady. Komórka leży w torbie u moich stóp, ale nim zdążę ją wyciągnąć, wszystko może się zdarzyć.

243

– Jestem Craig. Chodzimy razem na zajęcia z kreatywnego pisania. – Wręcza mi dziesięciofuntowy banknot.

Odprężam się odrobinę.

– Ach, tak.

Ale nie przypominam go sobie z wykładów. Chodzi na nie mnóstwo studentów, a ja mam za dużo innych rzeczy na głowie, żeby na kogokolwiek zwracać uwagę.

– Nie przejmuj się, nie poczuję się urażony, jeśli mnie nie kojarzysz. Ja też tak naprawdę nie znam za wielu osób z tych zajęć. W każdym razie jak ci się podobają? – pyta, gdy wydaję mu resztę i zaczynam przygotowywać napój.

Mogłabym mu wyznać, że Zach otworzył mi oczy, sprawił, że zaczęłam postrzegać świat w inny sposób, ale oczywiście nie powiem żadnego z tych banałów.

– Są w porządku – rzucam tylko.

Craig kiwa głową.

– Szczerze mówiąc, mnie sprawiają trochę trudności. Po prostu nie jestem aż tak kreatywny. Myślałem, że jestem, zanim zacząłem studia, ale najwyraźniej nie. Naprawdę mnie to stresuje. Muszę zaliczyć ten rok.

Nie jestem pewna, dlaczego mówi mi to wszystko, skoro rozmawiamy po raz pierwszy, ale to miła odmiana. Przyzwyczaiłam się do kolesi, którzy udają, że są nie wiadomo kim, więc fajnie jest usłyszeć, że ktoś przyznaje się do tego, że nie należy do ideałów.

– Cóż, powinieneś porozmawiać z Zachem Hamiltonem – radzę mu. – Jest spoko.

– Tak, wiem. Ale on i tak już bardzo mi pomógł, więc naprawdę nie chcę mu znowu zawracać głowy. Ten koleś chyba ma jakieś życie poza uniwerkiem!

Te słowa nie powinny mnie zaboleć, a jednak tak się dzieje. Wiem, że Zach daje z siebie wszystko jako wykładowca, i nie powinnam być zaskoczona, że nie jestem jedyną osobą, której pomógł, ale przez to czuję się jakoś mniej... jakaś. Wyjątkowa? Boże, jestem żałosna.

– Cóż, jeśli cię to pocieszy, ja też nie do końca uważam całe to studiowanie za łatwe. Szczerze mówiąc, większość zajęć przerasta moje możliwości. Ale wiesz co? Nie zamierzam się poddawać. Skończę studia, żeby nie wiem co. Zawsze istnieje sposób, żeby osiągnąć to, czego się chce... – Urywam. – Przepraszam, jeśli za bardzo ci nie pomogłam.

Craig się uśmiecha.

– Nie, właśnie że pomogłaś. Masz rację. Dzięki. Może po prostu potrzebowałem kopa w tyłek. Muszę przestać myśleć o tym, że nie dam rady, i skupić się na... po prostu na działaniu.

– Proszę. – Wręczam mu gorącą czekoladę. Czuję się dobrze na myśl o tym, że może go trochę zmotywowałam. – Mam nadzieję, że znajdziesz jakieś wolne miejsce.

Odwraca się i wybucha śmiechem, rozglądając się po pustej sali.

– Zawsze jest tu tak spokojnie? Nigdy wcześniej tu nie byłem.

Zniżam głos, chociaż poza nami nikogo tu nie ma.

– Nazywam to martwą godziną. Większość ludzi spieszy się z pracy do domu, a studenci dawno już sobie poszli, więc to bez sensu, że mamy otwarte. Ale nie mów tego mojemu menedżerowi.

Craig puszcza do mnie oko, potem dziękuje mi za czekoladę i patrzę, jak rusza do stolika w kącie. Wydaje się w porządku. Może powinnam poznać więcej ludzi z moich zajęć, zamiast skupiać całą uwagę na Zachu. Ale potem myślę o Alison i postanawiam, że lepiej będę się trzymać z dala od innych.

Zbliża się pora zamknięcia, a Craig wciąż tam tkwi, chociaż przez ostatnie dziesięć minut dawałam mu do zrozumienia, że powinien się zbierać. Ale trochę mi go żal, gdy widzę, jak siedzi z notatkami z wykładów rozłożonymi na blacie i długopisem zawieszonym nad kartką papieru, która jest pusta, od kiedy ją wyciągnął.

Daję mu trochę więcej czasu i zaczynam sprzątać stoliki.

– Mogę ci jakoś pomóc? – pyta.

Wygląda na zdesperowanego, by zająć się czymkolwiek innym niż swoją pracą pisemną.

– Nie, Pierre by mnie zabił. To mnie płaci, więc powinnam to zrobić sama. Pewnie siedzi w domu i obserwuje lokal przez kamerę przemysłową.

Nie jestem pewna, dlaczego to mówię, skoro w środku nie mamy kamer, ale na zewnątrz jest ciemno, a ja znajduję się tu z Craigiem sam na sam, więc być może to mój instynkt stara się mnie chronić po tym, co mnie spotkało.

Craig kiwa głową.

– To ma sens. A więc czy mogę ci zadać osobiste pytanie?

Serce mi zamiera. No i proszę. Ten koleś jest pewnie takim samym oblechem jak Aaron i wszyscy inni, których do tej pory spotkałam. Tylko czekał, żeby zaprosić mnie na drinka czy coś. Jego gadka umęczonego studenta to był zwykły kamuflaż.

– Jakie? – pytam.

W moim głosie pobrzmiewa irytacja.

– Hmm... gdy rozmawiałem z Zachem, on, eee, tak jakby powiedział, że powinienem pogadać o pisaniu opowiadań z tobą. Powiedział, że dostałaś u niego jedną z najwyższych ocen, jakie wystawił w swojej karierze. A ja chyba potrzebuję inspiracji. Tak jak mówiłem, nie sądzę, żebym był kreatywny.

– Zach powiedział coś takiego? – Próbuję stłumić uśmiech, ale w brzuchu trzepoczą mi irytujące motylki.

– Tak. Poświęcił mi już tyle czasu i myślę, że ma dużo na głowie również w domu, ale ewidentnie jest pod wrażeniem twojego pisarstwa i uważa, że mogłabyś mi pomóc.

Jestem tak podekscytowana komplementem Zacha, że nie docierają do mnie kolejne słowa Craiga.

– Naprawdę nie wiem, do czego mogłabym się przydać.

– Może po prostu moglibyśmy kiedyś pogadać czy coś, jeśli będziesz miała chwilę? Dam ci swój numer. – Odrywa kawałek kartki z notesu i gryzmoli na niej. – Lepiej już pójdę, muszę być w pracy za godzinę. Późna zmiana u bukmachera.

Patrzę, jak wychodzi, i zdaję sobie sprawę, że wciąż się uśmiecham. Głównie z powodu tego, co powiedział Zach, ale również dlatego, że wydaje mi się, iż Craig może być całkiem przyzwoitym facetem.

* * *

Gdy docieram do domu, w mieszkaniu jest jak zwykle lodowato. Przyzwyczaiłam się już do tej żałosnej sztuczki Alison i zazwyczaj ją ignoruję, ale dziś wieczorem kończy mi się cierpliwość.

Maszeruję w stronę jej sypialni, ale zatrzymuję się, gdy słyszę swoje imię.

– Po prostu nie mogę jej znieść. Ciarki przechodzą mi po plecach, gdy ona tu jest. Odliczam już dni do wakacji.

Zapada cisza i przez jakiś czas nikt się nie odzywa, więc uświadamiam sobie, że Alison musi rozmawiać przez telefon. Opieram się o ścianę przy jej drzwiach i nasłuchuję.

– To jakaś wariatka czy coś. Wiecznie zmyśla. Nie mogę jej ufać... Ale wiem o niej różne rzeczy... ona nawet nie ma pojęcia jakie. Niewiarygodne rzeczy... Nie, jeszcze nie, ale zrobię to.

Chodzi teraz po pokoju. Słyszę, jak szura stopami po dywanie.

– Nawet nie wiem, jak zdołała dostać się na studia. Mucha ma więcej inteligencji niż ona, to miernota.

Pora odejść. Nie muszę dłużej słuchać jej słów; nic z tego nie jest prawdą, a te komentarze świadczą gorzej o niej niż o mnie, ale nie mogę nic poradzić na to, że mnie zabolały.

Myślę o tamtej butelce dżinu w salonie. Wzywa mnie, ale nie posłucham jej wołania; nie będę tą osobą, którą jestem według Alison i całej reszty. Idę prosto do swojego pokoju, nie mając pojęcia, jak spędzę resztę wieczoru.

Nauka to jedyne, co mi pozostało, ale mam odrobione wszystkie prace domowe. Rozpaczliwie szukam czegoś, co pomogłoby mi stłumić samotność, więc zaczynam przepisywać nagryzmolone w pośpiechu notatki z wykładów. Nie muszę tego robić, są czytelne, ale dzięki temu uda mi się zabić kilka godzin, zanim będę mogła położyć się spać.

Vanessa przysyła mi esemes z zaproszeniem na imprezę, ale nie odpowiadam i usuwam wiadomość. A potem kasuję jej numer telefonu. Na wypadek gdyby zaczęło mnie kusić.

Kładę się do łóżka niedługo potem. Każdy centymetr mojego ciała walczy ze zmęczeniem i izolacją. Jak to możliwe, że nieobecność jednego człowieka mogła zostawić tak dużą lukę w moim życiu, skoro znam go tak krótko?

Nie mogę pozwolić, by mnie to osłabiło. Muszę się podnieść.

Bez namysłu sięgam po telefon i piszę: „Spotkajmy się kiedyś".

Craig odpowiada po kilku sekundach.

23

Mia

Nie mogłam usnąć tej nocy. Pewnie, że nie mogłam. Jak nagranie wideo ze zdjęciem Josie Carpenter mogło tak nagle zniknąć z telefonu Alison? Upierała się, że to Dominic musiał je usunąć.

– Czy on zna hasło do twojego telefonu? – zapytałam.

Spodziewałam się potwierdzenia. To naturalne, że ktoś tak dominujący ma kontrolę nad telefonem partnera. Ale odpowiedź Alison mnie zaskoczyła:

– Nic mi o tym nie wiadomo. Nigdy mu go nie podałam. Gdybym to zrobiła, nie trzymałabym nagrania w komórce. Nie ma mowy. Przesłałabym je w jakieś bezpieczne miejsce. Ale przypuszczam, że mógł kiedyś podejrzeć, jak wstukuję hasło, i je zapamiętać.

– A kiedy po raz ostatni widziałaś tam to nagranie? – Próbowałam ją podpuścić, przekonać się, czy można jej zaufać, ale jej słowa nie pozwoliły mi tego rozstrzygnąć.

– Gdy pokazywałam je tobie – odparła. – Ale to było zaledwie kilka dni temu. Jak mogło zniknąć w tym czasie?

Poprosiłam ją, żeby sprawdziła porządnie, więc spędziła jeszcze trochę czasu nad telefonem, ale ostatecznie nagranie przedstawiające zdjęcie Josie na komputerze Dominica zniknęło, a Alison wciąż upierała się, że nie ma pojęcia, jak mogło do tego dojść.

– Wiem, jak to wygląda – powiedziała. – Ale widziałaś je, prawda? Wiesz, że je tu miałam.

– Tak, ja je widziałam, Alison, ale teraz nie mamy z czym iść na policję. Nie możemy po prostu zacząć oskarżać Dominica o cokolwiek, jeśli nie mamy nawet tego marnego dowodu, czyż nie?

Zrobiła to celowo, jestem tego pewna. Ale dlaczego nie chce pójść na policję? Po co pokazywała mi to zdjęcie, skoro nie zamierzała go użyć, żeby doprowadzić do aresztowania Dominica? Żeby mnie zwabić. Żeby sprawić, abym jej uwierzyła. Chciała się znaleźć ze mną sam na sam w tym domu, taki był jej plan od samego początku.

To mnie przeraża, ale stawka jest za wysoka, żebym mogła teraz poddać się strachowi. Alison znalazła się tu z jakiegoś powodu, a ja muszę go poznać.

Jest dopiero piąta trzydzieści rano, ale wstaję, żeby wziąć prysznic; muszę przygotować się psychicznie na nadchodzące dni i chcę być wyszykowana, nim Alison się obudzi. Ale gdy się ubieram i schodzę na dół, ona już tam jest. Siedzi na sofie i jest tak wpatrzona w ekran telefonu, że nie zauważa mnie, dopóki nie przemówię:

– Dzień dobry, Alison.

Wzdryga się i niemal upuszcza telefon.

– Cześć! Nie słyszałam cię. Przepraszam, ja tylko… Dominic wypisuje do mnie od wczorajszego wieczoru. Sprawdza mnie. Ma wrócić dziś po południu… Co się stanie, gdy zauważy, że odeszłam?

Podchodzę do sofy i siadam obok niej.

– Musisz przestać się o to martwić, Alison. Wszystko będzie dobrze. Zjemy śniadanie, a potem razem pójdziemy na policję, w porządku? Wtedy on już nie zdoła cię skrzywdzić.

Alison wyraźnie sztywnieje i zastanawiam się, czy przypadkiem się nie pomyliłam. Ale przecież nie byłaby w stanie udawać tego strachu i swoich obrażeń? Chyba że istnieje inny powód, dla którego jest przerażona, i wiąże się on z wizytą na policji.

– Ja już wypiłam kawę i nie sądzę, bym zdołała wmusić w siebie w tej chwili jakieś jedzenie – mówi Alison. – Mam nadzieję, iż nie masz nic przeciwko, że sama ją sobie zaparzyłam, ale było tak wcześnie, że nie chciałam cię budzić.

Nie mogę jej zmusić do jedzenia; to dorosła kobieta, która – mimo że wydaje się uległa – okazuje się zaskakująco uparta.

– Cóż, wciąż jest dość wcześnie. Możemy zjeść później. Jestem pewna, że poczujesz się odrobinę lepiej, gdy już złożysz zeznania.

Kiwa głową, a ja widzę, jak ekran jej telefonu się rozświetla.

– Czy to Dominic?

– Tak – potwierdza, przeglądając wiadomość. – Mówi, że wróci o czternastej i lepiej, żeby miał ode mnie jakieś wieści do tego czasu.

Skóra mi cierpnie, gdy to słyszę. Nawet jeśli Dominic do nich nie należy, są na świecie mężczyźni, którzy traktują kobiety w ten sposób. Kobiety, które rzekomo kochają.

– Przejdziesz przez to – zapewniam ją.

– Dzięki, Mio. Naprawdę nie wiem, co bym bez ciebie zrobiła. Przykro mi, że spotkałyśmy się w takich okolicznościach, ale cieszę się, że do tego doszło.

Ja jednak nie podzielam jej uczuć. Rozdrapała rany, które, jak sądziłam, w końcu się zagoiły, i wniosła chaos w moje życie. Dlatego zmieniam temat i mówię:

– Tylko wezmę kurtkę i możemy iść.

Mijają mniej niż dwie minuty, nim wracam gotowa do wyjścia, ale w tym czasie coś zdążyło się zmienić. Alison krąży po salonie z ramionami skrzyżowanymi na piersi. Widzę, że ma wątpliwości.

– Mio... tak się zastanawiałam i myślę... Myślę, że powinnam pójść na policję sama.

Chociaż się tego spodziewałam, jestem rozczarowana. Wszystko, co ta kobieta mówi czy robi, każe mi kwestionować jej szczerość. Ale wciąż jest moją pacjentką, w jakiś pokręcony sposób, więc właśnie tak będę ją traktować.

– Jesteś pewna? Naprawdę chciałabym z tobą pójść i cię wesprzeć. Może się okazać, że tego potrzebujesz, gdy już się tam znajdziesz i będziesz musiała podzielić się z policją tak prywatnymi szczegółami swojego życia. Nie sądzisz, że moje towarzystwo by ci pomogło?

Kręci głową.

– Pewnie tak... Właśnie myślałam o tym, jakie to będzie trudne... ale sądzę, że tak będzie najlepiej. Ja po prostu... dam sobie radę.

Nie mogę zrobić nic innego, jak tylko pogodzić się z jej wyborem, ale jeśli myśli, że dam się nabrać, to się myli. Stawka jest za wysoka.

– Okej, skoro jesteś pewna. Ale zadzwoń do mnie, gdybyś zmieniła zdanie.

Wygląda, jakby jej ulżyło. Być może spodziewała się, że będę nalegać.

– Dziękuję ci, Mio. Raz jeszcze. Będziesz tutaj, gdy wrócę?

– Oczywiście, przecież nie masz klucza. Poczekam na ciebie, żebyś mogła się dostać do domu, więc się nie przejmuj.

I nie ma mowy, żebym dała jej klucz. Wystarczy, że ją tu wpuściłam. Nie zamierzam jeszcze bardziej ryzykować.

Odprowadzam ją do drzwi frontowych, a ona obejmuje mnie na pożegnanie. Sztywnieję, gdy mnie dotyka. Musiała to zauważyć, bo szybko się cofa.

Zamykam za nią drzwi, a potem biegnę do okna. Posterunek znajduje się zaledwie pięć minut piechotą stąd i widzę, że Alison zmierza we właściwym kierunku, przez park. Ale to nie wystarczy, żeby przekonać mnie, że się tam zgłosi.

Wciąż mam na sobie kurtkę. Sprawdzam, czy wzięłam klucze, i wypadam na zewnątrz. Widzę ją przed sobą, ale trzymam się z dala, na wypadek gdyby się odwróciła. Istnieje możliwość, że mimo wszystko mnie zauważy, ale mam gotową wymówkę na taką okoliczność: powiem jej, że muszę dać jej numer do Willa, gdyby z jakiegoś powodu nie mogła się ze mną skontaktować.

Alison nie odwraca się jednak ani razu przez całą drogę. Nie zatrzymuje się nawet, by wyciągnąć telefon z torebki czy obejrzeć witrynę któregoś z mijanych sklepów.

A gdy skręca w stronę posterunku, po raz kolejny dochodzę do wniosku, że naprawdę nie wiem, co o niej myśleć. Mówi prawdę czy kłamie? Przeskakuję w myślach od jednej do drugiej możliwości i nie potrafię się na żadną zdecydować.

Tuż przed wejściem do budynku Alison zwalnia i przepuszcza przed sobą jakiegoś mężczyznę, ale w końcu sama napiera na drzwi i znika w środku.

Nie wiem, jak długo powinnam tu zostać. Przede wszystkim chcę się upewnić, że nie opuści posterunku po kilku minutach, ale mija pół godziny, a ona wciąż się nie pojawiła. Dzwonię do Frei i wysłuchuję jej podekscytowanej paplaniny, ale nie spuszczam wzroku z drzwi do budynku.

– Czy Megan może tutaj przyjechać i ze mną zostać, mamusiu?

– Nie sądzę, skarbie. Myślę, że babcia i dziadek chcieliby spędzić jak najwięcej czasu tylko z tobą.

– Och. Okej.

– Ale możemy się umówić, że Megan zanocuje u nas, jak wrócisz. Co ty na to?

Freya piszczy z radości, a mnie serce rośnie. Wszystko, przez co musiałam przejść i przez co jeszcze przejdę, jest tego warte, jeśli tylko moja córka będzie taka szczęśliwa.

Gdy kończę rozmawiać z Freyą, wybieram numer Willa i stawiam czoła jego rozczarowaniu, że nie zaprosiłam go na kolację poprzedniego wieczoru.

– Tak mi przykro, ale uznałam, że nie jest na to gotowa. To dla niej ogromna sprawa. Nigdy wcześniej nie miała wystarczająco dużo siły, żeby od niego odejść. Po prostu myślę, że wczoraj to byłoby za wcześnie.

– Rozumiem, Mio. Po prostu mam nadzieję, że nie pakujesz się w coś ryzykownego. Zresztą już ci powiedziałem, co o tym myślę, i… cóż, nie chcę wywierać na tobie presji.

Gapię się na drzwi posterunku połykające kolejnych interesantów.

– Jeśli cię to pocieszy, jesteśmy w tej chwili na posterunku policji. Alison składa zeznania.

– To dobrze. To świetnie. Postępuje właściwie. – Słyszę, jak się rozluźnia. – Rozumiem, że nie była w nastroju wczoraj, ale może przyjdę na kolację dziś wieczorem? Możemy coś zamówić, żebyś dla odmiany nie musiała gotować.

Chociaż mówi swobodnym tonem, wiem, jak bardzo chce, żebym się zgodziła. Will nie potrafi nic poradzić na to, że jest nadopiekuńczy, ale musi wiedzieć, że ja nie potrzebuję obrony.

Ulegam jego prośbie, chociaż nie jestem pewna, jak zareaguje Alison.

– Okej. To dobry pomysł. Chcę, żebyś ją poznał.

Mimo że Will nie zna całej historii, chętnie wysłucham jego opinii na temat Alison. Temat śmierci Zacha przyćmił moją zdolność oceny sytuacji i chociaż normalnie kieruję się instynktem, teraz nie mogę sobie w pełni ufać.

Will mówi, że zobaczymy się o siódmej, a zanim się pożegnamy, dodaje, że mnie kocha.

Minęła już niemal godzina od momentu, gdy Alison weszła do środka, więc postanawiam wrócić do domu. Na razie wygląda na to, że mówi prawdę, ale mam na tyle oleju w głowie, by nie ufać jej całkowicie.

* * *

Przedstawiam ich sobie, ale od razu zauważam, że ani Will, ani Alison nie czują się swobodnie w swoim towarzystwie. Oboje zachowują się uprzejmie, ale Will jest spięty i za szybko puszcza dłoń Alison. Nie przywykłam do oglądania go w takim stanie.

Potrafię zrozumieć jego skrępowanie: uważa, że Alison nie powinna tutaj przebywać, sądzi, że nie jestem bezpieczna, ponieważ wpuściłam obcą osobę do swojego domu. Jednak Alison nie ma powodu, by zachowywać się nieufnie wobec Willa.

– A więc, Alison, czym się zajmujesz? – pyta Will, gdy tylko siadamy do stołu.

Wzdrygam się, gdy słyszę oskarżycielski ton. To do niego niepodobne.

Alison zdaje się nie zauważać jego wrogości albo się nią nie przejmuje.

– Wykonuję głównie prace administracyjne. Ale, cóż... w tej chwili zrobiłam sobie przerwę. By uporządkować pewne sprawy. – Zerka na mnie, po czym patrzy z powrotem na Willa.

Zanim się tu dziś pojawił, musiałyśmy z Alison wyjaśnić sobie kilka kwestii. Uprzedziłam ją, że Will nie wie o wszystkim, co mi powiedziała. Poinformowałam go tylko o tym, że znała kiedyś Zacha i zatrzymała się tutaj, by uciec przed agresywnym partnerem.

– Dlaczego mu nie powiedziałaś? – zapytała, wbijając we mnie oskarżycielskie spojrzenie. – Przecież to twój partner, czyż nie? To chyba znaczy, że nie powinnaś mieć przed nim sekretów?

– Nie, to znaczy, że muszę troszczyć się o to, by nie został zraniony. Wie tyle, ile musi wiedzieć.

– Okej, przepraszam – wycofała się. – Nie chciałam, żeby to zabrzmiało... po prostu zastanawiałam się dlaczego.

Nie miałam wyboru, jak tylko powiedzieć jej prosto z mostu, jak widzę tę sytuację, niezależnie od tego, jak mogłaby na to zareagować.

– Alison, to naprawdę nie jest twoja sprawa. Próbuję ci pomóc, ale to nie oznacza, że możesz się wtrącać w moje prywatne życie.

– Ale ty też chcesz wiedzieć, co przytrafiło się Zachowi, prawda? Po części to dlatego tutaj jestem, prawda?

– Nie. Wiem wszystko, co muszę wiedzieć. Do tego nie mamy już nawet zdjęcia, Alison, więc obie musimy odpuścić.

– Cóż, ja nie zrezygnuję – oznajmiła. – Koniec końców, prawda zawsze wychodzi na jaw. Chcę, żeby Dominic zapłacił za to, co zrobił. Nie tylko mnie, lecz także Josie.

Ostatecznie, chociaż nie obiecała mi, że zachowa wszystkie te rewelacje dla siebie, mam przeczucie, że nie powie nic Willowi. Potrzebuje mojej pomocy, więc dlaczego miałaby z premedytacją popsuć stosunki między nami? Ale zdążyłam się już przekonać, że Alison potrafi być nieprzewidywalna. Gdy wróciła do domu z posterunku, ledwie się do mnie odezwała i nie opowiedziała mi nic poza tym, że spisali jej zeznania i planują przesłuchać Dominica dziś wieczorem. Złożyłam jej powściągliwość na karb wstrząsu, jaki musiała przeżyć, ale gdy patrzę teraz, jak rozmawia z Willem, widzę, że doszła do siebie zaskakująco szybko.

W trakcie kolacji atmosfera się nie poprawia. Will bombarduje Alison pytaniami i nie powstrzymuje go nawet moje delikatne kopnięcie pod stołem.

Gdy tylko wstaje, by skorzystać z toalety, Alison zwraca się do mnie szeptem:

– On mnie nie lubi, prawda? Dlaczego? Co takiego zrobiłam?

Ważę słowa.

– Nie chodzi o to, że Will cię nie lubi. On jest po prostu odrobinę zaniepokojony całą tą sytuacją, to wszystko.

– A przez „tę sytuację" rozumiesz mój pobyt tutaj?

– To po prostu było dla niego zaskoczenie. Jest przyzwyczajony, że pomagam ludziom, gdy tylko mogę, ale to zupełnie co innego. Nie można by tego uznać za normalny scenariusz.

Alison spuszcza wzrok.

– Nic w tej sytuacji nie jest normalne, prawda? Cała ta sprawa z Dominikiem... Ile osób podejrzewa partnera o coś takiego?

Alison najwyraźniej zapomniała, z kim rozmawia. To jest dokładnie to, z czym ja musiałam się uporać, chociaż Zach był już martwy, gdy okrzyknięto go mordercą.

– Słuchaj, Mio, może Will zrozumiałby więcej, gdybyś mu wszystko opowiedziała? – sugeruje. – Może nawet mógłby nam pomóc.

Mam wrażenie, że wszystko, co mówię tej kobiecie, trafia w próżnię. Już jej wyjaśniłam, że próbuję chronić Willa, trzymając go z dala od tego bałaganu, więc nie rozumiem, dlaczego wciąż nalega, żebym mu wszystko wyjawiła.

– Alison, mogę ci w tej chwili powiedzieć, jak zareaguje Will, jeśli mu wszystko zdradzę. Powie, że byłaś w mieszkaniu tamtej nocy i nie wyznałaś tego policji. Zmusi mnie, bym ich o tym poinformowała, a wiem, że tego nie chcesz. Powie, że powinno mnie to zaniepokoić.

Prawda jest taka, że rzeczywiście muszę się nad tym zastanowić. Ostatecznie Alison tam była. Równie dobrze mogła mieć z tym coś wspólnego.

Gapi się na mnie szeroko otwartymi oczami.

– Ale przecież ja nic złego nie zrobiłam. W przeciwnym razie bym do ciebie nie przyszła, prawda? Z pewnością wziąłby to pod uwagę?

Słyszę, jak Will myje ręce w toalecie na dole.

– Porozmawiamy o tym później, okej? W tej chwili po prostu skupmy się na tobie. Byłaś dziś na policji i to jest wspaniałe osiągnięcie. Teraz spróbujemy ci znaleźć nowe mieszkanie.

Alison wbija wzrok w talerz i znowu staje się nieśmiałą dziewczynką. Wszelkie ślady po upartej osobie, jaką była zaledwie przed chwilą, zniknęły.

– Jeszcze nie wybiegałam tak daleko w przyszłość, ale chyba właśnie to będę musiała zrobić. On nigdy nie pozwoli mi zostać w domu, chociaż oboje spłacamy hipotekę. Na początku włożył w jego zakup więcej pieniędzy niż ja, więc nie mam szans.

– Wiem, że to przerażające, ale dasz radę. Pomogę ci, na ile będę mogła. Nowy początek dobrze ci zrobi, Alison.

Zastanawiam się jednak, czy to rzeczywiście wystarczy. Przemoc ze strony Dominica to tylko jeden z jej problemów. Ma ich więcej, po prostu muszę je odkryć. A gdy uda mi się to zrobić, będę wiedziała, co dokładnie wydarzyło się tamtego wieczoru.

Gdy Will wraca, Alison milknie na jakiś czas, aż w końcu mówi:

– Chyba położę się wcześniej spać, jeśli nie masz nic przeciwko, Mio. To był długi dzień. – Zerka na Willa. – Zresztą jestem pewna, że chcielibyście spędzić trochę czasu razem, więc zejdę wam z drogi.

– Nie musisz tego robić – zapewnia Will, ale w jego głosie wciąż pobrzmiewa szorstkość.

Alison otwiera szerzej oczy.

– Och, nie, naprawdę, wszystko w porządku. Dziękuję za przepyszny posiłek, Mio – dodaje, chociaż ledwie tknęła swoją porcję.

* * *

Później, już w łóżku, robię Willowi wyrzuty, że okazał Alison tyle niechęci. Zniżam głos i szepczę mu prosto do ucha, bo ona leży w sąsiednim pokoju i nie mogę ryzykować, że nas podsłucha.

– Nie lubię jej – wyjaśnia Will. – Coś jest z nią nie w porządku. Zauważyłem to od razu.

– Wiem, co masz na myśli, ale niby jaka miałaby być po tym, przez co przeszła? Pewnie w ogóle straciła zaufanie do mężczyzn, więc nic dziwnego, że czuła się przy tobie nieswojo. – Tyle że o Zachu wyraża się w samych superlatywach, chociaż nie ma żadnych dowodów jego niewinności...

Will zwraca się twarzą do mnie.

– Nie, tu chodzi o coś więcej. Ale szanuję to, że jej pomagasz. Właściwie to podziwiam cię za to. Jesteś lepszą osobą ode mnie, Mio, bo ja z pewnością nie pozwoliłbym jej zatrzymać się w moim domu.

– Nie jestem lepsza od ciebie. Może po prostu więcej przeszłam.

Gdybym rzeczywiście była taka dobra, czy nie uwierzyłabym bezwarunkowo w niewinność Zacha? Chciałam w nią wierzyć przez te wszystkie lata, ale coś mi na to nie pozwalało.

– Obiecaj mi tylko, że ona wkrótce się stąd wyniesie – prosi Will.

– Tak będzie. Ale niezależnie od tego, jak jest dziwna, zasługuje na nową szansę w życiu.

Will tego nie komentuje, a ja próbuję odwrócić jego myśli od Alison. Przyciągam go do siebie. Wędruję dłońmi po jego ciele, chociaż trudno jest mi odciąć się od tego wszystkiego. Kilka minut później, gdy Will już się we mnie zatraca, a ja próbuję zepchnąć destrukcyjne myśli na dalszy plan, słyszę jakiś odgłos przy drzwiach sypialni. Wytężam wzrok i dostrzegam zarys postaci, która po chwili znika.

Alison.

Jak długo nas obserwowała?

24

Josie

Wiosna w końcu przyszła, a wraz z nią nadzieja na przyszłość. Liv i Richard przestali się do mnie odzywać i zaczęłam wierzyć, że może naprawdę dali mi wreszcie spokój. Moja była sąsiadka wciąż przysyła mi wiadomości z informacjami na temat Kierena – zgodnie z treścią ostatniego esemesa mój braciszek wygląda na szczęśliwego za każdym razem, gdy Sinead go widzi – więc nieco się uspokajam. Przynajmniej na razie.

– O czym myślisz? – pyta Craig.

Przekręca się tak, żeby leżeć twarzą do mnie. To jeden z tych rzadkich kwietniowych dni, gdy jest wystarczająco ciepło, by włożyć ubrania z krótkimi rękawami, więc spędzamy porę lunchu w parku, leżąc na kocu i gapiąc się w bezchmurne niebo.

– O niczym. Po prostu cieszę się chwilą.

Nie wspomniałam mu ani słowem o mojej pochrzanionej rodzinie. Jeszcze nie. Przy nim po raz pierwszy mogę być po prostu sobą, kimś nienaznaczonym piętnem przeszłości.

Uśmiecha się.

– No więc tak sobie myślałem... moi rodzice przyjeżdżają w ten weekend. Wiem, że to wcześnie, ale może chciałabyś ich poznać? Zdaję sobie sprawę, że w tej chwili jesteśmy tylko przyjaciółmi, ale co o tym myślisz?

Technicznie rzecz biorąc, Craig i ja jesteśmy kimś więcej niż „tylko przyjaciółmi", chociaż ze sobą nie spaliśmy. Ale spędzamy razem większość czasu i wiem, że on chciałby móc nazywać mnie swoją dziewczyną, ale za bardzo szanuje moje granice, żeby się narzucać. Wyjaśniłam mu, że nie chcę nadawać naszej relacji etykietek, bo z mojego doświadczenia wynika, że to właśnie w tym momencie wszystko zaczyna się sypać.

– Pewnie, czemu nie – mówię. – Prawdopodobnie mnie znienawidzą, ale co mi tam.

– Chyba żartujesz! Będą tobą zachwyceni.

– Lepiej nie rób sobie nadziei. I nie wyjmę kolczyka z nosa. Nie zamierzam udawać, że jestem kimś, kim nie jestem.

Craig się śmieje.

– Nawet nie przyszłoby mi do głowy, żeby cię o to prosić. Chcę, żeby poznali prawdziwą ciebie. Posłuchaj, Josie, oni naprawdę są wyluzowani i wiem, że ich polubisz.

Nie ma pojęcia o moich dotychczasowych doświadczeniach z poznawaniem rodziców, zwłaszcza własnych...

– Cóż, spróbuję się zachowywać wzorowo. Ale robię to tylko dla ciebie.

Podnoszę się, żeby zjeść kanapkę, i widzę, że tuż przede mną, na ławce naprzeciwko, siedzi Zach Hamilton. Gapi się na nas, ale odwraca wzrok, gdy zauważa, że go zobaczyłam. Nie wiem, jak długo tam tkwi, ale jestem pewna, że ławka była pusta, gdy rozkładaliśmy się na trawniku.

Mimo wszystko żołądek fika mi koziołka. Widzieć Zacha na wykładach, na które mogę się przygotować psychicznie, to jedno, ale zobaczyć go nagle w takich okolicznościach, to zupełnie co innego. Wytrąca mnie to z równowagi. Myślałam, że przestał przychodzić do parku, żeby mnie unikać, ale najwyraźniej to, z czym się zmagał, już mu przeszło.

Craig nie zauważył Zacha i dalej je swój lunch. Cieszę się, że nie potrafi czytać w myślach; gdyby poznał moje, naprawdę by go zraniły. Staram się, jak mogę, żeby ignorować Zacha siedzącego zaledwie kilka metrów od nas, ale gdy dzwoni telefon Craiga i zajmuje go rozmowa, nie mogę się powstrzymać, by nie zerkać w stronę ławki. Zach robi jakieś notatki i zastanawiam się, czy jest bliski ukończenia książki.

Nawet nie zauważam, że Craig skończył rozmawiać, dopóki nie wyrywa mi kanapki z ręki i nie wpycha jej sobie do ust.

– Hej, ja to jadłam! – Popycham go delikatnie, a on udaje, że pada do tyłu i ląduje na łokciach.

– To jest akt przemocy, ot co!

– Tak? Podobnie jak kradzież kanapki!

Śmiejemy się. Czuję na sobie wzrok Zacha, a gdy zerkam ukradkiem w jego stronę, widzę, że miałam rację.

– Wracamy? – pyta Craig. – Mam konsultację za kilka minut.

Gdy opuszczamy park, przechodzimy tuż obok ławki Zacha, ale nie daję po sobie poznać, że go zauważyłam. Craig oczywiście go widzi i kiwa mu głową na powitanie, po czym bierze mnie za rękę. A ja jestem zadowolona, że to zrobił.

* * *

– Chyba nie myślisz, że twój chłopak może tu zostawać na noc?!

Ledwie przekraczam próg, Alison przypuszcza na mnie atak. Zupełnie jakby tam stała i czekała, aż wrócę do domu, chociaż nie mogła wiedzieć, kiedy to nastąpi. W ciągu ostatnich kilku tygodni zrobiła się jeszcze bardziej nieznośna i korzysta z każdej okazji, by zademonstrować, jak bardzo mnie nienawidzi. Mimo tych okropnych słów, które usłyszałam, gdy obgadywała mnie przez telefon, próbowałam załagodzić sytuację między nami. Nawet zaczęłam zaopatrywać szafki w kuchni w wystarczającą ilość jedzenia dla nas obu, gdy tylko mnie na to stać, ale nic na nią nie działa.

– Po pierwsze, zakładam, że mówisz o Craigu... – To niemożliwe, by miała na myśli Zacha. Ostatnio ledwie się do siebie odzywaliśmy, więc Alison przynajmniej nie ma teraz podstaw, by na niego donieść. – Ale tu się mylisz – kontynuuję. – On nie jest moim chłopakiem. A po drugie, jeśli zechcę, żeby u mnie został, to może to zrobić. Kiedy tylko przyjdzie mu na to ochota.

Spodziewam się, że się wycofa, skoro przywołałam ją do porządku, ale zapominam, że mam do czynienia z nową Alison, taką, która potrafi się stawiać. Ale myli się, jeśli myśli, że jej słowa zdołają mi dokuczyć.

– Jeśli przeczytasz umowę najmu, Josie, odkryjesz, że nie wolno nam sprowadzać na noc osób trzecich. Jeśli złamiesz ten zakaz, możesz zostać wyrzucona z lokalu.

Jest taka zadowolona z siebie, że przez ułamek sekundy mam ochotę ją spoliczkować, żeby zetrzeć ten uśmieszek z jej kościstej twarzy. Ale potem przypominam sobie, że mi jej żal, bo chociaż moje życie było trudne, nigdy nie zamieniłabym się miejscami z Alison.

– Nie mam czasu na takie dyskusje. I jestem pewna, że ty też nie.

– Och, przepraszam. Zabieram ci cenny czas, który mogłabyś przeznaczyć na picie? Potrafię sobie wyobrazić, jakie to musi być trudne: radzić sobie z problemem alkoholowym.

Nie połknę haczyka.

– Właściwie to od tygodni nie tknęłam ani kropli alkoholu. Przykro mi, że musze cię rozczarować.

Odwracam się na pięcie, spodziewając się jakiegoś przytyku na pożegnanie, jednak Alison milczy. Dopiero znacznie później przychodzi mi do głowy, że powinnam się zastanowić, skąd ona wie cokolwiek o Craigu, skoro nigdy o nim nie wspominałam i nigdy tutaj nie był, gdy ona przebywała w mieszkaniu.

* * *

Powinnam była się spodziewać, że mój spokój ducha wkrótce zostanie zburzony, a sprawy przestaną się układać tak gładko. Gdy zamykam kawiarnię, odwracam się i widzę stojącego za mną Zacha, zyskuję całkowitą pewność, że nadciągają kłopoty

– Możemy porozmawiać? – prosi.

Wygląda na zestresowanego; pod oczami ma ciemne kręgi i najwyraźniej nie golił się od kilku dni. Zawsze był schludny, zadbany, więc przeżywam szok, gdy widzę go w takim stanie.

– Myślałam, że nie mamy sobie nic więcej do powiedzenia poza uniwerkiem?

Nie chcę mu dokuczać, ale mam po dziurki w nosie jego manipulacji. Wiem, że nie robi tego celowo, ale musi sobie uświadomić, że mnie w ten sposób krzywdzi.

– To ważne, Josie. Może wybierzemy się na przejażdżkę? Tam stanąłem. – Wskazuje na parking po drugiej stronie ulicy.

– Nie, nie sądzę. – Chowam klucze do torebki. – Jestem z kimś umówiona. – To kłamstwo. Craig pracuje dziś wieczorem, a ja planuję tylko wrócić do domu i paść ze zmęczenia.

– W takim razie może się przespacerujemy?

W jego głosie pobrzmiewa taka rozpacz, że w końcu się poddaję.

– Okej. Pięć minut.

Przechodzimy przez ulicę i oddalamy się od kawiarni. Wciąż jest jasno, mimo że minęła dziewiętnasta.

– A więc ty i Craig jesteście teraz razem? – pyta na pozór swobodnym tonem.

Skupiam się na chodniku i staram się nie patrzeć na Zacha.

– Nie. Tak. Tak jakby, chyba tak. A co?

Wzrusza ramionami.

– Po prostu często widuję was razem. Czy on dobrze cię traktuje?

– Co to za pytanie? To miły facet. O co chodzi, Zach? Co ty tutaj robisz?

Patrzę na niego w nadziei, że wyczytam z jego twarzy jakieś wskazówki, bo jego słowa niczego nie zdradzają.

Kręci głową.

– Nie wiem, Josie, ja po prostu… chyba tęsknię za naszymi rozmowami. Co słychać? Martwiłem się o ciebie.

Mijamy bar, który dobrze znam, i tłumię nagły impuls, by wejść do środka i wypić drinka.

– Cóż, niepotrzebnie. Nie miałam żadnych wieści od Liv czy Richarda, a o ile mi wiadomo, z Kierenem wszystko w porządku. Więc chyba dobrze mi się układa w tej chwili.

Jestem jednak pewna, że wkrótce przeszłość mnie dopadnie. Odpychałam od siebie myśli o Richardzie, ale on nie pozwoli, żeby jego kuzyn gnił w więzieniu, jeśli tylko będzie mógł coś z tym zrobić.

Zach kiwa głową.

– Dobrze, dobrze. Miło mi to słyszeć. Może poszli po rozum do głowy i zdali sobie sprawę, w jakie kłopoty mogliby się wpakować, gdyby dalej ci grozili.

Zatrzymuję się i odwracam, żeby na niego spojrzeć.

– Zach, co się dzieje? Zachowujesz się naprawdę dziwnie – mówię.

A potem śmieję się, bo zwracam się do swojego wykładowcy, jakby był kolegą z zajęć albo jakbyśmy byli parą.

Zach wydaje się zszokowany moją reakcją.

– Co cię tak bawi? – Musi być zdezorientowany, bo nasza sytuacja naprawdę nie jest śmieszna. Wszystko to jest bardzo smutne.

– Nic mnie nie bawi, Zach. Lepiej powiedz, dlaczego chciałeś ze mną porozmawiać.

– Mówiłem ci już. Martwiłem się o ciebie. – Rozgląda się. – Możemy iść dalej?

– Tak, pod warunkiem że zaczniesz mówić.

Ale on milczy, więc po paru chwilach wyrywam do przodu sama, bo wiem, że pewnie i tak zaraz mnie dogoni. I rzeczywiście to robi.

– Jak się miewa twoja żona, Zach? I córeczka?

Uśmiecha się.

– Mia ma się świetnie. A Freya, cóż, z pewnością ma dużo animuszu.

Właśnie. Na tym froncie nigdy nic się nie zmieni.

– Miło się gadało, ale naprawdę muszę już iść. Do zobaczenia na kampusie. – Zaczynam odchodzić, ale on łapie mnie za ramię.

– Jestem zazdrosny, okej? Jestem, kurwa, zazdrosny, Josie, i to mnie kompletnie rozwala. Mąci mi w głowie. Kocham moją rodzinę, naprawdę kocham moje życie, więc dlaczego, do kurwy nędzy, czuję się zazdrosny o to, że jesteś z Craigiem?

Jego słowa odbierają mi mowę, a on też zdaje się zszokowany tym, że wypowiedział je na głos. Ale to zrobił i już nie może ich cofnąć. Nigdy nie będzie mógł cofnąć tego, do czego właśnie mi się przyznał.

– Och, Josie, cholera! Tak mi przykro, nie miałem prawa tego mówić. – Łapie się za głowę. – Proszę, zapomnij, że to powiedziałem.

Ale nie mogę; nigdy nie zdołam zapomnieć. Bo właśnie w końcu jednoznacznie potwierdził, że to, co do niego czułam, nie było nieodwzajemnione. Że to nie tylko jakieś infantylne zauroczenie. To było prawdziwe. Nie jestem jakąś głupią dziewuchą durzącą się w wykładowcy. Czułam to, bo Zach też to czuł.

Mija nas jakaś młoda para trzymająca się za ręce, więc Zach zniża głos.

– Wiem, że to wariactwo, ale ja naprawdę kocham żonę i nigdy nie zrobiłbym niczego, żeby ją zranić. Ale kotłują się we mnie te wszystkie... te wszystkie uczucia, które wciąż próbuję zdławić. Są niebezpieczne, Josie. Dla wszystkich. Ale uda mi się. Mogę żyć dalej, nic z nimi nie robiąc, bo tak należy postąpić. Och, Boże, tak mi przykro.

– Przestaniesz wreszcie przepraszać? Właściwie powiedziałeś mi to wszystko już tamtego wieczoru w moim mieszkaniu.

Kręci głową.

– Ale nigdy nie powiedziałem tego na głos. Wypowiedzenie tych słów na głos sprawiło, że ożyły, mogą ranić. Próbowałem się powstrzymywać. Naprawdę nie planowałem, że ci to teraz powiem. Chyba po prostu chciałem wiedzieć, że wszystko u ciebie w porządku i że Craig dobrze cię traktuje.

– Nie potrzebuję ochrony, Zach. Radziłam sobie całkiem nieźle sama przez te wszystkie lata.

– Owszem, niewątpliwie tak było. I wiem, że dasz sobie radę, ale to nie znaczy, że nie będę się o ciebie martwił. Czy troszczył.

– Zach, lepiej już idź. Idź do domu, do żony i córeczki. Myślę, że powiedzieliśmy sobie wszystko, co mieliśmy do powiedzenia. Ale przysięgam, że dobrze sobie radzę. A Craig to dobry facet.

Sekundy mijają, a Zach przygląda się badawczo mojej twarzy, jakby patrzył na mnie po raz ostatni, jakby miał mnie więcej nie zobaczyć. W końcu mówi:

– Cieszę się, że tak jest, Josie. Chcę po prostu, żebyś była szczęśliwa.

– Żegnaj, Zach.

Patrzę, jak odchodzi, i czuję, jakby ktoś rozrywał mi wnętrzności na tysiąc kawałków.

25

Mia

Nie wspomnę Willowi, że w nocy Alison stała pod drzwiami naszej sypialni – to tylko pogłębiłoby jego nieufność wobec niej. Z drugiej strony nie mogę jej otwarcie oskarżyć, że nas podglądała, bo istnieje możliwość, że jednak mi się to przywidziało. Nie wiem, co planuje ta kobieta, ale jej nie ufam i nie mogę pozwolić jej odejść, zanim odkryję, dlaczego tak naprawdę się tu znalazła. Poradzę sobie z tym po swojemu.

Alison była w mieszkaniu Josie tamtego wieczoru, gdy ta zaginęła, więc możliwe, że wie coś na temat jej morderstwa. I dlaczego jest przekonana, że to nie była sprawka Zacha, skoro jedyny dowód stanowiło zdjęcie, które zniknęło? Jestem pewna tylko tego, że Alison coś ukrywa, ale nie mam pojęcia, jak stwierdzić, co to takiego. Będę musiała czekać i ją obserwować. Jeśli coś wie, prędzej czy później powinie jej się noga.

Po raz kolejny schodzę na dół przed szóstą rano, a Alison już nie śpi i siedzi w salonie, studiując swój telefon.

– Nie mogłam spać – wyjaśnia, zanim jeszcze się z nią przywitam. – Przepraszam, że musisz znosić moją obecność tutaj, gdy schodzisz rano na dół. Cierpię na niewielką klaustrofobię i nie potrafię długo wysiedzieć w zamkniętym pokoju. Proszę, nie myśl, że to ma cokolwiek wspólnego z twoim domem, po prostu taka już jestem.

Ale ja ledwie słyszę jej słowa; mój umysł jest zbyt zajęty wyobrażaniem sobie jej postaci pod drzwiami sypialni, faktem, że musiała słyszeć ciężki oddech Willa, słowa, które do mnie szeptał. Nie po raz pierwszy w jej obecności czuję, jak przechodzą mnie ciarki.

Jeśli Alison zdaje sobie sprawę, że ją zauważyłam, nie daje tego po sobie poznać.

– Słyszałam, że wczoraj krążyłaś po domu. Chyba nawet nie zmrużyłaś oka – zauważam.

Ani drgnie.

– Tak, przepraszam, jeśli ci przeszkadzałam, byłam trochę niespokojna. To przez te wszystkie zmiany. Trochę wytrąciło mnie to z równowagi. – Zerka w głąb przedpokoju. – Czy Will pojechał już do domu?

– Nie, wciąż leży w łóżku – mówię cicho. – Weekendy to dla niego jedyna szansa, żeby dłużej pospać. W każdym razie czy możemy chwilę porozmawiać, zanim się obudzi?

Alison uśmiecha się, ale z przymusem, a gdy odpowiada, jej głos jest piskliwy:

– Oczywiście. Czy coś się stało?

Jak może o to pytać, skoro obie znamy odpowiedź?

– Nie, po prostu chciałam ci powiedzieć, że przejrzałam parę ogłoszeń i znalazłam kilka mieszkań, których wynajęcie mogłabyś rozważyć. Nie wybierałam niczego w Ealing ani w Finchley, bo pomyślałam, że pewnie nie będziesz chciała mieszkać tak blisko Dominica. Zdystansowanie się od przeszłości mogłoby ci dobrze zrobić.

Alison patrzy na mnie z miną pozbawioną wyrazu.

– Hmm, tak, tak pewnie będzie najlepiej. Szczerze mówiąc, nie zastanawiałam się nad tym, w której dzielnicy powinnam zamieszkać. Ealing było dla mnie domem przez długi czas, zanim przeprowadziliśmy się do East Finchley, i tak naprawdę nie znam za dobrze reszty Londynu. – Patrzy na swoje paznokcie. – Ale masz rację. To prawdopodobnie dobry pomysł, żeby tu nie zostawać.

– W każdym razie znalazłam ze dwa mieszkania w Fulham, patrzyłam też na Hammersmith i Putney. Jeśli ci się spodobają, pojedziemy je obejrzeć. Możemy dziś trochę podzwonić. Myślę, że chociaż jedno z nich przypadnie ci do gustu.

Alison wzrusza ramionami.

– Przypuszczam, że nie ma sensu tego odkładać. W porządku, możesz mi podesłać linki na maila? Wiem, że na pewno znalazłaś dla mnie przyzwoite miejsca.

Otwieram pocztę na komórce i wysyłam jej wszystkie informacje, które zgromadziłam. Czekam, aż usłyszę powiadomienie, że dostała e-mail, ale mija kilka sekund, a jej telefon milczy. Gapię się na niego.

– Och, musiałam go wyciszyć – reflektuje się. – Ciągle mi się to zdarza przez przypadek. – Kilkakrotnie stuka w ekran. – Dotarło. Dzięki. Za chwilę na nie spojrzę.

– Miałaś jakieś wieści od Dominica? – pytam, zastanawiając się, co dokładnie robiła z telefonem.

– Nie, nie od wczorajszego poranka. Właściwie to odrobinę dziwne. Jego milczenie sprawia, że jestem jeszcze bardziej spięta niż zwykle.

– Może posłuchał policji i zostawił cię w spokoju?

273

– Hmm, może. Ale to do niego niepodobne. On nie lubi, gdy mówi mu się, co ma robić... niezależnie od tego, kto mu to powie.

– Ale jestem pewna, że nie chce skończyć w więzieniu, Alison.

– Nie. Nie, tego by nie chciał, prawda? Nawet jeśli tam jest jego miejsce.

Ignoruję to, co właśnie powiedziała, żeby uniknąć kolejnej rozmowy o poszukiwaniu dowodów winy Dominica.

– Cóż, powinnaś pomyśleć o zmianie numeru. Co mi przypomina, że jest jeszcze jedno, o czym chciałam z tobą porozmawiać. Jest taka grupa wsparcia, która spotyka się w każdą środę, i myślę, że mogłoby ci pomóc, gdybyś do niej dołączyła. Nie musisz się zapisywać ani nic, wystarczy, że się pojawisz. Mogę nawet pójść z tobą na pierwsze spotkanie, jeśli chcesz. Prowadzą ją naprawdę mili ludzie, a wszyscy, którzy tam chodzą, są w tej samej sytuacji co ty, Alison. Wiedzą, przez co przechodzisz, i mogą ci pomóc, prawdopodobnie lepiej niż ja.

Łzy stają jej w oczach, gdy odpowiada:

– Wątpię, by ktokolwiek mógł mi pomóc bardziej niż ty, ale dziękuję ci, Mio. Jesteś dla mnie taka dobra, naprawdę nie wiem, jak zdołam ci się odwdzięczyć.

Te słowa brzmią tak szczerze, że rozpaczliwie chcę jej uwierzyć. Ale nie dam się zwieść.

– Najlepiej odwdzięczysz mi się, jeśli zachowasz siłę, by trzymać się z dala od Dominica. I skierujesz swoje życie na właściwe tory. Nie potrzebuję niczego więcej.

– Nie zawiodę cię – obiecuje Alison. Przez chwilę przygląda się badawczo mojej twarzy i widzę, że starannie dobiera słowa. – Jesteś taką bezinteresowną osobą, Mio. To niełatwe:

zawsze stawiać innych na pierwszym miejscu. Sprawia to niemal, że jest mi za siebie wstyd.

Dziwi mnie jej dobór słów.

– Wstyd? Dlaczego?

Waha się przez chwilę.

– Z powodu tego, jak traktowałam Josie. – Zerka na sufit. – Nie zrozum mnie źle, nie można powiedzieć, że się nad nią znęcałam, uwierz mi, Josie nie należała do osób, które dałyby sobą pomiatać, ale nie byłam dla niej miła. Nigdy. I sama nie wiem… może sprawy ułożyłyby się inaczej, gdybym była wobec niej chociaż odrobinę bardziej życzliwa.

Jestem zaskoczona, że tak się przede mną otworzyła, ale to dobry znak. Jest teraz bardziej rozmowna, a to z pewnością prędzej czy później poskutkuje ujawnieniem czegoś, co być może ukrywa.

– Nie sądzę, by to zrobiło jakąkolwiek różnicę – mówię. – Josie i tak poznałaby Zacha i…

– Jak już mówiłam, naprawdę uwierzyłam w jego słowa. Nie jestem pewna, czy do czegokolwiek między nimi doszło.

Zastanawiam się, czy drążyć ten temat, ale decyduję, że nie mam nic do stracenia.

– Czy kiedykolwiek widziałaś ich razem?

– Mio, jesteś pewna, że chcesz o tym rozmawiać? Myślałam, że wolisz zostawić przeszłość za sobą…

– Wolę, ale w tej opowieści jest tyle luk, że może gdybym umiała je wypełnić, pozwoliłoby mi to pogodzić się z przeszłością.

Alison rozważa moje słowa, zanim odpowie:

– W porządku. Jeśli jesteś pewna. Był w mieszkaniu jeszcze przy innej okazji. To znaczy, mogło być ich więcej, ale widziałam go tam wcześniej tylko raz poza wieczorem, kiedy, no wiesz... W każdym razie żadne z nich nie wiedziało, że tam jestem.

Narasta we mnie znajome uczucie mdłości.

– Co robili?

– Och, nic nadzwyczajnego. Po prostu rozmawiali. Ale muszę przyznać, że w tamtym czasie wydało mi się to odrobinę podejrzane. Mało który wykładowca odwiedzałby studentów, ale z drugiej strony niejeden pozostawał z nimi na przyjaznej stopie. To odrobinę inna sytuacja, gdy ludzie są dorośli, prawda? A nie można powiedzieć, że Zach był stary.

– Miał trzydzieści pięć lat – mówię.

Ale to i tak było niestosowne. Josie należała do grona jego studentów i miał obowiązek zachować dystans. Dlaczego, Zach? Dlaczego ryzykowałeś wszystko dla tej dziewczyny? Spędziłam tyle bezsennych nocy, zmagając się z tym pytaniem, lecz nigdy nie udało mi się zyskać na nie odpowiedzi. Z mojego punktu widzenia Zach miał wszystko, czego mógłby potrzebować, a nawet więcej. Ale to nigdy nie jest takie proste, prawda? Owszem, można było ją nazwać atrakcyjną, ale Zach nie był powierzchowny. Więc co takiego go w niej zafascynowało? Właśnie tego muszę się dowiedzieć od Alison. I mam niewiele czasu, żeby to zrobić.

– Jaka ona była? – dopytuję. – Wiem, że jej nie lubiłaś, ale jaką była osobą?

Alison raz jeszcze posyła mi spojrzenie mówiące, że nie jest pewna, ile powinna powiedzieć.

– Była... silna, tak myślę. Nic nie potrafiło jej zdenerwować; to było tak, jakby wszystko po prostu po niej spływało. Wiem, że wiele przeszła ze swoją rodziną, ale to musiało tylko uczynić ją twardszą. Była uparta, nie poddawała się łatwo. – Wlepia wzrok w podłogę. – Była taka, jaka ja chciałam być. Jaka wciąż chcę być.

Nie odpowiadam.

– Wiem, co sobie myślisz. To oczywiste, że Zach musiał poczuć do niej pociąg, skoro była taka silna, a do tego piękna.

– Ja... sama nie wiem, co myślę. – Wstaję i podchodzę do okna.

Stoję teraz plecami do Alison. Robię, co mogę, żeby nie wyobrażać sobie dziewczyny, w której zakochał się mój mąż.

– Ale miała też wiele wad – kontynuuje Alison. – Piła jak szewc i chociaż wmawiała światu, że ma gdzieś to wszystko, co zrobiła jej odrażająca matka, musiało ją to zżerać od środka.

Odwracam się do niej.

– Alison, jak myślisz, co jej się przytrafiło?

Wzdycha.

– Chciałabym to wiedzieć. Na pewno nie żyje, ale nie sądzę, by twój mąż był za to odpowiedzialny. Z pewnością się ze mną zgadzasz? Znałaś go lepiej niż ktokolwiek.

Ale jak dobrze można poznać drugą osobę?

– Czasami po prostu nie dostrzegamy, do czego ludzie są zdolni, Alison.

– A więc co twoim zdaniem się wydarzyło?

Miałam wiele czasu, by się nad tym zastanawiać.

– Myślę, że Zach uwikłał się w coś, czego ostatecznie pożałował. Może Josie groziła, że mi powie, a on... on przestał nad sobą panować. Zdał sobie sprawę, jak wiele straci.

– To możliwe. Ale to nie wyjaśnia zdjęcia Josie na komputerze Dominica. Mówię ci, Mio, on coś jej zrobił. Ja to wiem. – Zaczyna obgryzać paznokieć. Nigdy wcześniej nie zauważyłam, żeby to robiła. – Muszę wrócić do domu. Gdy jego tam nie będzie. Znowu sprawdzić komputer.

To fatalny pomysł z tak wielu powodów, ale jeszcze zanim się odezwę, wiem, że trudno mi będzie ją od niego odwieść.

– Nie możesz, Alison. To zbyt ryzykowne. On już wie, że byłaś na policji, więc wyobraź sobie, jak może zareagować, jeśli cię tam znajdzie. Poza tym mógłby stwierdzić, że to ty podrzuciłaś to zdjęcie, a wtedy policja zacznie przyglądać się tobie. A czy to nie był główny powód, dla którego zataiłaś, że byłaś w mieszkaniu Josie tamtego wieczoru? Żeby uniknąć uwikłania w śledztwo?

Alison wlepia we mnie wzrok, a mnie ogarnia poczucie winy. Nie chciałam jej wystraszyć, ale musi się trzymać z dala od tego człowieka. A ja muszę zrobić wszystko, żeby jej w tym pomóc.

– Ja nigdy nie mogłabym skrzywdzić Josie – mówi bezbarwnym tonem. – Wierzysz mi, prawda?

Ale czy rzeczywiście jej wierzę? Nie mam pojęcia, do czego jest zdolna, chociaż zamierzam się dowiedzieć.

– Alison, teraz najważniejsze jest, żeby zadbać o twoje bezpieczeństwo i znaleźć ci jakieś nowe lokum.

– Myślisz, że kłamię na temat Zacha, prawda? To dlatego nie próbujesz szukać dowodów. Po prostu nie wierzysz w ani jedno moje słowo! – Podnosi głos na tyle, że mogłaby obudzić Willa.

– Proszę, mów ciszej… nie chcę wciągać w to Willa. – Zniżam głos w nadziei, że zrobi to samo.

A potem raz jeszcze wyjaśniam, dlaczego potrzebuję solidnego dowodu, zanim zacznę sobie robić nadzieje. Ale ona najwyraźniej nie potrafi zrozumieć, że podważenie tego, w co wierzyłam przez tyle lat, z czym się już pogodziłam, byłoby

278

autodestrukcyjne. No chyba że znalazłby się dowód świadczący o niewinności Zacha. – Jeśli istnieje jakiś dowód, to znajdzie go policja, Alison, a nie my.

Gapi się na mnie tak długo, że czuję, jakby jej wzrok przepalał mnie na wylot, chociaż przecież nie powiedziałam jej nic nowego. To nie powinno być dla niej szokiem. W końcu odpowiada:

– Podejrzewam, że kierujesz się rozsądkiem terapeuty. Nie reagujesz sercem, prawda? Po prostu pozwalasz, by mózg brał górę nad uczuciami.

Zmuszam się do zachowania spokoju. Alison ma głębokie problemy, więc nie mogę doprowadzić jej do ostateczności.

– Prawdopodobnie masz rację. Ale Freya i Will znajdują się na szczycie mojej listy priorytetów. Oni są najważniejsi. Nie zamierzam zrobić niczego, co mogłoby ich skrzywdzić.

– Skrzywdzić kogo? – To pytanie odbija się echem po pomieszczeniu, gdy Will staje w progu.

– Rozmawiałyśmy o moim partnerze... Dominicu. Przepraszam, jeśli cię obudziłyśmy – tłumaczy pospiesznie Alison, zanim ja zdążę poszukać jakiejś wymówki.

– Rzeczywiście, słyszałem głosy, ale nie przejmujcie się, i tak musiałem wstać. – Puszcza do mnie oko, a ja zyskuję pewność, że nie mógł podsłuchać naszej rozmowy. – Umieram z głodu. Jadłyście już śniadanie?

Alison kręci głową.

– Dla mnie to za wcześnie.

– Nie, ja jeszcze nie będę jadła – mówię. – Muszę najpierw nadrobić robotę papierkową.

Will ściąga brwi, ale nie kwestionuje mojej decyzji, a gdy wychodzi do kuchni, zwracam się do Alison:

– Obiecasz, że nie wrócisz do swojego domu?

Kiwa głową.

– On i tak dziś tam będzie. Nigdy nie wychodzi w soboty. Siedzi i ogląda piłkę nożną.

– Po prostu zostań tutaj i się zrelaksuj. Możesz pójść do ogrodu za domem i posiedzieć trochę w spokoju. Sprawdź te linki, które ci wysłałam, a po południu pojedziemy obejrzeć kilka mieszkań.

– Okej – mówi, już przeglądając telefon. – Życzę ci owocnej pracy.

* * *

Will wchodzi do mojego gabinetu przed lunchem. Byłam tak pogrążona w pracy, że nie zdawałam sobie sprawy, jaka jestem głodna, dopóki nie postawił na biurku talerza z kanapką.

– Wiem, że nie jadłaś śniadania, więc pomyślałem, że możesz tego potrzebować – mówi. – I nie martw się, nawet zaoferowałem, że zrobię jedną Alison, ale odmówiła. Po prostu siedzi w ogrodzie. Nie mów, że nie próbowałem.

– Czy wszystko z nią dobrze? Co robiła cały ranek?

– Wygrzewała się w słońcu i czytała. Wydaje się... zrelaksowana? Trudno uwierzyć, że to ofiara przemocy.

– Wiem. Ale widziałam siniaki i zdecydowanie były prawdziwe.

– Hmm. Cóż, chyba każdy radzi sobie z trudnymi sytuacjami na swój sposób. Słuchaj, staram się być dla niej miły... ale prawda jest taka, że jej nie ufam. Nie wiem dlaczego, ale jest w niej coś, co... Sam nie wiem, nawet nie potrafię tego wyjaśnić.

– Will, rozumiem, co masz na myśli. Zachowuje się tak, jakby zbyt starannie ważyła słowa. Jakby się bała, że popełni błąd.

– Tak! To właśnie to.

– Ale muszę jej pomóc.

Will wzdycha ciężko.

– Wiem o tym. Po prostu nie podoba mi się myśl, że miałabyś zostać z nią tu sama, a muszę załatwić kilka spraw. Dasz sobie radę?

Zapewniam go, że owszem, i mówię, że po południu będziemy szukać mieszkania.

– Dobrze. Cóż, wrócę wieczorem. Nie zostawię cię z nią samej na całą noc.

Łapię go za rękę.

– Dziękuję. Mimo że potrafię o siebie zadbać.

– Wiem, że potrafisz – mruczy. – Ale wiesz co? Nie ma nic złego w tym, by od czasu do czasu pozwolić, aby inni ci pomogli, Mio.

Gdy Will wychodzi, próbuję zebrać myśli. Muszę opracować jakiś plan. Jeśli mam odkryć, co tak naprawdę Alison robi w moim domu i w moim życiu, będę musiała podjąć drastyczne kroki.

26

Josie

Siedzimy z Craigiem w jego sypialni, skuleni pod kołdrą, bo jest tutaj strasznie zimno. Nawet nie zdjęłam kurtki, ale on nie wydaje się tym urażony.

– Cholerny kaloryfer – mamrocze, obejmując mnie ramieniem. – Zapomniałem go włączyć i trochę potrwa, zanim w pokoju zrobi się ciepło. Przepraszam.

Ale nie ma za co przepraszać; zdecydowanie wolę być tutaj, niezależnie od tego, jak bardzo bym marzła, niż u siebie, gdzie ciągle zastanawiam się, co zaraz zrobi albo powie Alison. Jeszcze nikomu nie udało się tak wytrącić mnie z równowagi jak jej. Nawet Johnny'emu. To właśnie na takich niepozornych ludzi trzeba uważać, a nie na pyskatych, pieprzących bzdury kolesi w stylu Johnny'ego i Richarda.

Rodzice Craiga właśnie wyszli. Jego mama ugotowała nam najlepszy domowy posiłek, jaki kiedykolwiek jadłam, i mimo moich początkowych zastrzeżeń naprawdę przyjemnie spędziłam czas.

– Miałeś rację co do swoich rodziców – mówię mu, wtulając się jeszcze mocniej w zagięcie jego łokcia. – Naprawdę są wyluzowani. Świetnie się dziś bawiłam.

– Mama była tobą zachwycona, widziałem to. Tata też. A to nowość, bo nigdy dotąd nie polubili żadnej mojej dziewczyny. Serio. Nigdy.

– Och, mają jeszcze mnóstwo czasu, żeby mnie znienawidzić. – Żartuję tylko połowicznie.

Craig obraca ku sobie moją twarz, pochyla się i zaczyna mnie całować. Ten jeden raz poddaję się i mu na to pozwalam. Jestem przyzwyczajona do odpychania ludzi na tym etapie, ale teraz nie chcę tego robić. Chcę, żeby nam wyszło. Jednak im dłużej to trwa, tym trudniej jest mi się skupić. Myśli mam rozbiegane i jestem wszędzie, tylko nie tutaj, z Craigiem.

W końcu on przerywa i się odsuwa.

– Wszystko w porządku, Josie? Czy coś się stało? – pyta.

Zapewniam go, że nic mi nie jest, i zmuszam się, by odwzajemnić pocałunek z większą energią, żeby udowodnić, że wszystko jest okej, żeby poczuć cokolwiek. Ale pod zamkniętymi powiekami widzę Zacha. To z nim chcę być, to jego pragnie moje ciało.

Zamieram i odpycham Craiga.

– Przepraszam, nie mogę tego zrobić. Muszę już iść. Przepraszam.

– Dlaczego? Josie, co się stało? Czy zrobiłem coś złego?

Nie odpowiadam, bo nie mam mu do powiedzenia niczego, co miałoby sens. Niczego, dzięki czemu poczułby się lepiej. Wybiegam z pokoju, nie oglądając się za siebie. Nienawidzę siebie bardziej niż kiedykolwiek wcześniej.

* * *

Wracam do domu piechotą, ale marsz nie rozjaśnia mi w głowie. Craig wciąż wydzwania i wysyła mi esemesy. Nie powinnam była dawać mu nadziei, gdy moje serce należy do kogoś innego. Ale nigdy nie będę z Zachem, więc co mi pozostaje?

Już mam wyłączyć telefon, ale widzę, że tym razem dzwoni do mnie Sinead. Serce mi zamiera. Wcześniej tylko wysyłała esemesy; zazwyczaj to ja dzwonię do niej, jeśli potrzebuję szczegółowych informacji na temat Kierena.

– Sinead? Czy coś się stało?

– Przepraszam, Josie, nie chcę cię niepokoić, ale cóż, właściwie to nie widziałam Kierena od kilku dni. Liv powinna zabierać go do zerówki co rano, ale wychodziła z domu bez niego.

Jej słowa docierają do mnie z trudem.

– Więc myślisz, że ona zostawia go samego w domu?

To by mnie nie zaskoczyło. I właściwie, jeśli to robi, w końcu będę miała pretekst, żeby go stamtąd zabrać. Nie ma mowy, by opieka społeczna pozwoliła na zostawianie pięciolatka samego w domu.

– Nie mam pojęcia. Wiem tylko, że nie widziałam go od dawna, ale Liv wciąż wychodzi. Nie o tej porze, o której normalnie by z nim wychodziła, prawdopodobnie odrobinę później. Około dziesiątej.

– Sinead, czy pamiętasz, kiedy ostatnio go widziałaś? Jaki to był dzień?

Milczy długo.

– Nie jestem pewna. Pewnie wtedy, gdy pisałam do ciebie w zeszłym tygodniu. To był chyba piątek? Liv przyprowadziła go ze szkoły, ale potem już go nie widziałam. A nawet nie słyszałam, a zazwyczaj codziennie bawi się w ogrodzie za domem, nawet jeśli jest zimno albo pada.

Zaczynam panikować.

– Czy możesz tam pójść i zapukać do drzwi? Sprawdzić, czy on jest w domu?

– Och, Josie, i co miałabym powiedzieć? Nie mogę przecież przyznać, że sprawdzam, czy Kieren tam jest, prawda? Zresztą ona mnie nie znosi, więc jaki inny powód mogłabym mieć, żeby zapukać do jej drzwi?

– Nie wiem! Powiedz cokolwiek! – krzyczę, mimo że Sinead na to nie zasługuje, zawsze o mnie dbała. – To ważne, Sinead!

– Słuchaj, Josie, jeśli martwisz się tak bardzo, dlaczego nie zadzwonisz na policję? Ja nie mogę tak po prostu tam pójść bez powodu. Nie ma mowy. Przykro mi, kochana. Z radością pomagałam ci przez cały ten czas, bo wiem, jaką suką jest Liv, ale nie mogę się w to mieszać. Po prostu zadzwoń na policję.

– Sinead, proszę...

Ale ona przerywa połączenie.

Przez kilka sekund z niedowierzaniem gapię się na telefon, ale potem strach o Kierena zmusza mnie do działania.

* * *

Jest późny wieczór, gdy docieram do Brighton. Mijam dom Sinead i staram się nie odczuwać gniewu. Ostatecznie nie mogę jej winić za to, że nie chce prowokować Liv. Widziała, co ta kobieta zrobiła własnej córce, więc zdaje sobie sprawę, że jej też by się oberwało, gdyby się naraziła.

W domu Liv pali się światło, więc biorę głęboki wdech i podchodzę do drzwi, po czym zaczynam w nie walić pięściami. Nie ma sensu udawać, że przyjechałam z wizytą towarzyską.

Po kilku sekundach Liv z impetem otwiera drzwi, gotowa przekląć tego, kto robi tyle hałasu, ale gdy widzi, że to ja, najwyraźniej zapomina języka w gębie.

– Co ty tu robisz, do cholery? – woła po chwili. – Mam nadzieję, że przyjechałaś, żeby powiedzieć mi, że idziesz na policję.

– Wpuść mnie – mówię tylko.

Nie zaprzeczam, bo muszę się dostać do środka, muszę się przekonać, że Kieren dobrze się czuje. Muszę to zrobić tak, by nie zdała sobie sprawy, że to dlatego tutaj jestem.

– Jeśli ze mną pogrywasz, Josie, to przysięgam, że...

– Po prostu mnie wpuść, Liv, albo wracam prosto do domu.

Zerka za siebie, po czym usuwa się na bok, a ja wchodzę do środka, chociaż serce bije mi tak mocno, jakby miało zaraz wyrwać się z piersi. Moja stopa nie postała w tym domu od czasu ataku.

– Idź do salonu – mówi.

Sama marudzi w sieni, niespiesznie zamykając drzwi frontowe, a potem robi widowisko z porządkowania butów, które się przy nich piętrzą. Nie wiem, dlaczego gra na zwłokę. Przecież ona nigdy nie sprząta.

Jeszcze zanim otworzę drzwi do salonu, mam pewność, że to pułapka, ale wchodzę mimo to, bo muszę wiedzieć, że z Kierenem wszystko w porządku. Jego bezpieczeństwo jest ważniejsze od mojego.

Jakiś mężczyzna siedzi zgarbiony na sofie i gapi się w telewizor. Jedną nogę ma swobodnie skrzyżowaną na drugiej i wygląda, jakby czuł się tu jak u siebie w domu. Richard. Ani drgnie na mój widok i ledwie obdarza mnie spojrzeniem.

– Przyszłaś powiedzieć, że wszystko załatwisz? Tak będzie lepiej dla ciebie – mówi, ocierając nos rękawem, ze wzrokiem wciąż wlepionym w ekran.

Zatrzymuję się w progu, a Liv przepycha się obok mnie, po czym opada na sofę obok Richarda. Zachowują się wobec siebie zbyt poufale, zbyt swobodnie; natychmiast to wyczuwam.

– Gdzie jest Kieren? – pytam.

Nie potrafię ukryć gniewu w głosie. Coś tu jest nie tak; są z siebie za bardzo zadowoleni.

Liv prycha.

– A co ci do tego? To nie twój cholerny interes!

– To mój brat i byłam mu matką bardziej niż ty od chwili, gdy się urodził, więc owszem, to jest mój interes. Gdzie Kieren?

Richard pochyla się do przodu i opiera ramię na kolanie Liv.

– Nie możesz tak po prostu przychodzić tutaj i zasypywać nas pieprzonymi pytaniami. A teraz powiedz mi, co zamierzasz zrobić z policją? Bo po mojemu teraz musisz im wyjaśnić, że myliłaś się w dwóch kwestiach, a nie w jednej. – Jest zbyt spokojny i nie podoba mi się to. Zbyt opanowany. Oni wiedzą coś, czego ja nie wiem.

– O czym ty mówisz? Co to za druga kwestia?

Pochyla się jeszcze bardziej do przodu.

– Nie podoba mi się, gdy policja wali do moich drzwi w środku cholernej nocy i pyta, czy byłem w Londynie któregoś wieczoru kilka miesięcy wcześniej. I wtyka nos w moje sprawy. Już ci mówiłem, dziwko, że mam niepodważalne alibi. Ale mimo wszystko pomyślałaś, że spróbujesz, prawda? A więc naprawdę go sprawdzili. To już coś.

– Tak, nie pozwolę, by twoje żałosne groźby uszły ci płazem. Wciąż tu jestem, czyż nie? Więc chyba pieprzyłeś głupoty. – Bezczelnymi słowami maskuję strach, który czuję. Nie znam tego człowieka, ale jeśli przypomina kuzyna, skrzywdzi mnie bez namysłu. No i co oni zrobili z Kierenem?

– Myślisz, że taka z ciebie twarda suka, co? – Śmieje się, a Liv mu wtóruje. Zachowuje się dokładnie tak jak przy Johnnym, a to może oznaczać tylko jedno: między nimi coś się dzieje. – Cóż, nie byłaś taka twarda, gdy Johnny prawie skatował cię na śmierć, prawda? Kiepsko wyglądałaś, z tego, co opowiadał. Nie jesteś taka twarda, jak myślisz, Josie. – Uśmiech rozciąga jego twarz.

Tamtego wieczoru w samochodzie nie zauważyłam grubej blizny pod jego okiem, ale teraz widzę ją wyraźnie. Temu człowiekowi nieobce są bójki.

Ignorując strach, przenoszę wzrok na kobietę, która nigdy nie będzie moją matką.

– Po prostu mi powiedz, gdzie jest Kieren. – Staram się panować nad głosem, mimo że panika narasta.

Liv wykrzywia twarz w grymasie i nagle wygląda dwadzieścia lat starzej.

– Co ty sobie niby myślisz? Jeśli nie zamierzasz pomóc Johnny'emu, możesz stąd wypierdalać. Próbowałam cię ostrzec, ale cokolwiek ci się teraz przytrafi, będziesz wiedzieć, że to wyłącznie twoja wina. Po prostu wynoś się z mojego domu, Josie – syczy.

– W porządku – mówię. – Nie ma sprawy. – A gdy oboje wlepiają wzrok w telewizor, wychodzę i zamykam za sobą drzwi.

Po czym rzucam się w stronę schodów i wbiegam na górę, pokonując po dwa stopnie naraz. Muszę wiedzieć, czy Kieren tu jest. Dopiero później będę się zastanawiać, co ci dwoje mi zrobią.

Po chwili słyszę ciężkie kroki, gdy Richard rusza za mną. Krzyczy, żebym zeszła na dół. Ale ja nie słucham. Gwałtownym ruchem otwieram drzwi do sypialni Kierena, przygotowując się na najgorsze, i jestem zdumiona, gdy znajduję go tam śpiącego w swoim łóżku. Zamieszanie sprawia, że zaczyna się wiercić i powoli siada, mrużąc oczy w świetle padającym z przedpokoju.

– JoJo? – mamrocze zaspany. – Jesteś tutaj!

Ale zanim zdążę zapytać, czy dobrze się czuje, Richard łapie mnie za włosy i odciąga do tyłu, rzucając mną w stronę schodów. Uderzam głową o ścianę, ale ignoruję ból.

– Dlaczego Kieren nie chodzi do szkoły?

Liv stoi na schodach, a oczy niemal wyłażą jej z orbit, gdy patrzy na mnie z nienawiścią.

– Bo jest chory, ty głupia krowo! A teraz wynoś się stąd albo tym razem to ja wezwę cholerną policję.

– Wyprowadzę ją – oferuje Richard, łapiąc mnie za ramię i stawiając na nogi.

A potem znowu słyszę głos Kierena. Odwracam się i widzę, że niepewnie wygląda zza drzwi sypialni.

– JoJo – woła, a jego oczy wypełniają się łzami. – Nie odchodź.

– Już dobrze, Kieren – mówię, wyrywając się Richardowi. – Do zobaczenia wkrótce. O nic się nie martw, wrócę.

– Nie, nie wrócisz – oznajmia Richard, gdy już jesteśmy na dole. Popycha mnie w stronę wyjścia, a potem pochyla się nade mną i szepcze mi do ucha, tak że czuję na skórze jego lepki, gorący oddech. – Zabiję cię, Josie. Rozumiesz? Johnny powinien był to zrobić, ale nie martw się, dopilnuję, żeby to się stało. I nawet nie ubrudzę sobie przy tym rąk.

A potem popycha mnie po raz ostatni i wypadam na zewnątrz. Moje dłonie szorują o chodnik, gdy próbuję powstrzymać upadek.

27

Mia

Alison robi wszystko, o co ją proszę; oglądamy kilka mieszkań, a ona wpłaca kaucję za jedno w Hammersmith. Obecnie jest puste, zatem dostępne od ręki, jednak agent mówi, że najpierw muszą sprawdzić referencje i uporządkować z właścicielem kwestię dokumentów, więc będzie mogła się wprowadzić w czwartek.

Jest dopiero poniedziałek, ale Freya z radością przyjmuje wiadomość, że zostanie u dziadków kilka dni dłużej, a mnie daje to więcej czasu na obserwowanie Alison.

Przyglądam się jej badawczo, gdy tylko mam okazję, a ona z każdym mijającym dniem sprawia wrażenie pewniejszej siebie. Coraz mniej przypomina nieśmiałą kobietę, która weszła do mojego gabinetu tamtego dnia, gdy się poznałyśmy. O ile mi wiadomo, nie utrzymuje żadnych kontaktów z Dominikiem i spędza coraz mniej czasu przy telefonie, więc przynajmniej z pozoru próbuje zacząć nowe życie. To wszystko jest niemal zbyt idealne, za bardzo wyreżyserowane, ale gdyby nie to, że obserwowała mnie z Willem w łóżku tamtej nocy, możliwe, że zaczęłabym jej wierzyć.

Mówię Alison, że wychodzę na kurs doszkalający, tymczasem zaplanowałam, jak przyłapać ją na kłamstwie.

Dominic zgodził się ze mną spotkać i dopilnowałam, żeby doszło do tego w miejscu publicznym. Nie chcę przebywać z nim sama w jego domu, a nie mogę ryzykować, że odkryje, iż Alison zatrzymała się u mnie. Więc teraz siedzę w kawiarni, blisko miejsca, w którym kiedyś pracował Zach, a Dominic się spóźnia. Rozważyłam możliwość, że w ogóle się nie pojawi, ale jestem gotowa się założyć, że przyjdzie, bo rozpaczliwie potrzebuje informacji o Alison.

Dwadzieścia minut później wpada przez drzwi, rozglądając się po pomieszczeniu, aż w końcu mnie zauważa.

– Mio, tak mi przykro. – Odsuwa krzesło i siada. – Przedłużyło mi się spotkanie i musiałem jeszcze wrócić do Ealing. Dziękuję, że poczekałaś. I dziękuję, że zadzwoniłaś. Wspominałaś, że masz wieści od Alison?

– Tak, zgadza się. Ale nie ma mowy, żebym powiedziała ci, gdzie ona jest. – Wstrzymuję oddech i czekam na jego reakcję.

– Co? Dlaczego? Co masz na myśli?

– Widziałam jej sińce, Dominicu. Na własne oczy. Sińce, które zostawiłeś na całym jej ciele.

Pochyla się i uderza knykciami w stół.

– Hola, zaczekaj chwilę! Jeśli mówisz o tym małym siniaku na jej ramieniu, to był wypadek. Wpadła w histerię i próbowałem ją uspokoić. Może złapałem ją odrobinę za mocno i to... zostawiło ślad. Ale nie ma mowy, żebym celowo ją skrzywdził.

– Nie opisałabym tego, co widziałam, jako „małego siniaka". Ale jestem pewna, że policja już rozmawiała z tobą na ten temat. W każdym razie to niejedyny powód, dla którego tu jestem.

– Poczekaj, Mio, o czym ty mówisz? Jaka policja?

– Och, daj spokój, Dominicu. Wiem, że Alison poszła na policję i że z tobą rozmawiali. Nie ma sensu dalej temu zaprzeczać.

Szczęka mu opada i z trudem znajduje słowa.

– Alison była na policji? W jakiej sprawie?

– Żeby zgłosić przemoc fizyczną, jakiej doświadczyła z twojej strony. Prawdopodobnie psychiczną również. Wszystko. Oni wiedzą wszystko, Dominicu.

– Zaraz, przemoc fizyczną? Chcesz powiedzieć, że skrzywdziłem Alison? Czy właśnie to ci powiedziała?

– Jest moją pacjentką. Nie mogę tego z tobą omawiać.

– Mio, posłuchaj, mówiłem ci już wcześniej, że Alison nie jest do końca zdrowa psychicznie. Potrzebuje pomocy, jest niezrównoważona emocjonalnie.

– To ty tak twierdzisz. Ale to oczywiste, że byś tak mówił, prawda? Zwłaszcza gdy jej nie ma w pobliżu i nie może się bronić. Właśnie tak zachowują się mężczyźni tacy jak ty, czyż nie?

– Źle to wszystko zrozumiałaś. I nie zgłosił się do mnie nikt z policji. Z pewnością możesz to sprawdzić? Nigdy nie skrzywdziłbym Alison... czy jakiejkolwiek innej kobiety.

Mówi tak pewnie, tak stanowczo, że już sama nie wiem, co myśleć. A jeśli się pomyliłam? Zaczyna mi brakować tchu. Niedługo panika znowu mnie ogarnie, chyba że uda mi się uspokoić i myśleć racjonalnie.

– Udowodnij mi to. Udowodnij, że nic jej nie zrobiłeś i jest tak niezrównoważona, jak mówisz.

– Nie mogę. Jak miałbym to udowodnić? Moje słowo przeciwko jej, prawda? – Wypuszcza powietrze z płuc. – Poczekaj... może jednak coś mam. – Wyjmuje telefon z kieszeni. – To jest esemes, który przysłała mi w czwartek.

Biorę od niego telefon z wahaniem, niepewna, co zobaczę. To bez wątpienia wiadomość od Alison, ale jej treść mnie szokuje.

„Muszę wyjechać na kilka dni, żeby pobyć sama. Przepraszam, po prostu potrzebuję trochę czasu, żeby dojść ze sobą do ładu. Ale kocham cię. Nigdy o tym nie zapominaj".

Odczytuję wiadomość raz jeszcze w nadziei, że tym razem zobaczę coś innego, że znajdę dowód, iż Alison mówiła prawdę. Chciałam wierzyć w jej twierdzenia na temat Dominica; chciałam wierzyć, że jest zdezorientowaną, niestabilną emocjonalnie kobietą, bo padła ofiarą przemocy fizycznej ze strony partnera. Tymczasem niezależnie od tego, czy naprawdę wie cokolwiek o Zachu, zmyśliła historię na temat własnego partnera. Ale dlaczego?

Dominic daje mi trochę czasu, a potem bierze ode mnie telefon.

– Z wyrazu twojej twarzy wnioskuję, że ta wiadomość świadczy na moją korzyść. Co dokładnie ona ci powiedziała?

Nie wspominam o tym, że Alison mieszka u mnie od kilku dni, ale mówię Dominicowi, że widziałam się z nią i że poszła na policję; rzekomo po to, by zgłosić, że on ją bije.

– Ale co ona im powiedziała? Przysięgam, że mnie nie wezwali, nie przyszli do mnie ani nic.

To wtedy dociera do mnie, że tak naprawdę nie wiem, co ona tam robiła. Stałam na zewnątrz i nawet nie poczekałam, żeby zobaczyć, jak wychodzi. Rozdzierający ból przeszywa mi żołądek. Gdy w końcu odzyskuję mowę, mówię niemal szeptem:

– Nie wiem, co im powiedziała. Ani czy naprawdę z nimi rozmawiała.

Dominic kręci głową.

– Ona właśnie w taki sposób postępuje, Mio. Próbowałem cię ostrzec. Zmyśla, kłamie, by zatrzeć ślady, a to pociąga za sobą kolejne kłamstwa. – Zerka na zegarek. – Słuchaj, pojedziesz gdzieś ze mną? Jest ktoś, kogo chciałbym ci przedstawić. Może dzięki temu zrozumiesz więcej.

Gapię się na niego bez słowa.

– Możesz prowadzić auto, jeśli poczujesz się dzięki temu bardziej komfortowo – proponuje. – Pojedziemy tylko do Hayes, więc niedaleko.

* * *

Rodzice Alison muszą być po pięćdziesiątce, a jednak wyglądają na co najmniej dwadzieścia lat więcej. Mieszkają w malutkim mieszkanku na parterze, ale wnętrze jest schludne i dobrze utrzymane.

Dominic zdał mi wstępną relację w drodze tutaj, a w jego głosie pobrzmiewał smutek, gdy opowiadał, że byli kiedyś właścicielami dużego domu w Milton Keynes, ale musieli go sprzedać, żeby przeprowadzić się do Londynu i być bliżej Alison. Tutaj mogli sobie pozwolić tylko na małe mieszkanko, a i tak musieli dorzucić ponad połowę swoich oszczędności, żeby je kupić.

– Jeszcze jej wtedy nie znałem – wyjaśnił Dominic. – To wydarzyło się niedługo po tym... no wiesz, po tym, co stało się z Zachem i Josie, i w ogóle. Tamte wydarzenia wstrząsnęły Alison i trochę jej... odbiło. Przeszła załamanie. Ale oni opowiedzą ci o tym więcej.

Więc teraz stoję w ich malutkiej kuchni i nie mam pewności, czego się dowiem, do czego doprowadzi ta wizyta ani jaki będzie miała wpływ na moją przyszłość.

– Tak mi przykro z powodu pani straty – mówi Camilla Frances.

Nie byłam zaskoczona, gdy dowiedziałam się od Dominica, że Cummings to nie jest prawdziwe nazwisko Alison. To by wyjaśniało, dlaczego nie mogłam jej znaleźć w sieci.

– Dlaczego Cummings? – zapytałam go.

Nie miał pojęcia.

– Prawdopodobnie wybrała to nazwisko losowo, z napisów po jakimś programie telewizyjnym czy coś w tym stylu. Nie wszystko, co robi, jest przemyślane. Bardzo często postępuje przypadkowo.

Gdy Camilla mówi o stracie, musi mieć na myśli Zacha, ale ja myślę o tym, co utracę wkrótce, gdy runie wszystko, w co wierzyłam.

– Dziękuję – mówię tylko.

– To musiało być dla pani okropne. Mam nadzieję, że ludzie wreszcie zostawili panią w spokoju.

Kiwam głową i staram się nie okazywać skrępowania. Jeśli będę postępować ostrożnie, opuszczę to miejsce, wiedząc o Alison znacznie więcej, toteż muszę zyskać sympatię Camilli i Anthony'ego.

– Długo to trwało, ale prześladowania najwyraźniej dobiegły końca. Początkowo często spotykałam się ze zniewagami, cóż, co najmniej przez rok, ale ludzie najwyraźniej mają krótką pamięć.

Ona ujmuje moją dłoń.

– W każdym razie cieszę się, że wreszcie dali pani spokój. – Zwraca się do Dominica: – Proszę, powiedz, że ją znalazłeś?

– Tak, cóż, tak jakby. Wciąż nie ma jej w domu, ale tym razem dała znak życia. I dobrze się czuje, więc naprawdę nie ma potrzeby się niepokoić.

Camilla opiera się z powrotem o blat kuchenny.

– Ale ja nie potrafię się o nią nie martwić. Wiesz o tym, Dominicu.

On podchodzi i ujmuje jej dłoń. Nie daję się łatwo nabrać, ale coraz trudniej mi wierzyć, że to jest człowiek, który stosowałby przemoc wobec partnerki, chociaż wiem z doświadczenia, że tacy ludzie potrafią być wyjątkowo czarujący w stosunku do innych. Mimo wszystko esemes Alison zdaje się podważać wszystko, co powiedziała do tej pory.

Ona jest uwikłana w to, co przytrafiło się Zachowi i Josie, wiem o tym.

– Cóż, pomyślałem, że może będzie dobrze, jeśli porozmawiacie z Mią. Tak się składa, że jest terapeutką, więc myślę, że to mogłoby pomóc nam wszystkim. – Zwraca się w moją stronę i posyła mi przepraszający uśmiech.

Camilla kiwa głową, ale na twarzy jej męża pojawia się grymas.

– Całe to gadanie – burczy Anthony – jak do tej pory nie przyniosło Alison nic dobrego. A minęło tyle lat. Nigdy nie dbaliśmy o pieniądze i oczywiście zapłacimy, ile trzeba, żeby jej pomóc, ale teraz już naprawdę niewiele nam zostało.

Nie powinnam być zaskoczona tym, że Alison uczęszczała na terapię, zanim zgłosiła się do mnie.

– Nie wezmę od państwa żadnych pieniędzy – zwracam się do Anthony'ego. – Ja po prostu chcę pomóc Alison.

– Hmm, dziękuję. To bardzo miłe z pani strony.

– Naprawdę myślę, że Mia jest najlepszą osobą, żeby nam pomóc – zapewnia Dominic. – Zwłaszcza że obsesja Alison z jakiegoś powodu się pogłębiła, gdy odnalazła Mię.

– Nie nazywaj tego tak – oburza się Anthony. – To nie jest obsesja. Ona po prostu potrzebuje pomocy, to wszystko.

Nie pierwszy raz, od kiedy Alison wkroczyła w moje życie, czuję, że tracę grunt pod nogami. Nienawidzę uczucia braku kontroli.

– Co dokładnie się tutaj dzieje? – pytam ich wszystkich.

– Usiądźmy w ogrodzie – proponuje Camilla. – Strasznie tutaj ciasno.

Wychodzimy na zewnątrz i jestem wdzięczna za łyk świeżego powietrza. Ogród jest całkiem duży, w porównaniu z rozmiarami samego mieszkania, i wygląda równie schludnie jak wnętrze.

Gdy tylko siadamy, Camilla zaczyna mówić:

– Moja córka nie jest złą osobą. Naprawdę nie jest. Ona po prostu... cóż, to, co przytrafiło się Josie, naprawdę nią wstrząsnęło.

Musi widzieć zwątpienie wypisane na mojej twarzy, bo szybko dodaje:

– Wiem, że nie były ze sobą blisko, ale mieszkały razem przez tyle miesięcy, więc podejrzewam, że Alison czuła się częścią jej życia.

Mówię jej, że to zrozumiałe, ale biorąc pod uwagę wszystko, co Alison powiedziała mi o Josie, zastanawiam się, na ile to jest prawda. Nie znosiła jej, więc dlaczego miałaby się przejmować tym, co się z nią stało? Alison utrzymywała, że Dominic jest w jakiś sposób zamieszany w zniknięcie Josie, ale teraz to wydaje się mało prawdopodobne. Więc po co ona robi to wszystko?

Niezależnie od tego, jak wiele o tym rozmyślam, jak wiele wiem, wciąż nie mam pojęcia, komu ufać.

– Załamała się po tym, co się wydarzyło – dodaje Anthony. – Nawet nie skończyła studiów i nigdy nie próbowała na nie wrócić. To był dla niej początek kłopotów. Po prostu sprawiała wrażenie, jakby straciła cel w życiu.

– Myślę, że wzięła sobie za cel rozwiązanie tajemnicy zniknięcia Josie – wtrąca Dominic. – Dzięki temu może się czymś zająć, zwłaszcza teraz, gdy zrobiła sobie przerwę od pracy. – Kręci głową. – Próbowałem jej pomóc, Mio, naprawdę próbowałem, ale nic nie działa. A teraz zaczęła zmyślać, że się nad nią znęcam. Dlaczego miałaby to robić?

– Bo jest chora i potrzebuje pomocy. Leków czy czegoś – odpowiada Anthony, zanim zdążę się odezwać.

– Zrobię, co mogę, żeby jej pomóc – mówię. – Ale potrzebuję znacznie więcej informacji. Jaka była, zanim poznała Josie?

– Zawsze była bystrym dzieckiem – mówi Camilla – ale z trudem nawiązywała przyjaźnie. Życie towarzyskie po prostu nie należało do jej mocnych stron. Ale nie przejmowaliśmy się tym, bo radziła sobie tak dobrze w szkole. Nie mieliśmy żadnych obaw o jej przyszłość.

– Dopóki nie poznała Josie. – Anthony sięga po dłoń żony. – Wtedy wszystko się zaczęło, tak myślę. Znalazła w sobie tyle nienawiści do tej dziewczyny, chociaż o ile nam wiadomo, Josie nic jej nie zrobiła. Po prostu była zupełnie inna niż Alison.

Z trudem zadaję następne pytanie:

– Wiem, że to niezbyt przyjemne pytanie, ale czy mogła być zazdrosna o Josie?

Camilla szybko protestuje:

– Nie, nie sądzę, by o to chodziło, naprawdę nie. Alison to ładna dziewczyna, dlaczego miałaby być o kogokolwiek zazdrosna?

Tłumaczę, że zazdrość może mieć wiele źródeł. Wygląd jest tylko jednym z nich.

– Ale tamta dziewczyna nie miała niczego. Partner jej matki niemal skatował ją na śmierć, a jej mama nic z tym nie zrobiła. Alison nie mogłaby być bardziej kochana. Więc dlaczego miałaby być zazdrosna?

– Nie wiem. – Gdybym wiedziała, rozumiałabym dokładnie, co knuje Alison, ale na razie nie jestem mądrzejsza ani o jotę.

Zwracam się do Dominica:

– Od tamtych wydarzeń minęło pięć lat, natomiast Alison odszukała mnie dopiero teraz. Dlaczego tak późno?

Wzrusza ramionami.

– Tylko ona może odpowiedzieć na to pytanie. Próbowałem to z niej wyciągnąć, ale nic mi nie powiedziała.

Zdjęcie. To musi mieć związek z tym zdjęciem.

Przez następne pół godziny Camilla i Anthony odmalowują mi obraz swojej córki, ale wciąż nie mam pojęcia, co ona wyprawia ani komu mam wierzyć.

– Lepiej już chodźmy – mówi Dominic. – Muszę się przygotować do jutrzejszych zajęć.

* * *

– Czy teraz mi wierzysz? – pyta Dominic, gdy już jesteśmy z powrotem w aucie.

– Możliwe, ale jest jeszcze jedno, co muszę najpierw sprawdzić. Czy mogę na chwilę do ciebie zajrzeć?

Dominic marszczy brwi.

– Okej… ale dlaczego? Nie przetrzymuję jej w domu, jeśli o to mnie podejrzewasz.

– Proszę, po prostu zgódź się, jeśli chcesz pomóc Alison.

Czuję się zupełnie inaczej, gdy tym razem wchodzę do domu Alison. Mój punkt widzenia się zmienił, mimo że wciąż nie jestem pewna, w co wierzyć.

– Zaproponowałbym ci drinka – mówi Dominic – ale podejrzewam, że na to za wcześnie. Zamierzasz mi powiedzieć, dlaczego chciałaś mnie odwiedzić?

Nie sądziłam, że zdobędę się na odwagę, żeby tutaj przyjść, ale wszystko leży na szali. Freya. Will. I zrobię, co w mojej mocy, żeby ich chronić.

– Muszę zajrzeć do twojego komputera, Dominicu. Przepraszam, nie chcę być wścibska, ale cóż, gdy powiem ci dlaczego, mam nadzieję, że zrozumiesz.

Ściąga brwi i gapi się na mnie, prawdopodobnie zszokowany moją bezczelnością.

– Dlaczego? Co to ma wspólnego z Alison? Ona ma własnego laptopa, nigdy nie używa mojego.

Momentalnie podejmuję decyzję, w nadziei, że tego nie pożałuję, i opowiadam mu o zdjęciu, które Alison znalazła w jego komputerze, oraz o jej podejrzeniach, że Dominic jest zamieszany w śmierć Josie. Nie mam już nic do stracenia; co najmniej jedno z nich mnie okłamuje i to jest jedyny sposób, żeby się dowiedzieć które.

Dominic siada i kryje twarz w dłoniach.

– Nie mogę uwierzyć, że powiedziała coś takiego. Jak ona może uważać, że miałem cokolwiek wspólnego z Josie... Dlaczego miałaby zmyślić coś takiego?

– Powiedziała, że znalazła to zdjęcie na twoim komputerze, Dominicu. I że prawdopodobnie zostało ściągnięte z twojego telefonu. Na nagraniu wideo, które mi pokazała, naprawdę widać, jak je u ciebie znajduje.

– A więc to dlatego chcesz zajrzeć do mojego komputera... – Zrywa się. – Chodź. Pozwolę ci go nawet włączyć, żebyś była pewna, że nie próbuję pozbyć się niczego z dysku.

Gdy wchodzimy do jego gabinetu na piętrze, dotrzymuje słowa i to ja uruchamiam komputer, podczas gdy on trzyma się na dystans, czekając w progu.

– Nie jest zabezpieczony hasłem – mówi. – Nigdy nie uważałem, żeby było to konieczne. Mieszkamy tu sami z Alison, a ja myślałem, że mogę jej ufać. – Wzdycha. – W każdym razie pewnie powinnaś usiąść... przejrzenie zawartości całego komputera może ci zająć chwilę.

Krok po kroku robię to samo, co Alison na nagraniu, i przeglądam zdjęcia Dominica, ale nie ma wśród nich fotografii Josie. Widzę nawet te, między którymi tkwiła, i to tylko utwierdza mnie w przekonaniu, że fotka została tam podrzucona. Nie ma mowy, by Dominic mógł przewidzieć, że przyjdę tutaj i zażądam dostępu do jego komputera. Poza tym niby dlaczego miałby nagle wykasować to zdjęcie, po tym jak trzymał je na dysku przez tyle lat? To musiała być sprawka Alison. Umieściła je tutaj i próbowała obciążyć go winą, ale dlaczego?

Przez następne pół godziny skrupulatnie przeglądam całą zawartość komputera Dominica tylko po to, aby się upewnić, że nie przeniósł zdjęcia gdzieś indziej. Znajduję mnóstwo planów zajęć i innych dokumentów związanych z pracą, ale niczego osobistego.

– Nie używam tego komputera do niczego poza pracą – wyjaśnia, jakby czytał mi w myślach. Siedzi na małej sofie w kącie gabinetu, obserwując wszystko, co robię. – Prawdę mówiąc, nie radzę sobie za dobrze z technologią. To Alison zawsze rozwiązuje problemy z komputerami w domu. Właściwie to jest w tym ekspertem.

– Cóż, zdjęcia tutaj nie ma – mówię. – A w każdym razie ja nie zdołałam go znaleźć.

– A więc teraz w końcu mi wierzysz?

– Jeśli mam pomóc tobie i Alison, musisz mi powiedzieć wszystko, co wiesz na temat wydarzeń tamtego wieczoru.

– Cóż, nie wiem za wiele. A zresztą jak to miałoby pomóc Alison?

– Sam powiedziałeś, że ma fiksację na punkcie Josie. Uważam, że to dlatego zgłosiła się do mnie. Myślę, że ona błaga o pomoc.

– Więc dlaczego próbowała oskarżyć mnie o to, że się nad nią znęcałem? I że skrzywdziłem Josie?

– Bo chciała mieć pewność, że jej wysłucham, a to z pewnością przykuło moją uwagę.

– Ale przecież jesteś terapeutką. I tak byś jej pomogła, nawet gdyby nie zmyśliła tego wszystkiego.

Kręcę głową.

– Właściwie, to gdyby jej sytuacja nie wyglądała na tak rozpaczliwą, prawdopodobnie powiedziałabym jej, że jestem za bardzo związana z tą sprawą, by postępować obiektywnie. Poleciłabym jej kogoś innego.

Dominic przez chwilę rozważa moje słowa.

– To chyba ma sens. Za to wszystko inne nie.

Ale mnie wszystko zaczyna się wydawać coraz jaśniejsze.

Alison doskonale wie, co się stało z Josie.

28

Josie

Gdy wracam do domu z Brighton, jestem wykończona. Mam ochotę wczołgać się do łóżka i udawać, że świat nie istnieje. Boli mnie całe ciało, ale to bardziej ból emocjonalny. Może dokucza mi strach, że już nigdy nie zobaczę Kierena. Jest za mały, by powiedzieć komukolwiek, że chce zamieszkać ze mną, a ja próbowałam już wszystkiego, więc nie mogę zrobić nic więcej. No chyba że go porwę... I to mnie dobija; to najgorszy ból, jaki kiedykolwiek czułam. Ale jak zwykle robię z nim to, co potrafię najlepiej: blokuję go. Sprawiam, żeby odszedł. Nie myślę o niczym ani o nikim.

Niemal wrzeszczę z przerażenia, gdy otwieram drzwi do swojej sypialni, a Alison siedzi na moim łóżku w totalnych ciemnościach, rozpraszanych tylko blaskiem płynącym z ekranu mojego laptopa. Nie pamiętam, żebym zostawiła go włączonego. Właściwie to jestem pewna, że był wyłączony.

– Co ty tu robisz? Wynoś się, Alison. – Nie obchodzi mnie, że brzmi to niegrzecznie, paskudnie czy jakkolwiek.

Mam dość tej dziewczyny.

– Pomyślałam, że moglybyśmy zacząć od nowa – wyjaśnia przesadnie wesołym głosem. Nigdy nie słyszałam, żeby tak

303

mówiła, i dopiero po chwili dociera do mnie, że jest pijana. – Proszę, nalałam nam trochę wina.

Na podłodze stoją dwa kieliszki: jeden niemal pusty, a drugi pełny.

– Zostawiłam trochę dla ciebie, Josie. Czekałam, aż wrócisz do domu. Jestem pewna, że lubisz różowe wino. – Podnosi pełny kieliszek.

Nie uwierzyłabym w to, gdybym nie zobaczyła tego na własne oczy: czysta, niewinna Alison jest zalana w trupa. Założę się, że wystarczyło kilka łyków, by wino uderzyło jej do głowy.

– Wiem, że nie powinno mnie tu być – bełkoce. – Przepraszam. Ale napijmy się razem. To jest coś, co powinnyśmy były zrobić dawno temu. – Wymachuje kieliszkiem i wylewa trochę wina na moją kołdrę. – Zawrzeć pokój.

Siadam obok niej na łóżku i tłumaczę:

– Ja już nie piję, Alison. Wiesz o tym.

– Och, czyżby? – Pociąga łyk wina, o wiele za duży na jeden raz. – A to dlaczego?

– Cóż, ostatecznie to ty mi powiedziałaś, że mam problem alkoholowy. – Nie powinnam się wdawać w tę rozmowę, ale jestem zbyt wyczerpana, żeby się opierać.

Ona chichocze.

– Naprawdę tak powiedziałam? A tak. Cóż, bo tak jest. Przykro mi, ale to prawda.

Wcale nie wygląda, jakby było jej przykro. Powinnam była wiedzieć, że całe to tak zwane zawieranie pokoju potrwa najwyżej dwie minuty.

– Okej, Alison, myślę, że powinnaś już sobie pójść. Twój pokój jest tuż obok.

Ale ona ani drgnie.

– Poczekaj. Przepraszam, okej? Nie powinnam była tego mówić. Słuchaj, odstawię ten kieliszek, żeby żadna z nas nie piła.

Pochyla się i po omacku próbuje postawić go na podłodze. Szybko zabieram go jej z rąk, nim zaleje cały dywan. To mieszkanie i tak już jest obskurne, ale gdy przyjdzie pora, żeby je opuścić, nie zamierzam stracić przez nią kaucji.

– Porozmawiajmy o czymś innym – proponuje.

– W porządku – mówię z rezygnacją – ale jest już późno, a ja muszę zaraz położyć się spać. Mam jutro pierwszą zmianę w kawiarni.

Alison uśmiecha się i nie jestem pewna, dlaczego to ją tak uszczęśliwia. Zupełnie jakby alkohol nie tylko pozbawił ją zahamowań, lecz także wręcz odmienił jej osobowość.

– Okej. A więc wydarzyło się dziś coś interesującego, Josie. Gdy wróciłam do domu, Craig tu był. Pukał do drzwi. Właściwie to walił do drzwi.

Sztywnieję.

– Co powiedział? Wpuściłaś go?

– Oczywiście, że go wpuściłam. W końcu to twój chłopak, czyż nie? Cóż, w każdym razie był twoim chłopakiem. Powiedział mi, że zerwaliście, ale nie ma pojęcia dlaczego.

Czuję się nieswojo, że Alison wtyka nos w moje sprawy, podczas gdy przez tyle miesięcy ledwie zamieniłyśmy kilka zdań. I w większości były to zniewagi.

– Co odpowiedziałaś?

– Powiedziałam, że nawet nie wiedziałam, że byliście razem. Wydawał się tym odrobinę zasmucony, ale wyjaśniłam, żeby nie brał tego do siebie, że takie rzeczy się zdarzają. No wiesz, wszystkie te frazesy. Mimo wszystko był bardzo zdenerwowany.

Ale ja postąpiłam słusznie. Lepiej być dla niego okrutną teraz, niż pozwolić, by zaangażował się bardziej, po czym uświadomić sobie, że nic z tego nie będzie. To zraniłoby go jeszcze bardziej.

Alison sięga po swój kieliszek.

– Naprawdę bardzo się w tobie zakochał, prawda? Biedny facet. Ale jestem pewna, że wkrótce znajdziesz sobie kogoś innego. Ludzie tacy jak ty zawsze znajdują.

– Co to, do cholery, miało znaczyć, Alison?

Unosi ręce w przepraszającym geście.

– To miał być komplement. Jesteś atrakcyjną dziewczyną – mówi wymuszonym, nienaturalnym tonem, więc nabieram przekonania, że to jakaś jej kolejna chora gra.

– Muszę się teraz trochę przespać. Dobranoc, Alison. – Podnoszę butelkę wina leżącą na łóżku i wciskam jej w ręce. – Proszę.

Podnosi się i staje na chwiejnych nogach.

– Cóż, miło było z tobą pogawędzić. Musimy to wkrótce powtórzyć. Jak to możliwe, że twoja rodzina nigdy cię nie odwiedza?

Jej nagłe pytanie odbiera mi mowę, więc dopiero po chwili powtarzam:

– Dobranoc, Alison.

Gdy wychodzi, wyciągam telefon. Ignorowałam go przez całą drogę do domu z Brighton, bo nie chciałam myśleć o Craigu. O niczym. Ale teraz, gdy wiem, że tu był, muszę z nim porozmawiać.

Odbiera natychmiast.

– Josie, dzięki Bogu! Próbowałem się do ciebie dodzwonić przez cały dzień.

– Wiem. Przepraszam, po prostu nie byłam gotowa na rozmowę. Byłeś u mnie w mieszkaniu?

– Tak, nie dostałaś żadnej z wiadomości, które ci nagrałem?

– Nie odsłuchałam ich. Przepraszam.

– Josie, twoja współlokatorka to wariatka. Ona... Słuchaj, możemy się spotkać i o tym porozmawiać?

– To był strasznie długi dzień i muszę się położyć do łóżka, Craig, naprawdę jestem wykończona. Ale masz rację co do Alison. Myślałam, że ci mówiłam, że ona jest odrobinę dziwna.

– Mówiłaś. Ale serio, to było niewiarygodne... Ona jest niewiarygodna. Opowiedziała mi tyle pokręconych rzeczy na twój temat. To znaczy n a p r a w d ę pokręconych rzeczy. Co jest z nią nie tak?

Jego słowa uderzają mnie jak pięść.

– Co... co dokładnie ci powiedziała? Powtórz mi wszystko.

– Zmyśliła mnóstwo informacji na twój temat, a ja wiem, że to wszystko bzdury.

– Po prostu mi powiedz! – Nie zasłużył na to, by na niego krzyczeć, ale trudno mi się powstrzymać.

– Powiedziała, że chłopak twojej mamy pobił cię prawie na śmierć i zostawił, żebyś umarła.

Jego słowa mrożą mi krew w żyłach. Alison musiała dowiedzieć się o tym z internetu. Od czasu przeprowadzki do Londynu ukrywałam swoją przeszłość przed wszystkimi poza Zachem i czuję, że Alison pogwałciła moją prywatność w najgorszy możliwy sposób. Zatyka mnie.

– Josie? Jesteś tam?

W końcu odzyskuję mowę.

– Jestem.

– Dlaczego ona powiedziała coś takiego?

– Bo mnie nienawidzi, Craig. I jest wariatką.

– Tak mi przykro, Josie, niemal jej uwierzyłem. To znaczy, brzmiała tak przekonująco. Ale potem powiedziała jeszcze coś i już wiedziałem, że kłamie.

Pierwsze, co przychodzi mi do głowy, to że poskarżyła mu się, iż rozbiłam jej związek z Aaronem. Przygotowuję się na to. Ale słowa Craiga wstrząsają mną do głębi.

– Powiedziała, że sypiasz z Zachem Hamiltonem.

* * *

– Co za chorą grę prowadzisz? – Rzucam komórką w Alison i aparat odbija się od jej ramienia.

Nie jestem gwałtowną osobą, ale teraz nie potrafię pohamować gniewu. Tym razem naprawdę przesadziła.

– Niech zgadnę. Rozmawiałaś z Craigiem i powtórzył ci, co mu powiedziałam. Cóż, przecież to wszystko prawda, czyż nie?

Trudno mi zachować spokój, ale nie mogę sobie pozwolić na utratę kontroli.

– Wiesz, ile mogłabym ci narobić kłopotów za to, że rozpowiadasz złośliwe kłamstwa na mój temat?

– Owszem, mogłabyś. Gdyby to były kłamstwa. Ale wszystko, co powiedziałam, to prawda. Więc proszę, idź i zgłoś, co chcesz i komu chcesz. Właściwie to chętnie popatrzyłabym na śledztwo dotyczące twojego chorego romansu.

Alison wygrała. Od początku próbowała mi dopiec i w końcu znalazła skuteczny sposób. Mimo że Zach nie zrobił nic złego, jedna plotka mogłaby zniszczyć mu karierę. Nie pozwolę na to. Nie po tym wszystkim, co dla mnie zrobił.

Eksploduję gniewem i tracę panowanie nad sobą. Mam wrażenie, jakbym obserwowała samą siebie z boku, gdy robię coś, o co nigdy bym się nie podejrzewała. Rzucam się na Alison i łapię ją za gardło. Nie rozpoznaję nawet własnego głosu:

– Jeśli zrobisz cokolwiek, żeby skrzywdzić Zacha, ja postawię sobie za cel zniszczenie twojej żałosnej egzystencji. Zrobię z tego swoją życiową misję. Więc zastanów się dobrze, Alison, bo jeśli zaczniesz rozpowiadać te kłamstwa, nigdy ci nie odpuszczę.

A potem puszczam ją i wychodzę. Słyszę, jak z trudem łapie powietrze i próbuje dojść do siebie.

Wracam do swojego pokoju, padam na łóżko i zakrywam twarz poduszką, żeby stłumić łzy. Nie jestem lepsza od Johnny'ego czy Richarda; Liv miała co do mnie rację.

29

Mia

Nie powiedziałam Dominicowi, że Alison zatrzymała się u mnie; najpierw chcę z nią porozmawiać, dać jej możliwość, by się wytłumaczyła. Jestem pewna, że przygotowała się na tę ewentualność, ale każdy zasługuje na szansę, żeby się bronić. To coś, czego Zach nigdy nie dostał. Robię to, chociaż wiem, jak bardzo jest niezrównoważona, i przeraża mnie myśl, że jej kłamstwa mogą być oznaką czegoś niebezpiecznego.

Ale gdy docieram do domu i szykuję się na trudną rozmowę, świadoma, że wszystko może się zdarzyć, odkrywam, że nikogo tam nie ma. Wołam Alison, lecz odpowiada mi tylko cisza. Szybko zaglądam do wszystkich pomieszczeń i początkowo nie jestem przesadnie zaniepokojona; może wyszła, żeby zaczerpnąć świeżego powietrza. Ale potem zauważam, że jej bagaże zniknęły z pokoju gościnnego. Właściwie to zabrała wszystko, co ze sobą przywiozła, a łóżko jest schludnie zasłane, jakby nigdy jej tu nie było.

Zaczyna mnie ogarniać panika; Alison była już wystarczająco niebezpieczna, gdy przyjęłam ją do swego domu – teraz to wiem – ale zaginiona stanowi jeszcze większe zagrożenie. Dla mnie, dla Dominica, a nawet dla siebie samej.

Chociaż wiem, że nie odbierze, próbuję zadzwonić na jej komórkę i zostawiam wiadomość, gdy włącza się poczta głosowa:

– Alison, proszę, zadzwoń do mnie. Cokolwiek się stało, możemy o tym porozmawiać. Jestem po twojej stronie, po prostu do mnie zadzwoń.

Potem dzwonię do Willa i czuję ulgę, gdy słyszę jego głos.

– Czy jest jakakolwiek szansa, że miałeś wieści od Alison albo ją widziałeś?

– Hmm, nie. A co? Co się stało?

– Wyszłam dziś rano, a gdy wróciłam przed chwilą, okazało się, że jej nie ma. Wszystkie jej rzeczy zniknęły.

– Cóż, to chyba dobrze, prawda? Już zaczynałem się martwić, że nigdy sobie nie pójdzie.

– Nie, to niedobrze. Ona jest… bardzo niestabilna. Bardziej niż myślałam. – Ale nie mogę oczekiwać, że Will to zrozumie.

– Co to dokładnie oznacza? Czy ona coś zrobiła?

Mówię, że nie mam czasu, by wyjaśniać wszystko teraz, ale obiecuję, że zrobię to, gdy tylko będę mogła.

Ale, oczywiście, on nie odpuszcza tak łatwo.

– Jesteś pewna, że ona się po prostu nie wyprowadziła? Mówiłaś, że znalazła mieszkanie.

– Znalazła, ale będzie gotowe dopiero w czwartek. A nawet gdyby mogła wprowadzić się tam wcześniej, pożegnałaby się ze mną.

– Nie podoba mi się to, Mio. Już do ciebie jadę. Mam spotkanie za pół godziny, ale je odwołam.

– Nie ma takiej potrzeby. Nic mi nie jest. Ostatecznie już jej tu nie ma.

– Nie, ale myślę, że masz mi dużo do powiedzenia, prawda?

* * *

To dziwne, jak sprawy potrafią nagle przybrać nieoczekiwany obrót. Jak starannie ułożone plany mogą nie wypalić. Chociaż od początku zamierzałam wtajemniczyć Willa w całą sytuację, nie tak to miało wyglądać. Ale teraz on musi dowiedzieć się wszystkiego, a ja nie będę dłużej ukrywać przed nim prawdy.

Siedzimy na zewnątrz, w ogrodzie, ale przyjemne ciepło i jasne słońce nie ułatwiają mi sprawy.

– Nie rozumiem – mówi, gdy kończę relacjonować wydarzenia ostatnich dni. Jego konsternacja mnie nie dziwi, skoro sama dopiero zaczynam pojmować, kim tak naprawdę jest Alison. – Chcesz powiedzieć, że twoim zdaniem to ona zabiła Josie? Że koniec końców nie Zach to zrobił?

Teraz, gdy już wypowiedziałam te słowa na głos, zdają się mieć sens.

– Nie wiem niczego na pewno, Will, ale tak uważam.

– Ale w takim razie dlaczego poprosiłaby cię o pomoc? Dlaczego upierałaby się, że Zach jest niewinny?

To jest pytanie, które długo mnie dręczyło.

– Myślę, że zrobiła to tylko po to, by zwrócić moją uwagę. W przeciwnym razie na pewno bym jej nie wysłuchała. Ale ona jest naprawdę niezrównoważona, Will. Może być tak oderwana od rzeczywistości, że nawet nie pamięta, że to zrobiła. Możliwe, że naprawdę wierzy w winę Dominica.

Will milczy długo, a ja niemal słyszę trybiki obracające się w jego mózgu. Kalkuluje. Próbuje nadać sens temu, co wydaje się niemożliwe.

– A ty wierzysz temu Dominicowi, tak? Jesteś pewna, że można mu zaufać? A jeśli to on kłamie na temat Alison?

Tłumaczę, że początkowo nie miałam pewności, ale po rozmowie z rodzicami Alison i sprawdzeniu jego komputera jestem przekonana, że jej nie skrzywdził.

– Okej, cóż, musimy pójść z tym na policję. Znajdą Alison i przy odrobinie szczęścia wyciągną z niej prawdę. Nie ma innego sposobu, żeby się dowiedzieć. Nawet gdyby w tej chwili przeszła przez drzwi, wątpię, by powiedziała ci, co naprawdę się wydarzyło. – Wzdycha. – Wiedziałem, że coś jest z nią nie tak, po prostu wiedziałem. Żałuję, że nie powiedziałaś mi o tym wszystkim wcześniej.

– Ale rozumiesz, dlaczego nie mogłam? Ja nie odwracam się od ludzi, Will. Po prostu próbowałam jej pomóc. I przy okazji odkryć prawdę na temat Zacha. Myślałam, że wiem już wszystko, a potem pojawiła się Alison i to było tak, jakby bomba eksplodowała.

Will sięga przez stół, by ująć moją dłoń.

– Niezależnie od tego, co się okaże w związku z Zachem, to nie zmieni niczego w twoim obecnym życiu. Wciąż masz Freyę i wciąż masz mnie. Świadomość tego, co zrobił Zach, nigdy nie rzutowała na moje uczucia do ciebie. To nie miało nic wspólnego z tobą. Jeśli jest niewinny, to cóż, ucieszę się ze względu na was obie. I wciąż przy was będę.

Ściskam jego rękę, bo czuję takie dławienie w gardle, że nie mogę się odezwać.

– Ale to wciąż nie ma sensu, że zmyśliła te wszystkie kłamstwa na temat swojego partnera – mówi Will. – Musiała wiedzieć, że da się to łatwo sprawdzić.

– Mogę to wytłumaczyć tylko tym, jak zaawansowana musi być jej choroba psychiczna. Sińce wyglądały na prawdziwe, Will. Jakich jeszcze dowodów potrzebowałam? Ale teraz,

gdy się nad tym zastanawiam, to mógł być starannie nanie-
siony makijaż. Byłam zbyt zszokowana, żeby się na nie gapić,
i dość szybko odwróciłam wzrok.

– Chodź – mówi on – im szybciej pójdziemy na policję,
tym lepiej.

– Najpierw muszę odebrać Freyę, Will. Nie mogę przebywać z dala od niej, podczas gdy nie mam pojęcia, dlaczego Alison ma taką obsesję na moim punkcie. A wizyta na posterunku może nam zająć mnóstwo czasu.

Will przez chwilę spogląda w głąb ogrodu.

– Ja odbiorę Freyę. Ty idź na policję. Nie zwlekaj.

* * *

– Mamusiu! Myślałam, że jeszcze nie wracam do domu –
woła Freya, gdy wbiega do środka i pada mi w ramiona.

Dźwigam ją do góry i wdycham zapach jej szamponu. Jest
bezpieczna. Jesteśmy tu razem i wszystko będzie dobrze.

– No cóż, tęskniłam za tobą tak bardzo, że poprosiłam Willa, aby przywiózł cię do domu.

– Cieszę się – mówi mała. – Ale myślę, że babcia i dziadek
byli trochę smutni.

Obiecuję jej, że wkrótce znowu ich odwiedzimy, a ona,
uspokojona tą wiadomością, wybiega, żeby pobawić się
w ogrodzie.

Gdy tylko znajdzie się poza zasięgiem słuchu, Will pyta
mnie, co się wydarzyło na policji.

– Zapewnili mnie, że potraktują sprawę poważnie i że
wszystkiemu się przyjrzą, ale widziałam, że policjant, z którym rozmawiałam, jest sceptycznie nastawiony do mojej
teorii.

– Podejrzewam, że muszą zachować ostrożność, dopóki nie zdobędą jakichś dowodów – mówi Will. – Po prostu spróbuj o tym nie myśleć. Póki tutaj była, mogła zrobić ci krzywdę, ale już jej tu nie ma i naprawdę nie sądzę, by wróciła. Może odkryła, że spotkałaś się z Dominikiem, i się wystraszyła. Może to dlatego zniknęła.

Mam nadzieję, że ma rację. Minęło już pięć lat i chcę, żeby to wszystko skończyło się raz na zawsze.

– Nie martw się, Mio. I nie pozwól, żeby cię to dręczyło. Teraz szuka jej policja. Zrobiłaś wszystko, co mogłaś, żeby jej pomóc, ale jeśli ona nie pomoże sobie, nic więcej nie da się zrobić.

Po raz drugi w życiu będę musiała zablokować wszystko, co się wydarzyło, i skupić się na tym, co ważne: na rodzinie, którą mam przy sobie. Ale ta metoda sprawdza się tylko przez chwilę – gdy kładę się do łóżka i zamykam oczy, pod powiekami widzę twarz Alison. Will zasnął na sofie kilka godzin wcześniej i nie miałam serca go budzić, więc zostawiłam go tam, żeby odpoczął, ale teraz żałuję, że go przy mnie nie ma. W końcu zapomniałam mu powiedzieć, że Alison obserwowała nas tamtej nocy, ale teraz żałuję, że tego nie zrobiłam, bo wiem, że ona czaiła się tam nie bez powodu. Była tam ze względu na mnie.

Mój telefon zaczyna wibrować na stoliku nocnym i wiem bez sprawdzania, że to ona, jakbym przyciągnęła ją myślami.

Nie odzywam się, tylko słucham, co powie.

– Wiem, że tam jesteś, Mio. Musimy porozmawiać. Nie ma nikogo innego, do kogo mogłabym się zwrócić. Spotkasz się ze mną?

Każda komórka mego ciała krzyczy w proteście, ale mówię zupełnie co innego:

315

– Gdzie?

– Na stacji South Ealing.

– Alison, powinnaś wiedzieć, że byłam na policji. Potrzebujesz pomocy.

– Myślałam, że to ty mi pomagałaś?

– Pomagałam... pomagam. Ale musisz zacząć mówić prawdę. Zdajesz sobie sprawę, że nie poczujesz się lepiej, jeśli tego nie zrobisz?

Milczy długo, zanim odpowie:

– Wiem. Ale po prostu przyjdź. Sama, proszę. Nie mów im, gdzie będę. I tak w końcu mnie znajdą, prawda? Po prostu najpierw chcę z tobą porozmawiać.

Gdy nie odpowiadam, podejmuje kolejną próbę, żeby mnie przekonać:

– Inaczej nigdy się nie dowiesz, co się przytrafiło Zachowi i Josie, prawda? Policjanci nie zmuszą mnie do mówienia. Cokolwiek zrobią, nie zmuszą mnie do mówienia.

Alison jest na tyle niezrównoważona, by naprawdę tak myśleć, więc nie mam wyboru. Mówię jej, że będę na miejscu za dziesięć minut. Przed wyjściem zaglądam do Frei, a potem do Willa. Obserwuję każde z nich przez kilka minut. Wmawiam sobie, że wcale nie robię tego, bo się boję, że coś mi się stanie, że chłonę ich obraz, by dodać sobie odwagi.

– Przepraszam – szepczę. – Ale potrzebuję odpowiedzi. Muszę wiedzieć ze względu na Zacha.

* * *

Gdy zbliżam się do stacji, Alison już na mnie czeka. Nie chciałam obudzić Willa, odpalając silnik samochodu, więc przyszłam tu na piechotę. Alison ma na sobie dżinsową kurtkę, czarne legginsy i białe trampki, które zdają się świecić w ciemnościach. Jej włosy wyglądają na świeżo umyte i zastanawiam się, gdzie się zatrzymała.

Jest już po północy, więc pociągi nie jeżdżą, ale z ulgą widzę grupę młodych mężczyzn po drugiej stronie ulicy, przycupniętych na murku, z puszkami piwa w dłoniach.

Nie bawię się w uprzejmości. Ta kobieta okłamywała mnie od chwili, gdy ją poznałam.

– Zacznij mówić, Alison. O co w tym wszystkim chodzi?

Ale ona kręci głową.

– Nie tutaj. Muszę ci coś pokazać.

Robię krok do tyłu.

– Nie ma mowy, żebym gdziekolwiek z tobą poszła. Możemy rozmawiać tutaj albo w ogóle.

– To niedaleko stąd, obiecuję. Jeśli nie chcesz iść, to twój wybór. Ale tak jak powiedziałam, nie będę rozmawiać z policją. Chociaż jakie to ma znaczenie? Tyle czasu nie znałaś prawdy, więc podejrzewam, że teraz to nie robi ci różnicy. – Odwraca się, żeby odejść.

Rozmyślam gorączkowo, ściskając w dłoni telefon leżący w kieszeni. Powinnam w tej chwili zadzwonić na policję, to byłoby najbezpieczniejsze. Ale wtedy nigdy nie poznam prawdy o tamtym wieczorze, bo nie wątpię, że Alison zabierze tę tajemnicę ze sobą do grobu, jeśli nie ulegnę jej żądaniom.

Zanim zdążę świadomie podjąć decyzję, moje stopy już podążają opuszczoną ulicą za Alison Cummings czy też Alison Frances, czy jakkolwiek się ona nazywa. Nie odwraca się ani razu, ale wie, że za nią idę. Mam buty na płaskim obcasie, ale stukają o chodnik, a dźwięk moich kroków odbija się echem w nocy.

Mijamy jeszcze kilka ulic i nagle orientuję się, dokąd zmierza. Zabiera mnie do mieszkania, które kiedyś dzieliła z Josie Carpenter. Do mieszkania, w którym zginął Zach. Szybko wpadam w panikę i zaczyna mi brakować tchu. Zatrzymuję się i zginam wpół.

– Dobrze się czujesz? – pyta Alison. – Ach, wiesz, gdzie jesteśmy. – Łapie mnie za ramię i pomaga się wyprostować. – Dasz sobie radę. Ale musimy wejść do środka.

– Ja... ja nie mogę tam wejść.

– Owszem, możesz. Chcesz poznać odpowiedzi, prawda? – Jej głos jest osobliwie łagodny i kojący, jakby to ona była terapeutką, a ja pacjentką.

Ale nie mogę znowu dać się oszukać. Od początku planowała mnie tu ściągnąć.

– Nie – powtarzam, ale ona prowadzi mnie dalej. Delikatnie, acz stanowczo. – Jak miałybyśmy tam w ogóle wejść? Kto tam teraz mieszka?

Wyciąga komplet kluczy z kieszeni.

– Do niedawna nikt. Wierzysz w zbiegi okoliczności, Mio? Bo ja nigdy nie wierzyłam. Ale gdy pomagałaś mi szukać mieszkania, znalazłam to dostępne do wynajęcia. Nie zauważyłaś go, bo ma dwie sypialnie i jest w Ealing, ale ja nie mogłam uwierzyć, gdy je zobaczyłam. Po prostu musiałam je wynająć. Zupełnie jakby to było przeznaczenie.

Znowu odbiera mi mowę. Nie mam żadnego planu. Jeśli tam wejdę, narażę się na ryzyko, ale jeśli tego nie zrobię, nigdy nie uzyskam odpowiedzi, których potrzebuję.

– Idziesz? – pyta.

Sama już zmierza wąską ścieżką prowadzącą do budynku.

Próbuję stłumić narastającą panikę i wchodzę za nią do mieszkania, w którym umarł Zach.

Pierwsze, co czuję, to zatęchły zapach. Został zamaskowany jakimś odświeżaczem powietrza, ale wciąż czai się pod spodem, jak wspomnienie tego, co się tu wydarzyło.

Jak duch, który nie chce odejść.

– Po prostu zignoruj ten zapach. – Alison macha ręką. – Właścicielce trudno było wynająć to miejsce w ciągu ostatnich pięciu lat, więc stało puste przez większość czasu. Nie mogła uwierzyć w swoje szczęście, gdy powiedziałam, że je wezmę. W każdym razie jest moje na co najmniej sześć miesięcy. A nawet dłużej, jeśli zechcę.

– Ale dlaczego w ogóle chciałabyś się tu zatrzymać, Alison? To nie jest... to nie jest zdrowe.

– Tobie to pewnie wydaje się trudniejsze niż mnie. – Wzrusza ramionami. – Ja nie straciłam tutaj kogoś, kogo kochałam. – Jej słowa sprawiają, że ciarki przechodzą mi po plecach.

Nie powinnam była tu przychodzić; muszę stąd wyjść, zanim będzie za późno.

– Chodź i usiądź – zaprasza. – Salon jest tutaj. – Wskazuje na zamknięte drzwi.

Idę tam za nią.

To wnętrze mnie zaskakuje. Pokój wygląda na świeżo odmalowany, a meble wydają się zupełnie nowe.

– Podoba ci się? – pyta Alison. – Pomyślałam, że włożę trochę wysiłku w jego urządzenie. Kosztowało mnie to sporo pieniędzy, ale było warto. A właścicielka powiedziała, że mogę robić z tym miejscem, co chcę.

– Dlaczego to zrobiłaś? Po co to wszystko, Alison?

Siada na sofie i krzyżuje nogi.

– To zabawne, że pytasz akurat o to, skoro musi być tyle innych rzeczy, które chciałabyś wiedzieć. Ale odpowiem. To jest teraz mój dom. To zrozumiałe, że chcę, aby wyglądał ładnie. Powinnaś zobaczyć go wcześniej. To była typowa studencka nora, tanie dywany i nudne ściany w kremowobiałym kolorze. Ale chyba żadna z nas się tym nie przejmowała. Nie miałyśmy tu zostać na zawsze. – Gapi się na mnie, a jej wzrok przeszywa mnie niczym wiązka lasera. – Chociaż można chyba powiedzieć, że Josie została tu na zawsze, prawda?

Nie ruszam się ze swojego miejsca w progu salonu i staram się ukryć strach. Muszę zachować spokój i nie robić niczego, co sprowokowałoby Alison. Jeśli uda mi się to dobrze rozegrać, istnieje duża szansa, że wyjdę stąd żywa.

– Alison, naprawdę chcę ci pomóc, więc myślę, że powinnaś mi powiedzieć, co się stało z Josie. Co dokładnie jej zrobiłaś?

30

Josie

Alison zniknęła. Wyprowadziła się i nie zostawiła po sobie żadnego śladu. Powinnam się cieszyć – przecież od miesięcy właśnie tego chciałam – ale czuję tylko jeszcze większą pustkę i samotność niż kiedykolwiek wcześniej. I poczucie winy. Bo musiałam ją odstraszyć, prawda? Zachowałam się jak zbir, zastraszyłam ją, żeby dostać od niej to, czego chciałam. To cud, że nie zrobiłam jej krzywdy.

Nie uprzedziła, że odchodzi. Wyniosła się w dzień po tamtym incydencie i nawet nie zauważyłam, że odeszła, dopóki nie wróciłam wieczorem z pracy. Nie miałam okazji, żeby ją przeprosić, a lubię myśleć, że bym to zrobiła. Może musiałam stracić kontrolę, by przekonać się, że sprawy między nami zaszły zdecydowanie za daleko. Ale to chyba nie ma znaczenia; ona po prostu chciała wynieść się jak najszybciej i znaleźć się tak daleko ode mnie, jak to możliwe.

Jak to o mnie świadczy?

To stało się dwa miesiące temu i każdego dnia mam ochotę jej powiedzieć, że przykro mi, iż jej groziłam, mimo że wiem, że by nie posłuchała. Każdego dnia jestem gotowa stawić czoła konsekwencjom. Jeśli doniesie na Zacha za coś, czego nie zrobił, wtedy przynajmniej będziemy mieli prawdę po naszej stronie. Co kilka dni próbuję dzwonić na jej komórkę, ale oczywiście nie odbiera.

Zbliża się lato, a wraz z nim koniec mojego pierwszego roku studiów. Niemal mi się udało. Osiągnęłam coś, czego nikt się po mnie nie spodziewał. Ale nic nie wypełnia tej pustki, która mnie dręczy.

Craig wciąż do mnie pisuje i chociaż jest to odrobinę krępujące, spotykamy się od czasu do czasu. Ale już niczego między nami nie ma. On pewnie myśli, że miał szczęście, że się z tego wywinął, po tym jak w końcu mu się przyznałam, że Alison mówiła prawdę o mojej rodzinie. Oczywiście zaoferował wsparcie, ale coś się między nami zmieniło: w jego oczach przestałam być silną osobą, za jaką zawsze mnie miał.

No i jest jeszcze Zach. Udaje mi się trzymać od niego z daleka, chociaż wiem, co do mnie czuje. Gdybym była inna, uganiałabym się za nim niezależnie od tego, że ma rodzinę. Istnieje duże prawdopodobieństwo, że w końcu by mi uległ, gdybym była wystarczająco nieustępliwa. Ale nie mogłabym mu tego zrobić. Widziałam, jak bardzo czuje się rozdarty, mimo że do niczego między nami nie doszło. Nie mamy już sobie za wiele do powiedzenia, ale on zawsze uśmiecha się do mnie, gdy mijamy się na korytarzu, i tym się zadowalam. Jestem pewna, że ból, który czuję za każdym razem, gdy go widzę, w końcu minie.

Pracowałam dzisiaj cały dzień, na podwójnej zmianie, bo Pierre był zdesperowany, gdy Lucia zadzwoniła, że jest chora, a nikt inny nie mógł jej zastąpić. Dlatego teraz opadam na sofę wykończona i zwijam się w kłębek. Zamykam oczy i mam głupią nadzieję, że gdy znowu je otworzę, wszystko zniknie. Ale nie, wciąż jestem tutaj, w tej norze, a moje życie wali się w gruzy. I wciąż jestem Josie Carpenter, dziewczyną, która sprowadza kłopoty, dokądkolwiek się uda.

Podczas gdy walczę z tymi myślami, zauważam butelkę dżinu na półce. Alison nigdy jej nie tknęła i ja też nie. Czułam się dumna z siebie za każdym razem, gdy ją mijałam i nie ulegałam pokusie. Ale teraz ona woła moje imię. Rzuca mi wyzwanie, żebym wypiła tylko jeden łyczek. Tylko jedną szklankę. W ten sposób dorośli sprawiają, że świat znika.

Poddaję się i zdejmuję butelkę z półki. Zabieram ją na sofę i tulę w dłoniach. To zabawne, ale nic już nie ma dla mnie znaczenia. Alkohol smakuje okropnie, gdy spływa mi do gardła. Przypomina ostrze noża, ale piję dalej.

Gdy widzę dno, od razu czuję się lepiej. Zaczynam przetrząsać szafki w poszukiwaniu innych butelek, chociaż wiem, że nic nie znajdę. Minęło wiele miesięcy, od kiedy przestałam pić, więc nie ma szans, żeby coś wciąż walało się po mieszkaniu.

Żeby przestać myśleć o alkoholu, sięgam po telefon i przeglądam kontakty, dopóki nie zobaczę jej imienia. Liv Carpenter. Tak naprawdę nie mam konkretnego planu, chcę tylko namieszać jej w głowie, tak jak ona próbowała to robić ze mną przez wszystkie te lata. To zaskakujące, jakiego przypływu inspiracji można dostać po kilku głębszych.

– Czego ty chcesz, do cholery? – warczy, gdy odbiera.

Śmieję się.

– Dzwonię, żeby ci powiedzieć, że wygrałam, Liv. W końcu wygrałam. Nic mi nie zrobisz. Ani ty, ani Richard.

– Och, czyżby? A to dlaczego?

– Powiedzmy tylko, że jeśli ktoś z was zbliży się do mnie i spróbuje mnie w jakikolwiek sposób skrzywdzić, udam się prosto do więzienia, żeby uciąć sobie pogawędkę z Johnnym.

Prycha do słuchawki.

– Ha! Pogawędka z Johnnym? A niby dlaczego miałabyś to zrobić? Jestem pewna, że naprawdę ucieszyłby się na twój widok.

– Och, ucieszy się, gdy mu powiem, co wyprawiacie.

Milknie. Dobrze wie, do czego zmierzam.

– Co się stało, Liv? Chociaż raz cię zatkało?

– Co niby chcesz przez to powiedzieć, Josie? Przejdź do rzeczy, do cholery.

– Wiem wszystko o tobie i o Richardzie.

Nic nie wiem, a w każdym razie nie mam pewności, ale Liv nie musi o tym wiedzieć.

– Nie mam pojęcia, o czym ty, do cholery, mówisz.

– Wiem, co wy dwoje wyprawiacie za plecami Johnny'ego. Jestem pewna, że chciałby wiedzieć, że żyjesz na kocią łapę z jego kuzynem.

Znowu milknie. Tym razem na dłużej. Sądziłam, że przynajmniej spróbuje zaprzeczyć.

– Posłuchaj, ty mała dziwko, jeśli kiedykolwiek mu coś powiesz, to ja…

– Ale przecież ty nic nie zrobisz, prawda, Liv? Bo pewnie będziesz już leżała martwa w jakimś rynsztoku, zanim znajdziesz okazję, żeby mnie dopaść. Johnny nie zniesie myśli, że jego kobieta pieprzyła się z kimś innym, prawda? Oboje zrobiliście z niego idiotę i wiem, że nie będzie tego tolerował. I gwarantuję, że cokolwiek ci zrobi, będzie to milion razy gorsze niż to, co zrobił mnie.

– Ale to twoje słowo przeciwko naszemu, Josie. A jak myślisz, komu on uwierzy? Kobiecie, która go kocha, czy małej dziwce, która wpakowała go do więzienia?

Jestem na to przygotowana.

– Być może. Ale z drugiej strony wystarczy, że pokażę mu zdjęcie, które zrobiłam wam przez okno. Jestem pewna, że to go przekona.

I właśnie w tym momencie, gdy Liv zaczyna przeklinać i wrzeszczeć do słuchawki, przerywam połączenie. To powinno poprawić mi humor. Po raz pierwszy udało mi się zetrzeć ten paskudny uśmieszek z jej gęby. Ale jakimś cudem czuję się bardziej pusta i samotna niż kiedykolwiek.

Przez jakiś czas siedzę spokojnie i tłumaczę sobie, że nie potrzebuję więcej, że wypiłam już wystarczająco dużo, żeby stępić ból. Ale potem nachodzi mnie strach, że za szybko wytrzeźwieję i będę musiała wrócić do rzeczywistości. A w tej chwili nie jestem w stanie sobie z nią poradzić.

Bez namysłu łapię kurtkę i klucze i ruszam do sklepu monopolowego na rogu. Staram się wyglądać na trzeźwą, ale mi się nie udaje. Mężczyzna za ladą ma jednak gdzieś to, że ewidentnie jestem zalana, i ani mrugnie powieką, gdy stawiam na ladzie butelkę dżinu. Wolałabym coś innego – cokolwiek innego – ale nie jestem aż taka głupia, żeby mieszać alkohole.

Podaję mu dwudziestofuntowy banknot, a gdy wręcza mi resztę, niechcący rozsypuję ją po podłodze.

– Reszty nie trzeba – mamroczę, bo po prostu jest mi wszystko jedno.

On cmoka z niezadowoleniem i przeklina pod nosem, że będzie miał przeze mnie więcej roboty, ale mam to w nosie.

Wracam do domu, napoczynam drugą butelkę i wszystko się zamazuje. Godziny mijają, a ja nie zauważam upływu czasu, dopóki ktoś nie zaczyna walić do drzwi.

Z jakiegoś powodu wydaje mi się, że to musi być Alison, i pędzę, żeby jej otworzyć. Niemal padam na twarz, gdy potykam się o ładowarkę telefonu. Nawet nie pamiętam, kiedy zostawiłam ją na podłodze.

Ale gdy otwieram drzwi, to nie Alison za nimi stoi.

31

Mia

– Josie była swoim największym wrogiem – mówi Alison.

Podchodzi do okna i wygląda na zewnątrz, po czym zamyka żaluzje.

– To znaczy, próbowała być silna i panować nad sytuacją, jednak w ostatecznym rozrachunku była po prostu... słaba. Ale nie widziała tego. O nie, uważała, że jest niezwyciężona, zrobiona z tytanu.

Zawsze było mi trudno słuchać informacji na temat Josie, ale teraz w milczeniu błagam Alison, żeby mówiła dalej. Muszę wiedzieć, co się wydarzyło. Owszem, ona mówi mi to wszystko nie bez powodu i nie mam wątpliwości, że zaplanowała to w najdrobniejszych szczegółach, ale jestem gotowa stawić jej czoła, cokolwiek się stanie. W tej chwili rozpaczliwe pragnienie prawdy przesłania wszystko inne.

Siedzę już na sofie i rozglądam się po pokoju. Nie wygląda na to, by było tu cokolwiek, czego mogłaby użyć, żeby mnie skrzywdzić, jej ubrania nie mają kieszeni, a ja na pewno jestem od niej silniejsza. Gdyby do czegoś doszło...

– Byłaś o nią zazdrosna? – zwracam się do Alison.

Nie obchodzi mnie, czy moje słowa ją obrażą. To już nie ma znaczenia.

Przez chwilę rozważa w milczeniu moje pytanie.

– Być może.

Spodziewałam się zaprzeczenia, a jednak w końcu Alison mówi mi coś, w czym może tkwić ziarnko prawdy.

– Dlaczego? Wygląda na to, że miałaś znacznie więcej niż ona. Twoi rodzice cię kochają, to po pierwsze. Josie nie miała nawet tego. – Chcę wstać, ale za bardzo boję się ruszyć. Alison wciąż stoi przy oknie i ma nade mną przewagę.

– Nie pozwoliłaś mi skończyć. Myślę, że byłam o nią odrobinę zazdrosna na początku. Dopóki jej nie poznałam. Wcześniej widziałam tylko tę piękną, pewną siebie dziewczynę, która nie miała żadnych problemów, żeby rozkochać w sobie każdego mężczyznę. Była zupełnie inna niż ja. Ja ledwie miałam chłopaka.

Patrzę na twarz Alison, gdy to mówi. To atrakcyjna dziewczyna, więc ewentualne problemy z mężczyznami musiały brać się z tego, co tkwiło w jej psychice.

– Naprawdę chciałam ją polubić – ciągnie dalej. – Próbowałam dać jej szansę, ale wszystko w niej po prostu doprowadzało mnie do szału. Podejrzewam, że ja działałam na nią podobnie. W każdym razie nic z tego nie ma już teraz znaczenia, prawda? Tak jak mówiłam, ona była tego rodzaju dziewczyną, która mogła zdobyć każdego, kogo chciała, nawet wykładowcę akademickiego. Jak wiele osób mogłoby powiedzieć, że ktoś zaryzykował karierę, żeby z nimi być?

Mam wrażenie, że tracę grunt pod nogami.

– Wiedziałam, że kłamałaś, gdy mówiłaś, że twoim zdaniem do niczego między nimi nie doszło. Wszystko, co mi mówiłaś od dnia, gdy cię ujrzałam, było zmyślone, czyż nie, Alison?

Podchodzi bliżej.

– Jeszcze dotrzemy do części o moich kłamstwach, Mio, ale prawda jest taka, że nie było mnie tam z nimi. Nie mogę ci powiedzieć, czy on z nią sypiał, czy nie, ale to nie znaczy, że nie chciał, że go nie kusiło.

Słowa Alison spadają mi na głowę jak cegły.

– Nie rozmawiałaś z nim tamtego wieczoru, prawda?

– Owszem, rozmawiałam, Mio, ale za bardzo wybiegasz w przyszłość. – Przekręca nadgarstek i sprawdza godzinę na starym złotym zegarku. Nie sądziłam, że ludzie w jej wieku w ogóle zawracają sobie głowę noszeniem zegarków, ale Alison nie jest typową dwudziestosześciolatką. – Jeśli mam to zrobić, zrobię to w swoim tempie. Mamy całą noc, czyż nie? Nigdzie się nie wybierasz, prawda?

Nie odpowiadam, ale raz jeszcze dodaję sobie otuchy, ściskając zimny, twardy metal telefonu, wciąż leżącego w mojej kieszeni.

– Rzecz w tym, że mam z tym wszystkim duży problem, Alison. Ze wszystkim, co mówisz. Okłamałaś mnie już tyle razy, więc dlaczego miałabym wierzyć w cokolwiek, co mówisz teraz?

– To twój wybór. I właściwie to nie ma znaczenia, w co wierzysz. Liczy się tylko to, w co ja wierzę.

Ta kobieta jest szalona, a ja byłam głupia, że tu przyszłam i sądziłam, że uda mi się usłyszeć od niej coś sensownego. Jak mogłam oczekiwać, że teraz będzie szczera, zważywszy na jej historię zaburzeń psychicznych?

– Dominic nigdy się nad tobą nie znęcał, prawda? I to ty umieściłaś zdjęcie Josie w jego komputerze?

329

– Cóż, podejrzewam, że to akurat nie było takie trudne do odkrycia. Tak, to było zdjęcie Josie, które miałam w swoim telefonie.

– Skąd je wzięłaś? Wyglądało jak selfie, więc to ona musiała ci je wysłać.

– I wysłała, przez przypadek. Nie wiem, dla kogo było przeznaczone, ale nie sądzę, że dla mnie. Chyba że chciała mi w ten sposób powiedzieć „pieprz się". W sumie wygląda na tym zdjęciu, jakby właśnie to sobie myślała.

– I wysłała ci je tej nocy, gdy zginęła?

Alison kiwa głową i siada na sofie obok mnie. Staram się nie podskoczyć i nie odsunąć tak daleko od niej, jak to możliwe.

– Tak – potwierdza. – I między innymi z tego powodu tam poszłam. Nie widziałam jej od miesięcy, nawet na kampusie. To znaczy: zauważyłam ją tam parę razy, ale zawsze się ukrywałam, żeby ona nie zobaczyła mnie. Ale byłam na nią taka wściekła. Tyle miesięcy mieszkania razem i kłócenia się ze sobą odbiło się na mnie i po prostu chciałam... sama nie wiem, potrzebowałam jakiegoś podsumowania? Tamtego wieczoru uczyłam się w bibliotece uniwersyteckiej, gdy przysłała mi to zdjęcie. Było późno i założyłam, że prawdopodobnie jest pijana – jak zwykle. Byłam taka wściekła, że po prostu miałam ochotę się na nią rzucić. Zresztą nie pierwszy raz, ale nigdy wcześniej nie udało mi się zebrać w sobie. Byłam za słaba. Właśnie to robiła mi Josie, Mio, ona mnie osłabiała. Sprawiała, że czułam się bezużyteczna, chociaż w rzeczywistości radziłam sobie na studiach zdecydowanie lepiej niż ona.

Chłonę jej słowa i zapamiętuję je, na wypadek gdybym musiała wszystko powtórzyć podczas składania zeznań przeciwko niej.

– A więc okłamałaś Zacha, gdy powiedziałaś mu, że przyszłaś tutaj po swoją bransoletkę? Tę, którą rzekomo dała ci mama.

– Tak, to było kłamstwo. Nie ma żadnej bransoletki. Ale to nie jest istotne, Mio.

Ma rację. To było tylko niewinne kłamstewko w gąszczu innych.

– Dlaczego w końcu się wyprowadziłaś, Alison? Cóż takiego się między wami wydarzyło, co było gorsze niż wcześniejsze kłótnie?

– Powiedziałam jej, że zamierzam donieść władzom uniwersyteckim na nią i Zacha. Oczywiście to jej się nie spodobało i zaczęła mi grozić. To była paskudna groźba. I chyba mnie wystraszyła, bo wtedy już wiedziałam, z jakiej rodziny pochodzi i co jej się przytrafiło, więc trudno było przewidzieć, do czego ona sama jest zdolna. – Przerywa i zwraca się do mnie: – Nie jestem dumna z tego, że jej groziłam. Nie miałam dowodów, że między nią a Zachem kiedykolwiek do czegoś doszło, ale cóż, napędzał mnie gniew. Podoba mi się to sformułowanie, a tobie? Napędzana gniewem.

Ściskam telefon odrobinę mocniej. Nie wiem, ile jeszcze mogę czekać, ale ona wciąż nie wyznała, co się stało tamtego wieczoru. Zaszłam już za daleko, żeby zrezygnować z odkrycia prawdy.

Co za ironia, że Alison naprawdę bała się Josie, biorąc pod uwagę, co zrobiła. Potrząsam głową.

– Więc to dlatego zabiłaś Josie? Żeby powstrzymać ją przed skrzywdzeniem cię? Chcesz mi powiedzieć, że to była samoobrona?

Alison wstaje, a ja mimowolnie się cofam.

– Och nie, wcale nie zamierzam tego powiedzieć. Bo ja jej nie zabiłam.

32

Josie

Gapię się na Zacha.

– Co... co ty tutaj robisz?

Marszczy brwi.

– Jak to? Przecież to ty dzwoniłaś do mnie z tysiąc razy. Dlaczego nie odbierałaś, gdy oddzwaniałem? Zamartwiałem się o ciebie, Josie. Co się dzieje?

To musi być sen; nigdy nie dzwoniłam do Zacha. To niemożliwe, że on stoi pod moimi drzwiami. Obmacuję kieszeń w poszukiwaniu telefonu i sprawdzam historię połączeń. I rzeczywiście, widzę sześć telefonów do Zacha i trzy nieodebrane połączenia od niego, jak również dwa esemesy z pytaniem, czy nic mi nie jest.

– Ups! – mówię. – Przepraszam, musiałam wybrać twój numer po pijaku.

Mina mu rzednie. Maluje się na niej rozczarowanie. Myślał, że jestem lepsza, że stoję ponad takimi szczeniackimi zachowaniami.

– Josie, sądziłem, że przestałaś pić, że zaczęłaś nowe życie.

– Jaki to ma sens? – prycham.

Jeśli Zach uważa, że jestem głupiutką dziewczynką, utwierdzę go w tym przekonaniu.

Nie zrobił żadnego gestu, żeby wejść, więc nie jestem zaskoczona, gdy mówi, że to prawdopodobnie nie jest najlepszy moment na rozmowę.

– Musisz trochę odpocząć, Josie. Porozmawiamy jutro.

Ale jutro nie będzie żadnego rozmawiania. Jutro znowu zostanę zepchnięta na margines, schowana w schludnej małej przegródce w jego głowie. W jakimś bezpiecznym miejscu, z którego mnie nie wypuści. Nie mogę pozwolić mu odejść. Łapię go za ramię, spodziewając się oporu, ale na niego nie natrafiam. Zach wzdycha tylko, ale pozwala, żebym wciągnęła go do mieszkania i zamknęła za nami drzwi wejściowe.

– Nie powinienem tutaj być – protestuje. – Zwłaszcza że piłaś. – Ale posłusznie idzie za mną do salonu.

– W kółko to powtarzasz, Zach. – Opadam na sofę i klepię siedzenie obok mnie. – Po prostu usiądź i dotrzymaj mi towarzystwa, to wszystko. No chodź.

Patrzy na zegarek.

– Może na chwilę. Ale jest dość późno i będę musiał wkrótce wracać do domu. – W końcu siada, ale wybiera miejsce na drugim krańcu sofy. – A więc gdzie jest twoja współlokatorka? Alison, zgadza się?

– Wyprowadziła się. Nie mogła dłużej znieść mojego towarzystwa. – Śmieję się, chociaż nie ma w tym nic śmiesznego. Na tym polega piękno dżinu.

Zach to ignoruje i stara się udawać, że jestem trzeźwa.

– Cóż, to chyba dobrze, prawda? Nie dogadywałyście się, czyż nie? Przynajmniej tym nie musisz się już stresować.

Ale się myli.

– Ona przynajmniej była kimś. Ktoś zawsze tu był, gdy wracałam do domu. Teraz towarzyszy mi tylko cisza. I nie ma jedzenia. – Znowu zaczynam chichotać i chociaż jestem na siebie zła, że to robię, nie mogę przestać.

Poważny wyraz twarzy Zacha prowokuje mnie jeszcze bardziej.

On dalej ignoruje moje pijackie zachowanie.

– A co z Craigiem? Założę się, że siedzi tutaj cały czas.

Odrzucam głowę do tyłu.

– Powiedzmy po prostu, że w tej kwestii sprawy nie do końca się ułożyły.

Zapada między nami milczenie i chociaż jestem pijana, zastanawiam się, czy Zach się ucieszył, gdy to usłyszał.

– Przykro mi to słyszeć – mówi, a ja chcę mu powiedzieć, że to przez niego. Bo on jest jedynym mężczyzną, którego pragnę.

– Zapytaj dlaczego, Zach.

Znowu milczy, tym razem dłużej.

– Nie sądzę, że powinienem cię o to pytać, Josie. To nie mój interes. To sprawa między tobą a Craigiem.

Ale to jest interes Zacha. Niemal mu to mówię, ale powstrzymuję się w samą porę. Nie jestem aż taka wredna.

– Napijesz się? – Podsuwam mu butelkę z dżinem.

Kręci głową.

– Ha! Nie, dziękuję. I myślę, że wypiłaś już wystarczająco dużo za nas dwoje.

Pociągam długi łyk.

– Ja dopiero zaczynam, uwierz mi.

– Josie, zwolnij. Dlaczego tak się nad sobą użalasz? To do ciebie niepodobne. – Próbuje zabrać mi butelkę, ale mimo upojenia jestem szybsza i odsuwam ją poza zasięg jego ręki. – Co cię do tego skłoniło? – dopytuje, gdy nie odpowiadam. – Czy coś się wydarzyło z twoją mamą? Czy u twojego brata wszystko w porządku?

– Nie nazywaj jej tak. Ona nie jest dla mnie żadną matką, dobrze o tym wiesz. Ani dla Kierena, choć udaje, że dobrze go traktuje. Och, Boże, jak ja mogę pozwalać na to, by siedział z nią w tamtym domu? Z nimi.

– Jak to z nimi? Proszę, nie mów mi, że ten człowiek wyszedł z więzienia?

– Nie. Nie, to nie on, ale myślę, że Liv żyje na kocią łapę z jego kuzynem, Richardem. To ten koleś, który przyjechał do Londynu, żeby mnie zastraszyć i zmusić do wycofania zeznań przeciwko Johnny'emu.

– To po prostu... chore.

– Wiem. To historia rodem z talk show Jeremy'ego Kyle'a, co nie? Nie dałoby się zmyślić tego gówna. Ale ja naprawdę się martwię, Zach. Na razie Kieren jest mały i uroczy, ale wkrótce podrośnie. Muszę go stamtąd zabrać. Nie mogę stać z boku i pozwolić, żeby coś mu się przytrafiło. Muszę coś zrobić.

Zach przysuwa się bliżej i kładzie dłoń na moim ramieniu.

– Musisz zachować spokój, Josie. Słuchaj, już zgłosiłaś wszystko na policję i do opieki społecznej... myślę, że teraz powinnaś pozwolić im się tym zająć.

– Ale w końcu oni przestaną o niej myśleć, poddadzą się, bo Liv udaje świetną matkę, a wtedy to się stanie. I tym razem to może być gorsze niż to, co przytrafiło się mnie! – W moim głosie pobrzmiewa histeria.

Zach dalej trzyma dłoń na moim ramieniu. Ale powinien mnie puścić. Naprawdę powinien.

– Posłuchaj mnie, Josie. Musisz być silna. Wiem, że potrafisz. Koniec końców, wszystko się ułoży, zawsze tak jest. Zaufaj mi. Pomyśl o tym, przez co już przeszłaś, ile przetrwałaś.

Patrzę teraz na Zacha i ufam mu. Nawet przez opary alkoholu widzę, że nigdy nie chciał mnie skrzywdzić. Zawsze się o mnie troszczył.

Nie mam pojęcia, że popełniam największy błąd w życiu, dopóki naprawdę tego nie zrobię, ale nagle przysuwam się bliżej Zacha, przywieram do niego całym ciałem i dociskam wargi do jego ust, rozpaczliwie pragnąc poczuć jego smak, przyciągnąć go do siebie i nigdy nie puścić.

To musi trwać zaledwie sekundę, może nawet krócej, a potem on gwałtownie mnie odpycha. Na jego twarzy maluje się przerażenie.

– Josie, nie powinnaś była tego robić. Nie możemy... Ja kocham moją żonę. Więcej niż kocham, ona jest całym moim światem.

Słowa Zacha, wypełnione tak wielkim cierpieniem i bólem, sprawiają, że natychmiast trzeźwieję. Jest mi tak wstyd, że wybiegam z mieszkania.

33

Mia

Słyszę, jak Alison zaprzecza, dlatego nie mam już wątpliwości, co muszę zrobić. Ona nie zamierza odpowiedzieć na moje pytania, więc muszę zaakceptować to, że nigdy się nie dowiem, co dokładnie wydarzyło się tamtego wieczoru.

– Napiłabym się wody – mówię.

Staram się, aby mój głos zabrzmiał chrapliwie, chociaż wiem, że jej nie nabiorę. Chyba nie myśli, że pozwolę, aby uszło jej na sucho to, co zrobiła.

Ale ona jak zwykle jest pełna niespodzianek.

– W porządku – mówi. – Zaraz wrócę.

Jestem zszokowana, że zostawia mnie samą w pokoju, chociaż zdaje sobie sprawę, że muszę mieć komórkę, ale może to niedopatrzenie z jej strony. Wiem tylko, że drzwi frontowe są zamknięte i nie mam jak się stąd wydostać. To jedyne, co tłumaczyłoby jej pewność siebie.

Ale wciąż nie mam pojęcia, czego ona ode mnie chce.

Nie spuszczam wzroku z drzwi do salonu, szybko wyciągam telefon i wybieram numer Willa w nadziei, że odbierze i nie zostanę przekierowana na pocztę głosową. Gdy odbiera, jego głos jest ochrypły ze zmęczenia. Bez słowa ściszam głośność, wsuwam telefon z powrotem do kieszeni, nie przerywając połączenia, i krzyczę do Alison.

– Już idę – mówi.

Po chwili pojawia się w drzwiach ze szklanką wody. Stawia ją na dywanie u moich stóp, ale musi wiedzieć, że nie ma mowy, abym wypiła chociaż kroplę.

– Co ja tu robię, Alison? Twierdzisz, że nie zrobiłaś krzywdy Josie, więc czego ode mnie chcesz?

Dołącza do mnie na sofie.

– Cóż, jak już mówiłam, chciałam, żebyś poznała prawdę na temat Zacha. Że nie przespał się z Josie. To dla mnie ważne, żebyś to wiedziała.

Psychoza Alison musi być znacznie głębsza, niż sobie wyobrażałam; całkowicie zaprzecza temu, co mówiła wcześniej, że nie mogła wiedzieć, czy do czegoś między nimi doszło. Ale oczywiście, gdy ją o to pytam, ma przygotowaną odpowiedź:

– Powiedziałam, że nie byłam z nimi w pokoju, więc nie mam żadnych prawdziwych dowodów, ale tak jak wspominałam wcześniej, rozmawiałam z Zachem i wierzę we wszystko, co powiedział. W każde jego słowo. On naprawdę cię kochał. I Freyę też. Musiałyście być całym jego światem. – Zaczyna obgryzać paznokcie.

Ale nie byłyśmy, prawda? Mówię Alison, że jej słowa nie mają sensu, ale ona nie odpowiada. Muszę postępować ostrożnie; nie chcę, żeby teraz zamilkła.

– Przynajmniej powiedz mi, dlaczego chciałaś, żebym się tego wszystkiego dowiedziała?

– Bo chcę sprawiedliwości dla Josie.

I nagle wszystko staje się jasne. Wbrew temu, co Alison mówi, musi jednak myśleć, że to Zach zabił Josie. Tak jak wszyscy. Jej historyjka o uwikłaniu Dominica w tę sprawę miała służyć tylko temu, by zmusić mnie do słuchania; nie mogła przecież wiedzieć, czy uważałam Zacha za winnego, czy nie. Możliwe, że w swoim obłąkańczym umyśle zablokowała wszelkie wspomnienia tego, co sama zrobiła, i skupiła się na Zachu. A że on jest martwy, to ja muszę przyjąć na siebie winę za to, co przytrafiło się Josie.

Staram się podtrzymywać rozmowę, żeby Will miał wystarczająco dużo czasu, by zadzwonić na policję. Mam nadzieję, że usłyszał na tyle dużo, by uświadomić sobie, że coś jest nie tak. A gdy już powiadomi władze, policja powinna wyśledzić naszą lokalizację dzięki sygnałowi z komórki. Przynajmniej taką mam nadzieję. Wspominanie na głos o tym, gdzie dokładnie się znajdujemy, podczas gdy Alison siedzi ze mną w pokoju, jest zbyt ryzykowne. Chociaż sprawia mi to ból, muszę potwierdzić to, w co ona wierzy.

– Wiesz, Alison, obwiniałam siebie przez te wszystkie lata. O wszystko. O to, co przytrafiło się Zachowi i co przytrafiło się Josie.

– Czyżby?

Patrzę jej prosto w oczy: to najlepszy sposób, żeby przekonać kogoś, że nie kłamiesz.

– Tak. Prawda jest taka, że gdybym była lepszą żoną, być może nic z tego by się nie wydarzyło. On nie zainteresowałby się Josie. Niezależnie od tego, czy zbliżyli się fizycznie, nie da się zaprzeczyć, że coś do niej czuł. I właśnie za to się obwiniam.

Alison gapi się na mnie.

– Cóż, to interesujące. Mów dalej.

Serce wali mi w piersi.

– Chyba za dużo od niego oczekiwałam. Od naszego życia razem. Zawsze dążyłam do perfekcji, ale to musiało być dla niego wyczerpujące. To znaczy wiem, że było. Tyle mi powiedział. Nie w przykry sposób, ale mimo wszystko. To stanęło klinem między nami.

Podczas gdy słowa więzną mi w gardle, opowiadam Alison, jak namawiałam Zacha na dziecko, chociaż on nie był jeszcze w pełni gotowy.

– Próbował pisać powieść, a ja myślałam, że będzie mógł to robić także przy noworodku. Nigdy nie przyszło mi do głowy, że dla niego opieka nad Freyą może być trudna, bo dla mnie nigdy taka nie była. Po prostu sobie radziłam.

Alison śmieje się pogardliwie.

– Cóż, oczywiście, Mała Miss Doskonałości potrafi poradzić sobie ze wszystkim.

– Nie, źle mnie zrozumiałaś. Nie uważam, żebym była doskonała. Na pewno nie byłam. Bo straciłam męża, ojca mojej córeczki. Ona miała wtedy tylko dwa latka, Alison.

Kiwa głową i przez moment łatwo zapomnieć, w jakiej sytuacji się znajdujemy. Mogłybyśmy być przyjaciółkami rozmawiającymi o mojej stracie.

– Biedactwo. To musiało być dla ciebie trudne, ale jestem pewna, że sobie poradziłaś. Zawsze dajesz sobie radę, prawda?

Dociera do mnie, że Alison nie zamierza mi tego ułatwić. Jest zdeterminowana, żeby przenieść na kogoś winę, nawet jeśli elementy układanki nie pasują. Nie mają szansy pasować.

– Po prostu radziłam sobie najlepiej, jak mogłam, w ciężkiej sytuacji. Właśnie to zawsze próbuję robić, Alison.

– Cóż, ale to nie zawsze bywa takie łatwe dla innych ludzi, Mio. Nie wszyscy są tak idealni jak ty. Ja nie jestem. Josie z pewnością nie była.

Ignoruję drwinę w jej głosie.

– Dlaczego chcesz sprawiedliwości dla Josie? Nienawidziłaś jej. Dlaczego spędziłaś pięć lat, obsesyjnie o niej myśląc? – Mówię coś, czego nie powinien powiedzieć żaden terapeuta, ale dawno już wykroczyłyśmy poza tę relację.

– Ha! Obsesja? Naprawdę myślisz, że mam obsesję? To nie tak, Mio. Chodzi jedynie o uporządkowanie pewnych spraw. Spędziłam tyle czasu, nienawidząc jej, podczas gdy powinnam ją wspierać. Nie była złą osobą i powinnam poświęcić trochę czasu, żeby ją poznać. Niestety, za długo z tym zwlekałam i teraz Josie już nie ma, a ja muszę spróbować jej to wynagrodzić.

Wynagrodzić jej to, że ją zabiłaś? Niepokój zaczyna mnie przytłaczać. Im dłużej tu siedzę, tym bardziej zdaję sobie sprawę, że Alison nie zamierza pozwolić mi opuścić tego mieszkania inaczej, jak tylko w worku na zwłoki. Mogę się tylko modlić, że Will usłyszał każde słowo i zadzwonił na policję. Ale mam wrażenie, jakby czas zwolnił, i trudno mi ją nakłonić, żeby mówiła dalej. Wkrótce przejrzy moją grę, jestem tego pewna.

– Alison, powiedziałaś wcześniej, że nie sądzisz, by do czegokolwiek między nimi doszło, więc co twoim zdaniem Zach u niej robił tamtego wieczoru? Było późno, czyż nie? Sporo po dziesiątej. – Muszę ją podpuścić, sprawić, żeby powiedziała coś, co ją obciąży.

– Wszyscy uważają, że musiała go szantażować. Że groziła, iż ujawni ich romans i powie ci o wszystkim. Rodzina i praca były ważne dla Zacha, prawda, Mio? Wystarczająco ważne, by zrobił wszystko, aby je chronić.

Właśnie tak przedstawiono to w mediach. Że Zach musiał starannie zaplanować morderstwo Josie. Według dziennikarzy początkowo zamierzał użyć substancji, która ostatecznie stała się przyczyną jego śmierci, ale coś poszło nie tak, więc zadźgał Josie i ukrył gdzieś jej ciało. Po wszystkim spanikował i odebrał sobie życie trucizną, która była przeznaczona dla niej.

– Jak sądzisz, gdzie jest jej ciało, Alison? Co Zach z nim zrobił?

– Nie mam pojęcia, Mio. I nie wiem, po co wrócił tutaj już po wszystkim, żeby odebrać sobie życie. Może chciał zatrzeć ślady, ale go to przerosło? Bo on nie był złym człowiekiem, prawda, Mio? Mimo wszystko.

Łzy stają mi w oczach i z trudem udaje mi się je powstrzymać. Jednak Alison i tak je zauważa.

– Kogo opłakujesz, Mio? Zacha? Josie? Samą siebie?

– Nas wszystkich, Alison. Bo to był po prostu jeden okropny bałagan. Ale nie musisz dalej tak żyć. Możesz się wyzwolić od tego wszystkiego.

– Wyzwolić się od czego? I niby jak ja żyję?

– Kieruje tobą żądza zemsty. Na mnie, bo na Zachu nie możesz się odegrać. Poświęciłaś pięć lat życia tej... sprawie. To mnóstwo czasu.

– Czy ty próbujesz udzielać mi porad, Mio? Myślę, że jest na to odrobinę za późno... – Wstaje i pochyla się nade mną. – Właściwie, zanim się zamkniesz, możesz...

Głośny huk ucisza nas obie i dopiero po chwili uświadamiam sobie, że ktoś wyważa drzwi frontowe. Policja przybyła w samą porę. Jestem bezpieczna. Zabiorą Alison i ją zamkną.

Dwaj policjanci pojawiają się w drzwiach salonu i jestem zaskoczona, że obaj są uzbrojeni. Nie wiedzieli, co tu zastaną, więc przygotowali się na najgorsze. Nawet nie słyszę, co mówią. Jestem zbyt odrętwiała, a strach, który trzymałam na wodzy, od kiedy przekroczyłam próg tego mieszkania, nagle mnie paraliżuje, mimo że teraz jestem już bezpieczna.

Wiem tylko, że mówią coś do Alison, a ona krzyczy na nich:

– Czekajcie, nic nie rozumiecie! – Wije się i szarpie, by wyrwać się policjantowi, który złapał ją za ramię, ale nie ma szans. – Powiedz im, Mio, powiedz im prawdę...

Wyciągają ją z mieszkania, zanim zdąży powiedzieć cokolwiek więcej.

Tylko tyle słyszę, nim osunę się na podłogę. Łzy, które tak długo hamowałam, teraz płyną strumieniem.

– Wszystko w porządku, proszę pani? – pyta drugi policjant.

– Będzie – mówię w końcu. – Myślę, że teraz już będzie.

34

Josie

Jestem w barze, choć nie mam pojęcia gdzie. Wiem tylko, że musiałam tu dojść piechotą. Ale kogo to obchodzi? Jest tak tłoczno, że ledwie zdołałam się wcisnąć. Ale to mi odpowiada. Nie chcę, żeby jakieś stare dziady gapiły się na mnie i proponowały, że kupią mi drinka, a potem uśmiechały się obleśnie, bo myślą, że to daje im prawo do czegoś więcej.

Wszystko, czego potrzebuję, to więcej alkoholu. Ale gdy podchodzę do baru, nie opuszcza mnie wrażenie, że coś jest nie w porządku, chociaż nie mam pojęcia, co takiego. Wiem tylko, że wszystko w moim życiu jest nie tak. I że zrobiłam coś okropnego. Tyle że nie wiem co.

– Co podać? – pyta jeden z barmanów.

Nawet nie przeprasza, że tak długo musiałam czekać na obsługę, i ledwie na mnie patrzy. Dla niego jestem po prostu kolejną twarzą w tłumie.

– Krwawą Mary – proszę.

Staram się przy tym nie bełkotać.

Odchodzi, żeby ją zrobić, a ja opieram się o bar i czekam. Gdy wraca, stawia przede mną drinka i mamrocze coś, co – jak zakładam – jest ceną. Sięgam po torebkę, po czym uświadamiam sobie, że jej nie mam. Sprawdzam kieszenie, ale znajduję tylko telefon. Po pustym ekranie wnioskuję, że padła bateria.

– Och, przepraszam. Zostawiłam torebkę. Za sekundę wrócę.

W pośpiechu oddalam się od baru i zostaję połknięta przez tłum. Nie obchodzi mnie nawet, czy barman widzi, jak wychodzę, i myśli, że jestem jakąś szumowiną. Może właśnie tym jestem.

Na zewnątrz zdaję sobie sprawę, że ostatecznie nie oddaliłam się tak bardzo od domu. Jestem na Ealing Broadway, zaledwie pół godziny drogi od mieszkania. Dopiero gdy docieram na miejsce i staję pod drzwiami, orientuję się, że nie mam kluczy. Musiałam gdzieś je zgubić.

– Niech to szlag! – krzyczę. – Cholera jasna!

Opieram się o drzwi, a w głowie kołacze mi myśl, że będę musiała spać na progu, nim rano skontaktuję się z właścicielką, ale drzwi ustępują pod ciężarem mojego ciała i wpadam do mieszkania. Musiałam je zostawić otwarte, co w sumie mnie nie dziwi, jeśli weźmie się pod uwagę mój stan, ale dzięki Bogu, że to zrobiłam.

Stoję w przedpokoju i zastanawiam się, czy powinnam znaleźć torebkę i wrócić do baru, ale nie mogę sobie nawet przypomnieć, gdzie ją zostawiłam. Chwiejnym krokiem wchodzę do salonu i widzę Zacha śpiącego na sofie. Co on tu robi? Musiał wpaść z wizytą i zasnął, gdy na mnie czekał, bo tak długo nie wracałam.

Kucam przy nim i opieram czoło o jego ramię. Nie porusza się.

– Hej, Zach – mówię. – Wróciłam. Co ty tu robisz? – Potrząsam nim, ale on wciąż nie reaguje.

To wtedy przyglądam się z bliska jego twarzy i zaczynam krzyczeć, jeszcze zanim w pełni zarejestruję, co się dzieje. Zach nie śpi. On jest martwy.

Co ja zrobiłam⸮! Co ja, do kurwy nędzy, zrobiłam⸮!

35

Dwa miesiące później

Mia

Siedzę na balkonie i patrzę, jak Freya gra z Willem w piłkę na plaży. Kapelusz przeciwsłoneczny jest na nią trochę za duży i wciąż się zsuwa, ale za każdym razem Will podnosi go i nasadza jej z powrotem na głowę.

Jesteśmy w raju i trudno odczuwać tutaj cokolwiek innego niż spokój, gdy patrzy się na kilometry piaszczystych plaż rozciągających się w obu kierunkach oraz czyste i ciepłe morze. Nie moglibyśmy znaleźć się dalej od Londynu, dosłownie i w przenośni.

To był pomysł Willa, żeby polecieć na Malediwy. Powiedział, że choć na chwilę musimy uciec jak najdalej. Wiedział dokładnie, czego potrzebuję: dystansu od Alison i wszystkiego, co się wydarzyło. Więc teraz siedzę tutaj z koktajlem w dłoni, opierając nogi o siedzenie krzesła naprzeciwko, i wygrzewam się w słońcu.

Przez wiele lat nie mogłam sobie pozwolić na rozmyślania o tym, co wydarzyło się w noc śmierci Zacha; to było zbyt bolesne i przeżywanie tego na nowo sprawiłoby tylko, że jeszcze

347

bardziej bym się załamała, że umarłabym w środku. Ale teraz w tym pięknym miejscu pozwolę sobie o tym pomyśleć. To będzie moje ostateczne pożegnanie z Zachem, zanim zacznę moje nowe życie z Willem.

Zach i ja zawsze byliśmy sobie bliscy. Mawiał, że go dopełniam, że nie wyobraża sobie życia beze mnie, a potem śmialiśmy się z tego, bo to brzmiało jak tekst żywcem wyjęty z ckliwego romansidła. Ale on naprawdę tak myślał, a ja czułam to samo. Przy Zachu otworzyłam się jak w żadnym poprzednim związku. Wcześniej zawsze trzymałam partnerów na dystans. Nie dlatego, że ktoś mnie kiedyś zranił. Po prostu w nich nie wierzyłam. Ale potem pojawił się Zach i zakochałam się po uszy. On prawdopodobnie nie zdawał sobie sprawy, jak potężne jest moje uczucie, bo jestem zbyt opanowana, by pozwolić, aby emocje wzięły nade mną górę, ale nigdy wcześniej się tak nie zaangażowałam.

I to było w porządku. Przez bardzo długi czas wszystko było idealnie.

Ale potem coś się zmieniło. Początkowo to było niezauważalne, więc nie potrafię dokładnie ustalić, kiedy to się zaczęło, ale powoli Zach zaczął się ode mnie oddalać. Zakładałam, że to z powodu powieści, ale pracował nad nią, odkąd pamiętam, więc nie byłam do końca przekonana, że to jest przyczyną jego zachowania. Potem pomyślałam, że to musi być Freya; Zach ją uwielbiał, ale nie potrafił żonglować rodzicielstwem i resztą życia tak sprawnie jak ja.

Nigdy mi tego nie powiedział, ale widziałam, że działa na autopilocie i próbuje przebrnąć przez każdy kolejny dzień. Robiłam, co mogłam, żeby ułatwić mu życie; zabierałam ze sobą Freyę na kilka godzin każdego dnia, by dać mu czas na pisanie. Wzięłam na siebie wszystkie obowiązki domowe, ale to nie zrobiło wielkiej różnicy. Zach dalej mi się wymykał.

Nigdy nie byłam zazdrosna czy niepewna siebie. Zawsze uważałam, że jeśli ktoś przestaje cię kochać, to musisz pozwolić mu odejść, zwrócić mu wolność. A przynajmniej myślałam, że w to wierzę, dopóki nie doszłam do wniosku, że Zach ma romans. Wtedy nagle na szali znalazło się wszystko. A ja potrafię walczyć. Nie mogłam pozwolić, by Freya straciła ojca – nie w momencie, kiedy w głębi serca czułam, że on wciąż mnie kocha. Musiałam odkryć, co się dzieje.

Gdy po raz pierwszy zobaczyłam Josie, siedziała z nim w parku. Pamiętam, że postanowiłam zrobić mu niespodziankę i pojawiłam się nieoczekiwanie na kampusie z jakąś smaczną przekąską na lunch. Wmówiłam sobie, że to będzie troskliwy gest, ale prawda była taka, że chciałam go skontrolować. Uważaj, czego sobie życzysz. Nie robili niczego podejrzanego, nawet nie siedzieli zbyt blisko siebie, ale od razu zrozumiałam, że coś jest nie tak.

Nie chodziło o to, jak ona patrzyła na niego, z oczami pełnymi zachwytu. Przywykłam już do tego, że studentki Zacha go ubóstwiają.

To wyraz jego twarzy powiedział mi prawdę. Od dawna nie widziałam go tak spokojnego. Przypomniały mi się czasy, gdy się poznaliśmy, gdy byłam całym jego światem i nic innego zdawało się nie istnieć.

To przeraziło mnie tak samo, jakbym przyłapała ich na pocałunku. Nie pamiętam dokładnie, jak długo ich obserwowałam, ale gdy ruszyłam z powrotem do domu, czułam się martwa w środku. Jednak nie miałam dowodu, którego potrzebowałam, by doprowadzić do konfrontacji. Nie zamierzałam tak po prostu wpadać w histerię i oskarżać go bezpodstawnie. Byłam silniejsza. Musiałam zdobyć dowód.

Tylko o tym myślałam, gdy bawiłam się z Freyą, próbując poświęcić córeczce uwagę, której potrzebowała i na którą zasługiwała. Ale byłam tak odrętwiała, że nie potrafiłam się na niej skupić.

Przez wiele dni regularnie sprawdzałam telefon Zacha, ale nigdy nie znalazłam tam niczego, co wyglądałoby podejrzanie. Oczywiście, że nie. Był zbyt sprytny, by zostawiać po sobie ślady. Przez to, że tak dobrze się krył, poczułam się nawet gorzej, jakby jego zdrada okazała się jeszcze większa.

Aż w końcu, wiele tygodni później, zobaczyłam esemes od kogoś imieniem Josie. Wciąż pamiętam te słowa. „Już skończyłam. Zastanawiam się tylko, gdzie jesteś".

Owszem, te dwa zdania mogły się okazać niewinne, jednak Zach nigdy wcześniej nie wspominał o żadnej Josie, a ja byłam pewna, że normalnie nie daje studentom swojego numeru telefonu.

Więc przeprowadziłam małe śledztwo. Przejrzałam wszystkie papiery Zacha i znalazłam listy jego studentów, opatrzone zdjęciami. Były ich setki i odszukanie właściwej osoby zajęło mi całą wieczność, ale nagle ją zobaczyłam. Gapiła się na mnie z pewnym siebie, ładnym uśmiechem na twarzy. Josie Carpenter. Dziewczyna, którą widziałam w parku.

Ale dowody wciąż były niewystarczające, więc zaczęłam go śledzić, gdy tylko miałam wolną chwilę. Na szczęście Pam i Graham zawsze chętnie brali do siebie Freyę i nigdy nie zadawali zbyt wielu pytań. Byli wniebowzięci, że mogą spędzić trochę czasu z wnuczką.

Myślałam, że nie mogłabym poczuć się gorzej, ale któregoś wieczoru zobaczyłam, jak Zach wchodzi do jej mieszkania. Nie spędził tam dużo czasu, ale wystarczająco, by zdążyli zrobić to, co wiedziałam, że musieli tam robić. Oczywiście niczego nie widziałam, ale to tylko pogorszyło sprawę. Zaczęłam sobie wyobrażać ich dwoje w miłosnym uścisku, ręce Josie błądzące po ciele mojego męża.

Zwymiotowałam na chodnik. A potem odeszłam. Nie mogłam ryzykować, że on mnie zobaczy. Chociaż miałam już wystarczające dowody, nie chciałam doprowadzić do konfrontacji. Nie potrafiłam. Był tatą Frei i gdybym go wtedy opuściła, odbiłoby się to na niej i prześladowało ją do końca jej życia. Nie mogłam jej tego zrobić, musiałam utrzymać naszą rodzinę razem.

Mijały tygodnie, a ja nadal nic nie mówiłam. Nie dlatego, że byłam słaba, że akceptowałam to, co wyprawiał Zach. Zdecydowanie nie chodziło o to. Ale moja uwaga przeniosła się na Josie. Nie mogłam przestać o niej myśleć. Była taka młoda i oburzało mnie, że Zach mógł znaleźć coś atrakcyjnego w kimś takim.

Ale wiedziałam, że ta dziewczyna musi coś w sobie mieć. Zach nie zainteresowałby się nią tylko ze względu na ciało; to umysły go pociągały. A to sprawiało, że nienawidziłam jej jeszcze bardziej. To raniło mnie jeszcze głębiej.

Zbadałam jej życie. Szperałam w internecie. Nie miała kont na Facebooku ani Twitterze, ale znalazłam interesujący artykuł na temat ataku, który przeżyła, gdy miała osiemnaście lat. Powinno mi się zrobić jej żal, ale poczułam tylko jeszcze większą wściekłość. Ta młoda kobieta sama przeszła przez piekło, więc dlaczego teraz skazuje na cierpienie kogoś innego?

Pochodziła z okropnej rodziny, określenie jej dysfunkcyjną byłoby niedomówieniem, więc musiała wiedzieć, jak wpłynie na Freyę rozpad małżeństwa Zacha.

Ale nic jej to nie obchodziło. Dalej goniła za moim mężem, kusiła go, bo byłam pewna, że stawiał opór, przynajmniej początkowo. Zach nie był podły. Nigdy nie wątpiłam, że kochał mnie i Freyę.

Gdy postanowiłam nie poruszać z nim tego tematu, nie spodziewałam się, że w efekcie całe moje życie legnie w gruzach. On coraz bardziej się ode mnie oddalał, a mnie coraz trudniej było sobie z tym poradzić. Nigdy wcześniej nie miałam depresji, ale teraz zapadałam się coraz głębiej i głębiej w bezdenną otchłań.

Jak mogłabym się z niej kiedykolwiek wyzwolić? Jak mogłabym wyrzucić Josie Carpenter ze swojej głowy? Prześladowała mnie w snach, sabotowała każdą chwilę dnia i w końcu ja też zaczęłam działać jak automat. Karmiłam Freyę, kąpałam ją, dbałam o to, by miała wystarczająco dużo ćwiczeń i zabawy, ale nigdy tak naprawdę nie byłam przy niej obecna.

Właśnie to przeważyło szalę: myśl, że tracę czas z córką, którego nigdy nie odzyskam. Josie Carpenter ukradła już całą moją rodzinę.

To, co wydarzyło się później, wydaje mi się surrealistyczne, gdy teraz sobie o tym przypominam. Jakbym nie ja to zrobiła. Jakbym obserwowała kogoś innego, kto podejmuje kroki, które ja podjęłam. To nie siebie widzę, jak wchodzę do kafejki internetowej, czytam wszystko, co mogę, o narkotykach, sprawdzam, czy zostawią ślad, gdy rozpuści się je w wodzie.

Uśmiechnęłam się, gdy natrafiłam na odpowiedni: ketamina, środek używany między innymi do znieczulania koni.

Gwarantowałby niemal natychmiastową śmierć. To najlepszy sposób. Łaskawy. Ostatecznie nie byłam potworem, miałam przecież serce. Okazało się, że trudno ją dostać, ale w końcu udało mi się znaleźć dealera, który mi pomógł.

Tamtego wieczoru, gdy poszłam do jej mieszkania, było ciepło. Pamiętam, że nie potrzebowałam kurtki. Zach zabrał Freyę do swoich rodziców i planował tam zostać, żeby dać mi odpocząć. Pamiętam, że powiedział:

– Bo chociaż jesteś *superwoman*, wyglądasz na wykończoną.

Nie znał nawet połowy prawdy.

Czułam się odrętwiała, gdy pukałam do jej drzwi, obserwując siebie samą z góry, jakbym nie była częścią tego wszystkiego. Być może ostatecznie nie użyłabym ketaminy, ale gdy drzwi się otworzyły i stanął w nich Zach, coś we mnie pękło.

Szczęka mu opadła i z trudem wydusił z siebie:

– Mia? Co… Co ty tutaj robisz?

Nie odpowiedziałam, ale wyminęłam go i wpadłam do mieszkania. Przeszukałam wszystkie pomieszczenia, ale nigdzie nie znalazłam Josie.

– Mio, mogę wyjaśnić… – Zach wyglądał na zrozpaczonego.

Chodził za mną krok w krok, a to jeszcze bardziej mnie rozzłościło. Gdyby nie miał niczego na sumieniu, to by się tak nie denerwował, prawda? Już dawno by mi wyjaśnił, co robi w mieszkaniu jednej ze studentek.

Złapał mnie za ramię i zaprowadził do salonu. Był to pusty, brzydki pokój z brudną kremową sofą i kredensem. Zach nie pasował do tego miejsca. Żadne z nas do niego nie pasowało. Chociaż oboje mieszkaliśmy w znacznie gorszych norach, studenckie czasy mieliśmy już dawno za sobą.

Posadził mnie na sofie, a potem usiadł obok mnie. Pozwoliłam mu na to, bo wciąż byłam odrętwiała, wciąż nie byłam sobą. Patrzyliśmy na siebie bardzo długo, chociaż w rzeczywistości musiało to trwać zaledwie kilka sekund, po czym on w końcu zaczął mówić.

– Mio, nie jestem pewien, co cię tu przywiodło, ale przysięgam, że nie dzieje się tu nic niestosownego. Mieszka tutaj jedna z moich studentek, Josie Carpenter, a ja tylko jej pomagałem. Ona... ona przechodzi naprawdę ciężki okres, a i w przeszłości spotkało ją wiele złego. Wiem, jak to może wyglądać, Boże, naprawdę wiem, ale nie mam z nią romansu. Musisz w to uwierzyć.

Patrzyłam na niego, jakimś cudem kontrolując swój gniew.

– No to gdzie ona jest, Zach? Dlaczego ty tutaj jesteś, a ona nie?

Odetchnął głęboko.

– Coś ją zdenerwowało i wypadła stąd jak burza. Zostawiła klucze, więc po prostu czekałem, aż wróci. Nie mogłaby dostać się do środka, gdybym sobie poszedł, więc nie miałem wyboru... – Jego słowa zlewały się jedno z drugim i tak naprawdę do mnie nie docierały.

– Co ją zdenerwowało?

Moje pytanie zawisło między nami. To była dla Zacha rozstrzygająca chwila. Albo mnie okłamie, albo powie prawdę.

– Naprawdę trudno mi o tym z tobą rozmawiać, ale ona... ona próbowała mnie pocałować. Tak mi przykro, Mio, powinienem był wiedzieć, że się we mnie zakochała. Powinienem był trzymać się od niej z dala. Nigdy sobie nie wybaczę, że pozwoliłem, aby to zaszło tak daleko. Ale przysięgam ci, że nigdy jej nie tknąłem. Ani razu.

I tym kłamstwem Zach przypieczętował swój los.

– W porządku – oznajmiłam. – Pójdę teraz do domu. Możemy porozmawiać o tym później. Czy mogę tylko skorzystać z toalety?

Zrobił wielkie oczy.

– Eee, tak, to drzwi po lewej, za kuchnią.

Spodziewałam się, że pójdzie za mną, że nie pozwoli mi kręcić się po mieszkaniu swojej dziewczyny, ale został przycupnięty na sofie, z dłońmi spoczywającymi na kolanach. To był jego kolejny błąd.

Kuchnia wyglądała na ogołoconą, ale czystszą niż reszta mieszkania. Po cichu przejrzałam zawartość szafek, szukając czegoś odpowiedniego. Gdy zauważyłam małą butelkę wody Evian w lodówce, poczułam, że to będzie niemal zbyt łatwe... W kuchni nie było niczego innego do picia, więc prędzej czy później ta dziewczyna musiała po nią sięgnąć. Nie miało dla mnie znaczenia, czy stanie się to jeszcze tej nocy, czy w następnym tygodniu, pod warunkiem że ją wypije.

Sięgnęłam do torebki, wyciągnęłam ketaminę i wlałam ją do butelki. Na wszelki wypadek potrząsnęłam butelką, mimo że substancja była bezbarwna i pozbawiona zapachu. A potem, czując pustkę w sercu i w głowie, odłożyłam butelkę na miejsce.

Następnie poszłam do łazienki tylko po to, by spuścić wodę, żeby Zach się nie zorientował, że tak naprawdę zakradłam się do kuchni.

Zerknęłam na niego w drodze do wyjścia, gdy go mijałam, ale nie zatrzymałam się i nie odezwałam ani słowem. Właśnie to boli mnie teraz najbardziej. Nie miałam pojęcia, że po raz ostatni widzę go żywego. Jak mogłam przewidzieć, że to on wypije tę wodę, a nie Josie?

Ja tylko chciałam, żeby Josie umarła. Nie Zach. Nie on!

Ale właśnie z tym będę musiała żyć. To jest moja kara. I nigdy się nie dowiem, co tak naprawdę przytrafiło się Josie, kto pozbył się jej ciała i dlaczego.

Alison wszystkiemu zaprzecza, oczywiście. Przeszła załamanie, co nie jest zbyt zaskakujące po tym, co się wydarzyło, więc nie zostanie postawiona przed sądem. Poza tym brakuje jakichkolwiek solidnych dowodów, prawda? I właśnie do tego wszystko zawsze się sprowadza.

Istnieje możliwość, że Zach wypił tę wodę znacznie później. Może Josie rzeczywiście zdążyła wrócić i strasznie się pokłócili. Już wtedy wiedział, że mnie stracił, i może jego ból zamienił się gniew. Ale nie potrafię pojąć, jak to możliwe, że posunął się tak daleko; zawsze był taki spokojny, nigdy się na nikogo nie złościł. Z drugiej strony, kto wie, co naprawdę tkwi w każdym z nas? Ja też nigdy bym nie pomyślała, że byłabym zdolna do odebrania komuś życia.

Długo zastanawiałam się nad tym, co Alison miała na myśli, gdy błagała, żebym powiedziała policji prawdę. Ona wie, że byłam tam tego wieczoru, musiała mnie widzieć. Jedyne, czego nie potrafię zrozumieć, to dlaczego wytropienie mnie zajęło jej aż pięć lat. Trudno pojąć sposób rozumowania niestabilnego umysłu. Możliwe, że mnie widziała, ale nie miała pojęcia, kim jestem, dopóki przypadkiem nie natrafiła na moją stronę i nie zobaczyła zdjęcia – być może gdy szukała nowego terapeuty. Może dopiero wtedy wszystkie elementy w jej głowie ułożyły się w całość.

Oczywiście Alison nie ma żadnego dowodu na to, że jestem odpowiedzialna za śmierć Zacha, ale wie, że tam byłam i się do tego nie przyznałam. Chociaż ona też tego nie zrobiła...

To z pewnością ułatwia zrozumienie prawdziwego powodu, dla którego się do mnie zgłosiła. Gdy powiedziała mi, że tam była tamtego wieczoru, naturalnie zastanawiałam się, czy mogła mnie widzieć, ale musiałam czekać na właściwy moment. Musiałam się przekonać, co zrobi, i zawsze dbać o to, aby być o krok przed nią.

Chciała sprawiedliwości dla Josie, a ja miałam być tą, która zapłaci za jej śmierć. Być może miała nadzieję, że się przyznam, ale choroba psychiczna naprawdę przesłoniła jej zdolność oceny sytuacji, bo nie spodziewała się, że to ja zrzucę winę na nią.

To Dominica najbardziej mi żal. Wiedział, że jest niezrównoważona, ale nie miał pojęcia, do jakiego stopnia. To smutne, bo część słów Alison rzeczywiście była prawdą, a resztę zmyśliła tylko po to, żeby mnie podpuścić. To dlatego początkowo udawała, że Dominic ją bił i miał coś wspólnego ze śmiercią Josie. Wszystko, co mówiła i robiła, miało na celu zastawienie pułapki na mnie. Wciąż nie jestem do końca pewna, co chciała osiągnąć, gdy twierdziła, że Dominic maczał palce w morderstwie Josie, ale chyba próbowała zbić mnie z tropu, żebym nie pomyślała, że to mnie podejrzewa. Zwodziła mnie, by przygotować się do ostatecznej konfrontacji.

Cóż za zawiłą sieć utkałyśmy. Ale przynajmniej dla mnie to już się skończyło. Żadnych więcej ataków paniki. Jestem bezpieczna.

36

Josie

Dziś są moje urodziny, ale nikt o tym nie wie. Nie wiedzą nawet, ile tak naprawdę mam lat, bo dodałam sobie dwa tylko po to, żeby się upewnić, że nikt nie będzie mógł mnie wyśledzić. Więc teraz mam dwadzieścia osiem, a nie dwadzieścia sześć. Ale czas nie ma już znaczenia. Każdy dzień jest taki sam, każda minuta identyczna jak ta, która właśnie upłynęła, i tak już zawsze będzie wyglądać moje życie. Josie Carpenter nie żyje. Teraz jestem kimś innym, kimś bez przeszłości, którą ona miała. Zadbałam o to.

Po pięciu latach coraz łatwiej mi pamiętać, że nie jestem już Josie, coraz łatwiej przedstawiać się jako Joanne. Albo Jo, tak na wszelki wypadek, gdyby mi się wyrwało. Musiałam wybrać podobne imię, bo zbyt łatwo można dać się zaskoczyć.

Ale niezależnie od tego, co robię, zawsze będę czekać na pukanie do drzwi, które powie mi, że to już koniec. Że mój czas się wyczerpał.

Nie jestem pewna, dlaczego wybrałam Kornwalię na swój nowy dom. Być może po tylu latach spędzonych w Brighton znowu zapragnęłam być blisko morza. Jest w nim coś, co sprawia, że czuję się wolna, jakbym mogła w każdej chwili zanurkować i popłynąć wszędzie, dokąd zechcę.

– Hej, Jo! – Ktoś woła moje imię.

Nerwowo podnoszę wzrok, ale to tylko Alfie, starszy mężczyzna, który mieszka kawałek dalej przy mojej ulicy. Jest na swoim zwyczajowym porannym spacerze z psem, podobnie jak ja, i przechodzi przez ulicę, witając nas szerokim uśmiechem. Nie ma pojęcia, jak bardzo taki drobny gest potrafi poprawić mi nastrój.

– Jak się dzisiaj miewa? – Pochyla się, żeby pogłaskać Pepper.

– Myślę, że jest jej gorąco. Ma za dużo sierści.

Śmieje się, mimo że moje słowa tak naprawdę nie są zabawne. Ale może tylko ja tak myślę. Bo już mało co wydaje mi się zabawne.

Pepper zaczyna podskakiwać i z ekscytacją obwąchiwać Boxera. Odciągam ją i przepraszam, mimo że dzieje się tak za każdym razem, gdy na siebie wpadamy na spacerze z psami.

Pepper to dla mnie dobre towarzystwo, ale tak naprawdę kupiłam ją dla Kierena. Kupiłam mu psa, którego zawsze chciał mieć. Wciąż żyję nadzieją, że pewnego dnia znowu zobaczę mojego małego braciszka, chociaż wiem, że szanse na to są marne.

Będzie miał teraz dziesięć lat. Dziesięć lat, a ja nie mam pojęcia, jak wygląda. Jaki jest jego ulubiony kolor ani czy potrafi jeździć na rowerze. Nie mam pojęcia, jak traktuje go Liv, teraz, gdy zaczął dorastać, ale modlę się, żeby przynajmniej miał odwagę, by się jej postawić, tak jak widział, że ja to robiłam.

Ale pewnego dnia dowiem się o nim wszystkiego. Nie mogę pozwolić, żeby śmierć Zacha poszła na marne.

– Dobrze się czujesz, Jo? – pyta Alfie. – Trochę pobladłaś.

Wracam do rzeczywistości.

– Och, tak, jestem tylko odrobinę odwodniona, tak sądzę. Ten upał! To za dużo, prawda? Zawsze wolałam zimę.

– Owszem, jest okropnie gorąco. Ale jak słońce zniknie, zaczniemy narzekać, że go nie ma. Nie da się nas zadowolić, co? – Chichocze i niemal mam ochotę go uściskać.

To dobry człowiek, żywy dowód na to, że życzliwi, przyzwoici ludzie naprawdę istnieją. Ludzie tacy jak Zach.

Żegnamy się, a Alfie przechodzi przez ulicę i rusza w stronę swojego domu.

Patrzę, jak odchodzi, i to nie wydaje mi się realne. Nic, co widzę czy robię, nigdy się takie nie wydaje. Ale to dlatego, że ja nie jestem już dłużej realna.

Gdy ruszam w stronę plaży z Pepper truchtającą przede mną, jak zawsze rozmyślam o Zachu – nie ma dnia, żebym o nim nie myślała – i po raz kolejny mówię mu, jak bardzo mi przykro. Jest tak wiele rzeczy, za które chciałabym go przeprosić: że nie zdołałam zwalczyć swoich uczuć do niego, że wciągnęłam go w swoje życie, że zostawiłam go w mieszkaniu i uciekłam. Nie wspominając o najgorszym ze wszystkiego: o tym, że upozorowałam własne morderstwo. Zachlapałam krwią pół mieszkania, żeby wyglądało to bardziej przekonująco.

„Musiałam zniknąć, Zach, przepraszam".

Na plaży spuszczam Pepper ze smyczy. Siadam, wyciągam z torby notes i długopis. Gryzmolę notatki do następnego rozdziału, podczas gdy moja jedyna towarzyszka mknie po piasku w pogoni za piłeczką.

Każde słowo, które piszę, jest dla Zacha. Chcę mu udowodnić, że się co do mnie nie mylił; że mogę odnieść sukces.

Wtedy nie mogłam ukończyć studiów, ale któregoś dnia podejmę je znowu. Dokończę to, co zaczęłam. A teraz skończę książkę i ją opublikuję. A w każdym razie tak właśnie sobie mówię. Bo w rzeczywistości nigdy nie będę mogła się nikomu przyznać, kim naprawdę jestem, ani ujawnić, co się wydarzyło. Bo popełniłam okropną zbrodnię.

Łzy kapią mi na notes, zamazując słowa, które właśnie napisałam. Być może dzisiaj już żadne więcej do mnie nie przyjdą. Nie poczuję inspiracji. Miewam takie dni. Ale wtedy po prostu czekam na następny.

Wyciągam telefon i wpisuję w wyszukiwarkę Google swoje nazwisko, tak jak to robię każdego dnia, żeby sprawdzić, czy odkryto coś nowego na mój temat. Początkowo starałam się tego nie robić, ale zżerało mnie od środka, że nie wiem, co się dzieje, jaki los rzekomo spotkał Josie Carpenter. Więc pewnego dnia poddałam się i sprawdziłam, a teraz należy to do mojego porannego rytuału, razem ze spacerem po plaży z Pepper.

Tak długo nie ukazywało się nic nowego, dlatego przez ułamek sekundy myślę, że umysł płata mi figle, gdy widzę ten artykuł. Alison Frances została zatrzymana przez policję. Chłonę każde słowo i robi mi się gorąco. Czuję, jakbym miała eksplodować.

Alison aresztowano w związku z moim zniknięciem. Najwyraźniej prześladowała żonę Zacha i teraz wszyscy myślą, że to Alison mnie zabiła i ukryła ciało.

Robi mi się niedobrze, ale czytam dalej. Najwyraźniej Alison przeszła załamanie nerwowe, więc nie udało im się z niej wyciągnąć niczego poza stwierdzeniem, że Zacha zabiła jego żona, że to nie było samobójstwo, jak pierwotnie podejrzewali.

Serce zaczyna bić mi szybciej i z trudem zachowuję spokój. Co to oznacza؟ Dlaczego Alison myśli, że żona Zacha miała z tym coś wspólnego؟ Nigdy nie wierzyłam, że Zach popełnił samobójstwo; zawsze myślałam, że to ja mu coś zrobiłam. Ale czy istnieje szansa, że myliłam się przez ten cały czas؟

Nigdy nie zdołałam się z tym pogodzić. W tamtych czasach ostro piłam, jednak ani razu film nie urwał mi się do tego stopnia, żebym nie pamiętała, co zrobiłam. Nie mogłam też zrozumieć, jak to możliwe, że wspomnienie czegoś tak okropnego nigdy do mnie nie wróciło, nawet fragmentarycznie. Moja ekscytacja rośnie, podczas gdy rozważam możliwość, że mogłam się pomylić. Że mogę być niewinna.

Wiem, jak niezrównoważona była Alison, nawet tyle lat temu, więc nie potrafię sobie wyobrazić, w jakim stanie jest teraz, ale jeśli istnieje jakakolwiek szansa, żeby jej pomóc, a jednocześnie wyzwolić siebie, to muszę z niej skorzystać.

Na dole strony widnieje link do wywiadu z matką Josie Carpenter. Gniew pali mi wnętrzności, gdy czytam, jak „zrozpaczona" była Liv, która nie tylko straciła ukochaną córkę, lecz także musiała pozwolić odejść synowi, dziesięcioletniemu Kierenowi, który zamieszkał z ojcem w Hiszpanii. Twierdzi, że wiadomość o mojej śmierci ją załamała, dlatego uznała, że będzie lepiej, jeśli to ojciec Kierena zajmie się wychowaniem syna. Za to ona będzie go odwiedzać tak często, jak to możliwe. „To dla jego dobra", tłumaczy, najwyraźniej ze łzami w oczach.

Ale ja wiem, że prawda wygląda zupełnie inaczej. Liv zapewne zmęczyła się Kierenem i chciała zostać sama z Richardem, więc z radością się go pozbyła.

Chociaż wściekam się na nią, czuję ulgę, że Kieren się od niej uwolnił. Cieszę się, że nigdy nie będzie musiał przejść przez to, przez co ja przeszłam. Mam tylko nadzieję, że ojciec dobrze go traktuje. Zastanawiam się, jak Liv go wytropiła i przekonała, żeby wziął do siebie syna.

Pepper wraca do mnie biegiem przez plażę, wzbijając fontanny piachu, i upuszcza piłeczkę tuż przed moimi stopami. Znowu ją rzucam.

– Ostatni raz – mówię. – Zaraz musimy iść.

Zbieram swoje rzeczy i wkładam je do torby. Czuję się lżejsza niż kiedykolwiek wcześniej, jakby to był pierwszy dzień reszty mojego życia.

Być może zawsze wiedziałam, że pewnego dnia Josie będzie musiała zostać wskrzeszona. Ale jestem gotowa. Muszę pomóc Alison; nie mogę pozwolić, by wzięła na siebie winę za coś, z czym nie ma nic wspólnego. Nie była złą osobą, po prostu się zagubiła, a ja wiem, jak łatwo może się to zdarzyć. W końcu będę miała szansę ją przeprosić. I nie wiem, jak ani dlaczego żona Zacha jest w to zamieszana, ale dopilnuję, żeby cała prawda wreszcie ujrzała światło dzienne.

Wstaję, podnoszę torbę i gwiżdżę na Pepper, która wraca do mnie pędem z piłeczką w pysku.

– Chodź, mała – wołam. – Musimy wrócić do domu i się spakować. A potem wybierzemy się do Londynu.

List od Kathryn

Drogi Czytelniku, ogromnie Ci dziękuję za czas, jaki poświęciłeś na przeczytanie mojego szóstego thrillera psychologicznego *Nie ufaj nikomu*. Mam nadzieję, że udało Ci się przywiązać do bohaterów i zaskoczyło Cię zakończenie! Jeśli ta powieść przypadła Ci do gustu i chcesz być na bieżąco ze wszystkimi moimi najnowszymi publikacjami, po prostu zapisz się do newslettera, korzystając z poniższego linku. Twój adres e-mailowy nigdy nie zostanie przekazany dalej i będziesz mógł się wypisać w każdej chwili.

www.bookouture.com/kathryn-croft

Zawsze czerpię ogromną radość z wymyślania i pisania książek i mam nadzieję, że spodobała Ci się podróż, w którą Cię zabrałam.

Niezależnie od tego, czy dopiero odkryłeś moje książki, czy czytałeś którąkolwiek z poprzednich powieści, bardzo dziękuję za Twoje wsparcie. Recenzje są dla autorów niezwykle ważne, więc jeśli książka Ci się podobała, będę ogromnie wdzięczna, jeśli poświęcisz chwilę, by podzielić się z innymi swoją opinią. A jeśli zechcesz polecić tę powieść rodzinie czy przyjaciołom, będę zachwycona!

Zawsze cieszę się z kontaktu z Czytelnikami, więc proszę, nie krępuj się i pisz do mnie na Twitterze czy Facebooku. Możesz też skontaktować się ze mną bezpośrednio przez moją stronę internetową.

🄵 authorkathryncroft
🐦 twitter.com/katcroft
www.kathryncroft.com

Jeszcze raz dziękuję za wsparcie!
Kathryn

Podziękowania

Jak zawsze chciałabym podziękować ogromnie utalentowanemu i pracowitemu zespołowi ludzi, którzy sprawili, że powstanie tej książki stało się możliwe: Keshini Naidoo, mam ogromne szczęście, że trafiłam na takiego wydawcę – dziękuję Ci za wszelką pomoc i porady. Madeleine Milburn – dziękuję za wszystko, co Ty i Twój fantastyczny zespół z Madeleine Milburn Literary, TV & Film Agency dla mnie robicie. Olly Rhodes i całemu zespołowi Bookouture – jestem taka wdzięczna i dumna, że jestem jedną z Waszych autorek! Dziękuję również Julie Fergusson za wnikliwą redakcję oraz Jane Donovan za skrupulatną korektę.

Dziękuję wszystkim, którzy sięgnęli po kopię tej książki, niezależnie od formatu, i postawili na moje pisarstwo. Być może należycie do wiernych fanów, a może właśnie odkryliście mnie przez przypadek, może przeczytacie moją następną powieść, a może nie, ale niezależnie od tego dziękuję Wam za lekturę!

Ogromne podziękowania należą się też recenzentom i blogerom; jestem ogromnie wdzięczna za czas i wysiłek, jaki wkładacie w swoją pracę.

I wreszcie dziękuję mojej rodzinie i przyjaciołom, którzy wiecznie zdumiewają mnie pochwałami, zachętą i wsparciem.

Dziękuję mojemu wspaniałemu synkowi – wszystko, co teraz robię, robię dla Ciebie i mam nadzieję, że pewnego dnia będziesz dumny ze swojej mamusi (nawet jeśli nie wolno ci przeczytać żadnej z moich książek, dopóki nie skończysz osiemnastu lat... właściwie to ustalmy, że trzydziestu!).